A Filha
do Papa

LUÍS MIGUEL ROCHA

A FILHA
DO PAPA

Porto Editora

A Filha do Papa
Luís Miguel Rocha

Publicado por:
Porto Editora
Divisão Editorial Literária – Porto
Email: delporto@portoeditora.pt

© 2013, Luís Miguel Rocha e Porto Editora

Design da capa: XPTO Design
Imagens da capa: © Shutterstock e iStockphoto

1.ª edição: Março de 2013
Reimpresso em Maio de 2016

Porto Editora

Rua da Restauração, 365
4099-023 Porto
Portugal

www.portoeditora.pt

Execução gráfica **Bloco Gráfico, Lda.**
Unidade Industrial da Maia.

DEP. LEGAL 359960/13
ISBN 978-972-0-04411-2

Nota do editor: Por decisão do autor, o presente livro não segue o novo Acordo Ortográfico.

Este livro é dedicado a
Pius PP. XII
Eugenio Pacelli
2.III.1876-9.X.1958
(Que salvou milhares)

e à Madre Pasqualina Lehnert
(Que salvou um)

Dufferin St.Clair 416-393-7712

Toronto Public Library

User ID: 2 ********* 5355

Date Format: DD/MM/YYYY

Number of Items: 1

Item ID:37131175466804
 Title:A filha do Papa
 Date due:25/04/2019

Telephone Renewal# 416-395-5505
www.torontopubliclibrary.ca
 Thursday, April 4, 2019   3:45 PM

. . .

1.ª PARTE

MISERERE MEI

É principalmente através dos pecados da impureza que as forças das trevas subjugam as almas.
Papa Pio XII, 23 de Maio de 1948

Espiritualmente somos todos semitas.

Pio XI

Rorschach, Suíça
25 de Setembro de 1930

Nada é mais corrosivo que uma dúvida. Imiscui-se numa palavra, num gesto, numa ausência e invade os pensamentos minando a mente com cismas e confabulações.

As bátegas batiam no vidro com violência e as escovas limpa-vidros não conseguiam desviá-las com eficácia. Era um exército de pingos de chuva feroz que, ajudado pelo vento, se espalhava por todos os recantos do pára-brisas, como as dúvidas, a coberto da noite negra, que os faróis tentavam, em vão, desbravar.

– Pode ir mais depressa? – pediu o prelado agastado no banco de trás.

– O tempo está perigoso, Excelência – avisou o motorista, em alemão. – Já estamos perto.

Mesmo assim, o condutor pegou num pano para limpar a névoa do vidro do Mercedes-Benz 770 e acelerou um pouco mais, até ao máximo que a responsabilidade lho permitiu. Contorceu-se no banco. O corpo a pedir clemência da longa viagem. Não se atreveu a olhar pelo retrovisor interior para aquela figura esquelética e frágil que ocupava o lado esquerdo do assento de trás, a mirar o negrume nocturno.

Desconhecia o motorista os ditames nada éticos que faziam o clérigo estar ali naquele carro a novecentos quilómetros de casa, ou não fosse o nosso corpo hábil a esconder as dores da alma... a maior parte das vezes.

O prelado permanecia imóvel a olhar pelo vidro pintalgado de chuva. Um relâmpago iluminou o caminho por breves segundos e deixou-o ver o recorte das árvores que se vergavam à mercê do tempo. Havia uma profunda inquietação naquele passageiro de meia-idade e olhar sorumbático. O barulho do vento e da chuva a atacar o tejadilho abafava a respiração alterada pela ansiedade. O troar do trovão, mesmo por cima dos dois homens, fê-lo saltar do assento.

– Isto está mau – murmurou para si mesmo.

– Não se preocupe, Excelência – disse o motorista que dera pela inquietação do prelado. – Ladra mas não morde – acrescentou com um sorriso tímido. Os homens de Deus não gostavam muito de sorrisos.

Pensou em corrigir o motorista – já não era Excelência, era Eminência, o solidéu vermelho que trazia assim o definia –, mas ele não era obrigado a saber o protocolo das hierarquias da Madre Igreja.

A viatura continuou a abrir caminho através da intempérie com a condução segura e escrupulosa do suíço. Depois de uma curva mais pronunciada à esquerda atravessaram a entrada da propriedade. Os enormes portões, abertos, resistiam ao vento. Ao fundo, avistaram o destino. O clérigo estremeceu e as suas palpitações aumentaram. Estava a chegar a hora. O vidro embaciado deixava discernir um edifício escuro, algumas janelas iluminadas pela luz interior a denotar vida humana.

Um relâmpago iluminou a fachada de três andares em tonalidades de branco e cinzento. O homem de Deus sentiu um aperto no coração à medida que se aproximavam do destino. O suíço parou junto à porta principal e saiu do carro, abrindo desajeitadamente um chapéu-de-chuva para proteger o prelado da chuva forte.

O clérigo olhava fixamente para a porta principal da mansão. O que estou aqui a fazer, meu Deus? O motorista abriu-lhe a porta e o vento inundou o interior do carro sem permissão. O homem respirou fundo antes de sair da viatura.

Chegara o momento de se livrar das dúvidas que o corroíam.

10

*

A chuva intensa não deixou ouvir o carro chegar. Não fez diferença. Ela sabia. Ele ausentara-se de Roma há alguns dias e ninguém tinha conhecimento do seu paradeiro. Não precisava que lhe dissessem mais nada. Ninguém o conhecia melhor. A forma como ele pensava, como geria os sentimentos, as dúvidas. Receava que a perspicácia dele o levasse ao retiro, mais cedo ou mais tarde. Não podia vir em pior altura. Um dia depois e ele nunca saberia.

O suor pespegava a roupa ao corpo da freira e a respiração ofegante denotava esforço. Estava deitada de barriga para cima, de pernas abertas, uma posição nada confortável para quem estava habituada a ocultar-se debaixo das roupas. A parteira estava ajoelhada entre as pernas dela com uma mão apoiada no ventre. Sonja, de hábito azul-escuro, entrou afoita nos aposentos segurando toalhas dobradas nas mãos e olhou timidamente a freira que estava deitada.

– Ele chegou, irmã – avisou Sonja, pousando as toalhas em cima de uma cómoda e tentando evitar olhar para a parteira.

Um gemido entrecortado foi a resposta que ela tratou imediatamente de conter, a custo.

– Está quase – observou a parteira.

Levantou-se e pegou nas toalhas que Sonja trazia. Depois acercou-se da parturiente que sofria e colocou-lhe uma mão terna na testa.

– Não deu a volta completa. Vai custar um pouco mas vai passar depressa. – disse com pena e afoiteza ao mesmo tempo. - Aguenta-te. Estou aqui contigo.

A parturiente agarrou-a no braço e puxou-a para mais perto de si.

– Dá-me algo para morder e não me deixes fazer barulho. – Era uma ordem.

A parteira mirou-a contrafeita e depois anuiu. Seja feita a tua vontade.

– Sonja – chamou a parturiente. – Faz o que te disse.

– Mas, irmã… – contestou Sonja reticente.

– Faz o que te disse – repetiu, com um gemido, quando a dor regressou. – Vai – tartamudeou.

Sonja saiu do quarto contrariada e fechou a porta atrás de si. A parteira trancou-a à chave e enrolou um lenço lavado que colocou na boca da parturiente.

– Estás preparada? Chegou a hora.

11

*

O prelado recusou o chapéu-de-chuva que o motorista lhe ofereceu.

– Espere aqui – ordenou.

– Está a chover, Excelência – protestou o motorista.

O prelado já o não ouviu. Subiu os dez degraus da escadaria, pé ante pé, aproximou-se da porta grande e bateu. A água escorria-lhe pelo cabelo para o rosto e enfiava-se pelo pescoço abaixo. A gabardina também já não conseguia conter a torrente que caía do céu sem desarmar.

Não se apercebeu de nenhuma movimentação no interior, a borrasca não deixava perceber nada. Não saberia dizer quantos minutos passaram até a porta se abrir e reconhecer a irmã que se revelou por trás dela.

– Sonja? – hesitou.

– Entre, por favor, Eminência. Está a chover muito. – Olhou-o apreensiva enquanto fechava a porta. – Está todo molhado.

– Estou bem.

O prelado olhou em redor, pesaroso. Muita coisa lhe passava pela cabeça naquela hora. A iluminação era fraca, mórbida, espalhando mais sombras que luz, e resumia-se a uma lamparina de fraca intensidade em cima de uma pequena mesa. Para além da irmã não se via mais ninguém, tão-pouco se ouvia alguma coisa a não ser a chuva lá fora e um trovão beligerante que fez Sonja benzer-se.

– Valha-nos Santa Bárbara – evocou a irmã, soltando um pequeno grito.

O prelado nem se apercebeu. Continuava a olhar em redor para o vestíbulo, até onde a parca luz alcançava, e para a escadaria que dava acesso aos andares superiores. A ventania fazia-se ouvir lá fora com mais força como se a tempestade interior que o assolava fosse o motor para a que se abatia sobre os Alpes.

– Deseja tomar um chá, Eminência? – ofereceu Sonja. – Não estávamos a contar com a sua presença mas vamos providenciar os seus aposentos habituais.

– Não, obrigado – respondeu sem na realidade ter escutado a oferta. – A irmã? – Era esta a pergunta que lhe queimava a língua.

Sonja baixou a cabeça. O prelado não necessitava de dizer a que irmã se referia.

– A irmã não está – retorquiu, embaraçada.

– Afiançaram-me que estaria cá – arguiu o prelado sem coragem para fitar a irmã.

– Não. A madre partiu... hoje para... Ebersberg... esta manhã. Disse que regressaria em Dezembro.

– Em Dezembro?

Sonja anuiu em confirmação. Ninguém disse nada durante alguns instantes. Só a tormenta perturbava o silêncio que se instalou. Parecia que o vento invadia os pensamentos e os deturpava, assobiando nos ouvidos até à exaustão.

– Disse que partiu para Ebersberg, hoje? – perguntou por fim.

– Sim. Hoje. – Sonja estava agitada.

– Para onde? – quis saber o prelado.

– Para onde?

– Sim. Para Ebersberg, para onde?

– Para a casa dos pais, Eminência.

– Em Ebersberg? – insistiu. A dúvida, sempre a dúvida.

Sonja voltou a fazer que sim com a cabeça.

O prelado continuava a olhar para o vestíbulo até onde a alumiação alcançava. Não parecia convencido. Sonja teria de fazer o que a irmã ordenara.

– Vossa Eminência vai querer pernoitar cá? Posso preparar-lhe os seus aposentos num instante – repetiu a freira.

O prelado reflectiu. As dúvidas, sempre as dúvidas. O que é que eu vim aqui fazer? Não devia ter vindo.

– Não. Obrigado, irmã. Parto agora mesmo.

– Tem a certeza? Está a chover muito. – Estava a ir longe de mais.

O prelado lançou-lhe um último olhar e dirigiu-se à porta da rua. Sonja prontificou-se a abri-la e uma baforada de vento e chuva impeliu-se para o interior. O clérigo saiu e olhou para trás enquanto as bátegas lhe caíam em cima.

– Disse que a irmã partiu esta manhã?

– Correcto, Eminência – mentiu Sonja. – Tive oportunidade de dizer ao padre Spellman, quando ele passou cá na segunda-feira, que a irmã ia para Ebersberg no dia de hoje.

Um relâmpago atravessou o céu carregado e seguiu-se um trovão.

– Não será melhor ficar, Eminência? – A freira estava a ser franca. Causava-lhe alguma apreensão saber que o Secretário ia enfrentar aquela borrasca.

– Boa noite, Sonja – despediu-se o prelado virando-lhe as costas e descendo os degraus em direcção ao carro.

Sonja fechou a porta e encostou-se a ela esbaforida. Respirou fundo e tentou acalmar-se.

– O que me obrigou a fazer, irmã Pasqualina? – murmurou para si.

Apressou-se a subir as escadas para saber dela. Lá fora, a tempestade continuava a não dar tréguas. Teve pena do cardeal. Pela tempestade e por tudo o resto. Quando chegou ao corredor do primeiro andar ouviu o choro compulsivo de um recém-nascido. Ajoelhou-se e persignou-se.

1

O telefone soou ao fim da tarde de terça-feira, no preciso momento em que as irmãs da Santa Cruz davam graças ao Senhor pelo jantar, ao redor das duas grandes mesas de carvalho do salão de refeições do retiro, depois das Vésperas. Deixaram tocar até se finar e prosseguiram a oração, pois nada era mais prioritário que o vínculo sagrado com Deus. *Que o Rei da eterna glória nos faça participantes da mesa celestial,* agradeceu a irmã Bernarda, nascida Mia, a quem se juntou o coro de irmãs de cabeça abaixada e olhos fechados. *Ámen.*

A refeição era frugal e comeu-se em silêncio, como tudo o que se fazia no retiro. O lema "Nunca dizer nada. Observar tudo" era seguido em todas as ocasiões. Existiam para servir em silêncio, sem olhar a quem, embora ali, no sopé sul das Dolomitas, não se abrisse a porta a qualquer um.

A lareira aquentava o salão do retiro com o crepitar indolente da lenha que se consumia, enquanto, lá fora, os flocos de neve se amontoavam pelo quarto dia consecutivo. Era o primeiro grande nevão do ano e iria cobrir toda a região com um manto branco.

Os talheres também colaboravam com as sagradas premissas silenciosas da ordem e não se manifestavam em tilintares acima de um parco decibel, semelhante a um cicio. Ninguém mais se lembrara do telefone que tocara durante a oração de graças pelo jantar até ele tornar a soar, estridente, perturbando a degustação do prato de *carne salada*, regado com um fio de azeite e vinagre de vinho e acompanhado com pão integral.

Foi a irmã Bernarda, nascida Mia, quem se levantou para o atender. Recuou a cadeira o mais placidamente possível e avançou em passinhos de lã para o aparelho, pousado em cima de uma mesa encostada a um canto da parede do salão, que agredia o ar com o seu toque estridente. A irmã Bernarda fizera os votos perpétuos havia pouco mais de um mês, no dia do seu vigésimo terceiro aniversário, aceitando servir a Jesus Cristo enquanto houvesse vida no seu corpo. Acabara-se a vida de luxo de Mia Gustaffsen, filha de um banqueiro suíço do cantão de Zurique, as viagens, as jóias na 5.ª Avenida, as compras em lojas caras em Regent Street, os vestidos, os perfumes na avenue Montaigne ou na George V, as malas e os sapatos na Via Monte Napoleone, os cruzeiros, os safaris, os namorados. Escolhera o nome Bernarda para honrar a prioresa que fundara a ordem das irmãs da Santa Cruz, em 1844, o que, entre as outras, pareceu uma escolha presunçosa. Havia muitas Anas, Marias de Jesus, Teodósias, mas Bernarda só houvera uma, até então.

As outras irmãs continuaram a comer os finos pedaços de carne de alcatra crua, imunes ao telefone que não se rendia, à espera que a irmã Bernarda o atendesse. Murmurou algumas palavras em alemão e acercou-se da prioresa no topo da mesa.

– É uma chamada de Roma, prioresa – sussurrou-lhe ao ouvido.

A prioresa levantou-se imediatamente e foi atender. Roma vinha logo a seguir a Deus na lista das prioridades. Assim que ela se levantou todas as irmãs de ambas as mesas pousaram os talheres. A irmã Bernarda voltou para o seu lugar e, tal como as outras, aguardou que a madre regressasse. Nesta ordem, e em todas, o topo da hierarquia era respeitado como se de Deus se tratasse... ou de Roma.

O interlocutor era nada mais nada menos do que o secretário pessoal de Sua Santidade, Giorgio, ou *Bel Giorgio*, como os italianos lhe chamavam, o que fez a prioresa ficar em sentido por ele ser quem era e ter a importância que tinha e por uma chamada daquelas raramente ou nunca acontecer. As instruções que o secretário pessoal lhe dera, no seu sotaque de Baden, em nome do Santo Padre, eram simples: um certo monsenhor Stephano Lucarelli apresentar-se-ia no retiro das irmãs da Santa Cruz, em Trento, nos próximos dias. Era de esperar que fosse instalado num dos aposentos do andar superior, alocado à madre superiora, à cónega e à alta hierarquia de Roma, quando ali vinha repousar e, rezava o cânone, não devia privar com os simples curas que também escolhiam aquele local alpino e que ficavam alojados nos andares inferiores. Essa alta hierarquia romana raramente aparecera por ali nas últimas décadas. Durante a estada do supracitado monsenhor, o acesso interior ao terceiro piso, o último, pela escadaria geral estaria interditado. Seguramente que o requerente, ou alguém por ele, conhecia muito bem o antigo e imponente retiro, pois sabia que o acesso ao terceiro andar se fazia por duas escadarias: a geral, que percorria todo o edifício, e dava acesso a todos os andares, e outra que ligava directamente o terceiro andar ao exterior, sem desvios de permeio. Mais: deviam disponibilizar o lugar na garagem exclusiva, e as refeições, se solicitadas, deveriam ser deixadas à porta dos aposentos do monsenhor Lucarelli, que estaria em descanso absoluto por ordem explícita do Santo Padre. Nenhuma irmã ou qualquer outra pessoa deveria arrumar os aposentos a não ser que tal lhe fosse solicitado. A mais importante de todas as recomendações, depois da de manter o monsenhor afastado de todos os outros hóspedes, era que não se registasse qualquer menção à sua estada, entrada ou saída. Nada.

O retiro estava cheio de hóspedes, das mais variadas nacionalidades, que vinham gozar umas merecidas semanas de descanso. Com mais de um século de existência, o retiro das irmãs da Santa Cruz, no Monte Bondone, era uma estância de férias para padres e religiosos. Apesar da sua ocupação regular, os períodos mais preenchidos eram o Inverno e a Primavera. Os servidores da Igreja aproveitavam para conversar, confraternizar com colegas, amigos do ofício, meditar, orar em grupo, combinar peregrinações, fazer caminhadas quando o tempo consentia, cantar a beleza da Criação e, claro, esquiar. Podiam fazê-lo livremente, à sua inteira responsabilidade, ou contratar um monitor que os ensinasse. Se alguns não se importavam de arrumar o hábito e o cabeção durante alguns dias, outros não conseguiam separar-se deles, daí que fosse surrealista observar cardeais, bispos, frades ou freiras com eles vestidos a deslizar pela colina abaixo com os esquis debaixo dos pés. Havia entre eles insignes esquiadores, propensos, se tivesse sido essa a Sua vontade, a participar numa qualquer prova digna das olimpíadas de Inverno. Outros representavam um verdadeiro perigo público com aquelas pranchas deslizantes descontroladas.

Para os mais interessados num turismo preferencialmente histórico, a cidade de Trento ficava a cerca de vinte quilómetros. Havia um autocarro que levava os eclesiásticos, diariamente, ao início da manhã e da tarde, para a cidade. Podiam visitar a Piazza Duomo, onde ficava a catedral de San Vigilio, o santo padroeiro da cidade. Não deixavam de aí entrar e, no corredor direito, visitar a capela do Crucifixo e ajoelharem-se perante a cruz de madeira que continha os itens promulgados pelo célebre Concílio. No presbitério da catedral ocorreram algumas sessões dessa magna reunião do século XVI que durou dezoito anos. Mas havia muito mais para ver. Toda a cidade era um museu ao ar livre que deleitava os olhares dos amantes da história e se perdia nos confins dos tempos.

No fim do telefonema, o secretário pessoal mencionou, em nome do Santo Padre e de Deus, que estavam certos que a prioresa corresponderia com o habitual nível de excelência com que sempre presenteara os dignitários da Santa Sé. E assim seria. Nessa mesma noite, três irmãs, entre as quais Bernarda, foram dispensadas das Completas para procederem à limpeza do aposento principal. Os quartos do terceiro andar, à excepção do da prioresa e da cónega, eram limpos semanalmente, pois eram ocupados poucas vezes e, por isso, não requeriam manutenção diária como os outros. A chegada iminente de um monsenhor, com a venerável avalização do Santo Padre e do secretário, mudava os ditames ordinários.

Limparam o chão, não só do quarto mas de todo o corredor do terceiro piso, e estenderam lençóis térmicos na cama grande. Providenciaram toalhas para todas as funções, roupões, loções e todo o género de fluidos para o bem-estar do corpo. Sabiam muito bem que os pregadores do espírito prezavam os aconchegos terrenos. Os aposentos, apesar de sóbrios, tinham quarto de banho privativo e escritório. Já acolheram cardeais, arcebispos, núncios e até um Papa, em tempos idos. A meio da madrugada, o quarto estava pronto para receber o enviado de Sua Santidade.

*

O reverendo monsenhor Stephano Lucarelli chegou dois dias depois do telefonema, na quinta-feira ao início da tarde. Estacionou o carro na garagem interior, própria para hóspedes especiais. Era mais jovem do que a prioresa e a irmã Bernarda imaginavam – provavelmente na casa dos 40 anos

– mas a faixa e os filamentos violetas agarrados à batina preta não deixavam margem para dúvidas sobre a posição que ocupava.

O nevão dos últimos dias, que prendera os hóspedes junto às lareiras das salas de convívio e de jogos, ou na agradável biblioteca, acalmara na noite anterior, daí que quase todos se tivessem ausentado, pela manhã, para apreciar os prazeres da neve e da, novamente adquirida, liberdade. Saíram com esquis, trenós, bolas, sorrisos e expressões infantis nos rostos. Os poucos que decidiram permanecer no aconchego do retiro não viram o recém-chegado prelado italiano. Foi imediatamente conduzido pela irmã Bernarda aos seus aposentos pela entrada privada nas traseiras do edifício, longe de todos os olhares.

A prioresa encarregara Bernarda de prover todas as necessidades do reverendo monsenhor, a qualquer hora do dia ou da noite, durante a sua estada. A jovem observou o desconhecido prelado. Tão novo e já com um cargo tão importante. Um competente servidor da Igreja, seguramente. Carregava uma pequena mala de quatro rodas pela pega. Não parecia trazer muita roupa. Provavelmente, o repouso ordenado pelo Santo Padre seria breve.

– Como solicitado, o acesso aos aposentos só se poderá fazer por esta via – informou a freira, em italiano, quando subiam as escadas até ao terceiro piso.

– Obrigado – agradeceu o prelado, em alemão.

A sua voz era firme, segura de si, varonil e, no entanto, conservava também uma certa doçura, pensou a jovem quando abriu as portas dos aposentos.

– Espero que o quarto seja do seu agrado.

Lucarelli entrou na divisão e pousou a mala em cima de uma arca que estava encostada a uma parede. Olhou em redor. Abriu a porta do quarto de banho, depois a do escritório. A inspecção levou apenas alguns instantes.

– Perfeito – sentenciou. – Está então ao meu serviço, correcto?

A irmã anuiu, baixando a cabeça duas vezes.

– Sim, reverendo monsenhor…

– Tomo o pequeno-almoço às seis e meia da manhã – recitou, sempre num alemão polido. – Café e pão. Nada mais. Não almoçarei durante a minha estada. O jantar deve ser servido às seis e meia. Deixe ambas as refeições à porta do quarto.

A irmã entregou-lhe uma sineta que deveria ser utilizada caso o prelado necessitasse dos seus serviços. Fê-la tinir antes de lha passar para a mão.

– Como se chama? – perguntou ele, com um olhar penetrante.

– Bernarda, reverendo...

Lucarelli pousou a sineta em cima da cómoda.

– Se precisar de si chamarei pelo seu nome, Bernarda – declarou o prelado, virando-lhe as costas, em jeito de resolução sancionada e ratificada, sem direito a apelo. – Ninguém deve entrar nos aposentos, a não ser que eu o solicite, entendido?

– Sim, reverendo monsenhor. Necessita de mais alguma coisa? – perguntou a irmã antes de deixar os aposentos.

Ele já tinha aberto a mala e retirado algumas vestimentas que ia pousando na beira da cama. Confiante, organizado e metódico, acrescentou a irmã à lista de características do enviado de Roma que estava a elaborar mentalmente. "Observar tudo."

– Sim – disse, sem olhar para ela nem parar o que estava fazer. – Pode, por favor, providenciar-me um fato impermeável e esquis?

2

Matteo Bonfiglioli nunca conhecera os pais. Não que isso importasse muito, ao fim de quase trinta anos. Habituara-se à ideia desde muito cedo, quando se apercebeu que só podia depender de si mesmo e de mais ninguém. As várias famílias de acolhimento haviam-no demonstrado empiricamente. Os inúmeros *pais* extremosos que tivera não se coibiram de manifestar o seu afecto com o cinto, e até um padre se dignou exibir o seu amor por ele com uma vergasta numa mão enquanto segurava as calças desapertadas com a outra.

Aos dez anos já tinha passado por oito funcionais, estáveis e afectuosas famílias de acolhimento e conhecido quatro assistentes sociais. Só podia ser do feitio irreverente do rapaz que não se acobardava ao cinto nem à vergasta, nem a nenhum outro acessório educador. E depois, aquela mania de meter-se, feito herói de palmo e meio, onde não era chamado, e de estar sempre pronto para defender os *irmãos* que iam e vinham como os turistas de passagem, e que, a maior parte das vezes, nem aqueciam a cama. Os olhares amedrontados, condoídos, na esperança que os novos tutores gostassem deles, tentando retardar ao máximo o primeiro berro do *pai*, a primeira surra da *mãe*. Matteo sabia que era tempo perdido, e a inevitabilidade de o cinto não se manter preso às calças tão certa como a morte. Pareciam escolhidos a dedo, e todos, sem excepção, usavam cinto.

Úrsula, a sua quinta assistente social designada pelo Estado, mudou tudo. A rechonchuda funcionária pública tornou-se, ela própria, a sua nona família de acolhimento quando ele tinha 10 anos, só ela e ele, sem cintos nem más palavras, nem calças desapertadas, nem vergastas.

– Isto é uma relação para a vida inteira, Matteo – avisou-o no primeiro dia. – Não te vou devolver ao Estado, aconteça o que acontecer, faças o que fizeres. Isto pode correr muito bem ou muito mal. Portanto, o melhor é que nos dêmos bem desde o início.

Pela primeira vez, alguém lhe ditava regras com algum sentido. Havia horas para estudar, para brincar, para ver televisão, para comer, para dormir. Esperava-se dele que tivesse aproveitamento escolar, que evitasse altercações patetas e inúteis, dentro e fora da escola, que cumprisse as leis civis em vigor, sempre. Podia ser criança mas não piegas, tinha 10 anos, não era um bebé mimado e não podia, em situação alguma, tratá-la por mãe. Desde que fossem cumpridos estes preceitos não haveria problemas, e Matteo não era rapaz para procurá-los deliberadamente, especialmente se não houvesse razão para isso.

Nunca se apercebera que Úrsula tivesse qualquer relação com alguém. Viu um homem de meia-idade dar-lhe um envelope uma vez que chegou mais cedo da escola, e acabou por vê-lo mais tarde, mais duas ou três vezes, mas não lhe parecia nada sério dada a rapidez com que ele ia embora.

Dez anos depois, Úrsula arranjou-lhe uma bolsa que lhe financiou integralmente o curso de Línguas e Literatura na Università Degli Studi. Um cancro nos intestinos levou-a antes da láurea final da licenciatura. Foi a primeira vez que Matteo chorou por alguém. Por vezes pensava que decerto algum ser, algures no universo, puxava cordelinhos invisíveis que faziam aparecer as pessoas certas às desorientadas, e durante o tempo necessário para fazer a diferença. A Úrsula das regras quase militares, das leis, das exigências, da falta de instinto maternal, aquela a quem não podia, em situação alguma, chamar mãe ainda teve um último gesto: deixara-lhe em testamento a casa em que viviam e uma conta bancária que a todos os dias trinta de cada mês crescia mil e quinhentos euros. Perguntou ao gerente do banco de onde vinha aquele dinheiro todos os meses e ele respondeu-lhe que se tratava de uma poupança que Úrsula lhe deixara. Gostasse ou não, fora a mãe dele e sê-lo-ia sempre.

Matteo irritava-se quando pensava nos pais. Quem seriam? O que lhes acontecera? Por onde andariam? Porque o abandonaram? As perguntas naturais de um jovem adulto à procura da sua história. Sentia que eram um insulto à memória de Úrsula, que fizera por ele mais do que dezasseis *pais* funcionais, estáveis e afectuosos, mas não o conseguia evitar. Alguém o trouxera ao mundo e o largara.

Ironicamente, Matteo ganhava a vida a contar a história dos outros, embelezada pela prosa e pelos bardos, pelos poetas, pelos séculos e pelos milénios. Para ele o mundo estava dividido entre os patifes e os simplórios, e os primeiros eram muito mais numerosos que os segundos. Como a mãe, Úrsula, só houvera uma.

As suas visitas guiadas à cidade de Verona tornaram-se famosas. Das nove da manhã até às seis da tarde, o autocarro turístico de Matteo andava apinhado maioritariamente de japoneses, alemães, ingleses, dinamarqueses e alguns compatriotas. Os grupos eram, na sua maioria, femininos, o que não era surpreendente. Insólito era ver o mesmo homem, solitário, repetir a visita pelo terceiro dia consecutivo. Quando isso acontecia só podia significar uma coisa... Era gay.

O dia começava com uma entrada a matar. Guias, panfletos, mapas, tudo era recolhido e guardado. Tinham apenas duas obrigações naquela viagem, e apenas duas: a de abrir bem os olhos e a de se concentrarem na voz dele. O resto era emoção pura, era deixarem levar-se pela narrativa.

Começavam por Castelvecchio, o velho castelo gótico que defendia a cidade na Idade Média, com as suas sete torres e o fosso que outrora estava cheio com águas do Adige, o rio que banhava a cidade, mas que agora estava seco. Para o voltar a imaginar cheio era necessário ouvir a voz teatral de Matteo que, por vezes, se colocava atrás de alguma turista mais absorta, numa das rampas ou na ponte que ligava ao castelo, e lhe propunha o exercício de recuar alguns séculos. Depois visitavam a Arena, um anfiteatro romano do século I, que apesar de se estar a desfazer ainda funcionava. Não havia muitos exemplares daqueles que tivessem resistido ao tempo e aos homens.

Matteo não se limitava a contar as histórias nem as curiosidades que deixavam os turistas deslumbrados e aprisionados à sua voz. Dava sugestões para quando ele não estivesse ali, para quando deambulassem pela cidade sozinhos ou com a sua cara-metade. Dizia-lhes que atravessassem a ponte Pietra e subissem ao castelo de San Pietro. Dali, gratuitamente, podiam assistir a um pôr-do-sol mágico, mesmo em dias de frio como aquele. Deviam também subir a torre Lamberti, a maior da cidade, para uma vista panorâmica invejável. Ainda de manhã, levava-os ao Duomo, claro, depois a Sant'Anastacia e, já que ali estavam, a uma pequena capela, por vezes esquecida, que se chamava San Giorgetta.

Depois da história e da religião vinha o amor, da parte da tarde. Primeiro, nos arredores da cidade, a Basílica de San Zeno e a sua fachada romanesca em travertino. Centro de peregrinações durante séculos, era o local onde o santo patrono da cidade, Zeno, repousava para a eternidade. Mas não era essa a razão por que os levava lá. Ninguém queria saber desse San Zeno. Baixavam à cripta, onde estava o sarcófago do santo, o rosto coberto com uma máscara de prata. Tinha uma nave e oito corredores com quarenta e nove colunas. A atmosfera respirava vida e história e mais qualquer coisa, inidentificável. Uma sensação de mistério pairava no ar. Havia bancos de madeira em dois corredores exteriores à pequena nave central onde Matteo pedia que se sentassem. A seguir, caminhava para o altar, lentamente, alongando o suspense, e colocava-se em frente a ele, de costas para o sarcófago.

– Foi aqui – limitava-se a dizer com um timbre misterioso como se estivesse a contar um segredo.

Os turistas olhavam para ele pasmados. *Foi aqui o quê?* O turista repetente já sabia o que tinha acontecido naquele espaço mas não ousava perturbar o silêncio sagrado dos mistérios e estragar o ambiente. Era engraçado preservar aquela sensação de desconhecimento por mais alguns segundos.

Matteo aproximava-se da primeira fila de bancos e olhava para o tecto, a pouco mais de meio metro.

– Foi aqui. Exactamente neste local onde me encontro.

E deixava o silêncio espraiar-se mais uns segundos inofensivos. Depois pedia a um casal da fila da frente para se levantar e se colocar à frente dele… como dois noivos. Ele do lado esquerdo, ela do direito.

– Foi assim, estão a ver? Há sete séculos, neste preciso local, nestas posições. Foi aqui que casaram… Romeu e Julieta.

Matteo sabia que não precisava de dizer mais nada. O resto deixava ao coração de cada um. Suspiros, lágrimas, beijos trocados, mãos dadas, nada ficava na mesma após aquela revelação. Para o turista que repetia a visita pela terceira vez, aquilo já não era novidade mas Matteo sabia que ele regozijava como se o tivesse ouvido pela primeira vez. Vira-o descer com o resto do grupo antes de assumir a posição junto ao pequeno altar, de costas para o sarcófago, e encostar-se a uma das colunas ao fundo. O que o guia veronês não imaginava era que o turista não estava minimamente interessado na visita.

3

A rotina do reverendo monsenhor Stephano Lucarelli, nos três dias que se seguiram, não conheceu excepções. Bernarda via-o sair logo depois de tomar o pequeno-almoço, equipado com fato impermeável, esquis e uma mochila que levava ao ombro. Não requisitou instrutor, pelo que Bernarda, nascida Mia, suspeitou que ele soubesse esquiar. *Claro que sabe, tonta,* convenceu-se. Aquele homem exalava solidez por todos os poros. Via o carro perder-se no fim da rua, pela janela do terceiro andar.

Regressava, impreterivelmente, às cinco e meia da tarde, subindo os degraus da escadaria, energicamente. Cumprimentava-a com um sorriso cordial e depois entrava no quarto, fechando a porta suavemente.

Minutos depois, Bernarda ouvia a água correr até à hora de ela ter de descer para levar o jantar ao prelado, deixando-o numa mesinha redonda, ao lado da porta dos aposentos, precisamente às seis e vinte e oito. Nessa altura o quarto estava mergulhado em silêncio. Bernarda imaginava-o a enxugar-se e a vestir-se e... depois persignava-se.

A porta abria-se às seis e meia para revelar o reverendo monsenhor, vestido de batina preta com os tons violáceos, a recolher a bandeja com o jantar.

Os serões dele eram passados ao telefone. Bernarda imaginava-o deitado na cama com o aparelho no ouvido. Mas sabia que não devia. *Deus me perdoe.*

Os telefones do quarto eram sem fios e sentia-o vaguear pelo quarto enquanto falava. O italiano conferia-lhe um tom rude à voz que agradava à serva de Deus. Compreendia o suficiente mas coibia-se de ouvir o que ele dizia. Era indelicado escutar conversas que não lhe diziam respeito. A última chamada era sempre feita noutra língua. Uma mistura entre o italiano e o espanhol, mas que não era nem uma coisa nem outra. Talvez fosse um dialecto da terra do monsenhor, fosse ele de onde fosse. Era a mais curta de todas, não durava mais de três minutos. Depois disso o silêncio instalava-se definitivamente até à alvorada seguinte.

4

Ao quarto dia, segunda-feira, o turista voltou a aparecer no autocarro de Matteo Bonfiglioli. Repetiu o percurso dos três dias anteriores: Castelvecchio, depois a Basílica de San Zeno, ao início da tarde, onde o guia revelava o local de casamento de Romeu e Julieta, deixando os turistas boquiabertos, e, por fim, o clímax que acontecia a meio da tarde, numa parte do percurso que era feita a pé, quando Matteo apontava teatralmente para um brasão na fachada de um palácio da cor da ferrugem que mais parecia um castelo.

– Esta é a prova, minhas senhoras – declarava com ar enigmático. – Aquele brasão que vêem ali é a prova de que a ficção é real.

– O que é? – perguntavam elas quase em uníssono.

– Este é o brasão dos Montecchi. Esta é a casa onde Romeu viveu – revelava, depois de mais uma pausa propositada.

Novos suspiros seguiam-se a esta revelação de Matteo. A história de Shakespeare seria mesmo verdadeira? Cochichos e sorrisos inundavam o ar como pregões amorosos. A maioria dos visitantes sabia perfeitamente que Verona era a cidade de Romeu e Julieta, mas estar ali, sentir a atmosfera, mesmo com aquele tempo frio, reacendia os corações mais apagados.

O *tour* não incluía uma visita ao interior do palácio acastelado, nomeadamente aos aposentos de Romeu, ainda preservados, segundo Matteo, por se tratar de uma propriedade privada. Algumas expressões de desapontamento apareciam em alguns rostos, mas o guia tinha mais trunfos na manga.

Seguia-se a cereja em cima do bolo a que se acedia por um pequeno túnel com as paredes repletas de painéis brancos preenchidos com grafíti amorosos, na Via Cappello, perto da Piazza delle Erbe. Matteo pedia a todos que parassem a meio do túnel e distribuía algumas canetas de feltro.

– Estas paredes exibem rabiscos de amor – explicava em tom jocoso. – Declarem o vosso amor ao mundo – clamava num incitamento à expressão amorosa, com os braços levantados no ar. – Declarem o vosso amor.

As mulheres, primeiro, começavam a escrever com um brilho nos olhos, no espaço disponível, que já era escasso. Quando terminavam entregavam a caneta ao marido ou ao namorado para que também exprimissem o amor em toda a sua essência. Outras limitavam-se a passá-la à próxima, à amiga ou à desconhecida, enquanto olhavam para Matteo com um ar pecaminoso. Ele estava ciente do efeito que provocava nelas. O dia já ia longo e a escolha dele já fora feita. Bastava um olhar escrutinador, na primeira passagem que fazia pelo corredor do autocarro, logo pela manhã, antes da partida para Castelvecchio, para identificar a presa e iniciar um ataque velado que, a maior parte das vezes, acabava à noite... na cama dele.

O solitário que repetia a visita pela quarta vez não tirava os olhos dele enquanto ouvia as mesmas explicações dos dias anteriores. Não era participativo, nunca escreveu nada nas paredes, e não reagia às revelações exuberantes do guia.

Estás a perder o teu tempo comigo, dizia Matteo para si mesmo. *A cama já está ocupada logo à noite.*

– Estes painéis são substituídos duas vezes por ano – explicava o guia desfilando pelo grupo que enchia as paredes de amor. – Antes do dia 14 de Fevereiro, porque Verona enche-se de pessoas nessa altura, e antes do dia 17 de Setembro, data do aniversário de Julieta.

Depois fazia uma pausa teatral como um actor prestes a revelar um segredo.

– Minhas senhoras e meus senhores – dizia num tom sedutor. – Sejam bem-vindos ao Palácio dos Capuleti, a Casa de Julieta.

O grupo apressava-se agora para um pequeno pátio rodeado por fachadas de mármore vermelho, onde se via uma varanda em pedra. Na fachada da casa, e em todos os locais onde fosse possível, centenas de cartas dos mais variados géneros. Envelopes rosados, desenhos, papéis simples, bilhetes, dos mais variados tamanhos e feitios, prendiam-se às pedras numa corrente de desejos de amor. Amuletos, chaves, aloquetes, toda a espécie de bugigangas, até pastilhas elásticas se colavam às paredes em forma de coração.

Matteo desaparecia então por momentos, enquanto os turistas se acotovelavam no estreito pátio, admirando, imaginando o que se passara ali entre Romeu e Julieta, séculos antes. Alguns minutos depois davam pela falta dele.

– Onde está o Matteo?

– Onde se meteu o guia?

– O belo italiano?

Não seria a primeira vez que ele aproveitava o primeiro impacto e a atmosfera mágica e romântica da casa para se esconder num qualquer local obscuro, aos beijos sôfregos com a presa do dia, mas o efeito que procurava era outro.

Quando a simples curiosidade se começava a transformar em protesto, ele reaparecia na varanda de pedra sob uma ovação generalizada.

– *Romeu! Romeu! Porque és tu, Romeu?*

Renega o teu pai, muda de nome;

Se não queres fazê-lo, jura amar-me

E deixo eu de ser Capuleto.

O silêncio espraiava-se pelo pátio com os turistas a olhar para ele. Máquinas fotográficas, telemóveis e outras traquitanas digitais registavam o momento. O solitário estava encostado à parede ao lado do túnel. O sol começava a fraquejar, adornando o espaço com um tom alaranjado, misterioso.

– *Renuncia a esse nome, Romeu,*

E em vez dele que não faz parte da tua existência,

Apodera-te de mim que sou tua.

Um coro de aplausos seguia-se à interpretação do guia.

– Era daqui que Julieta pronunciava estas palavras e Romeu escutava-as daí debaixo, exactamente onde estão agora.

Dava o tempo suficiente para se beliscarem todos e abrandarem os sorrisos apaixonados, plenos de imagens românticas. Omitia, claro, que, apesar de a casa ser muito antiga, a varanda fora construída apenas em 1936 e não parecia haver qualquer relação entre os Capuleti, Julieta e aquela residência. Ali vendia-se magia e não a verdade. Nesta, ninguém estava interessado.

– E agora – anunciava ainda na varanda –, vamos à última paragem.

Já com o sol a dar os últimos suspiros, levava-os ao mosteiro de San Francesco al Corso. A maioria persignava-se ao entrar no secular lugar sagrado. Uns por crença, outros por contágio, os japoneses porque sim. Matteo encaminhava-os por um corredor e desciam a uma cripta abobadada, por debaixo da igreja. A humidade dos séculos agarrava-se a eles e às lápides dos monges que por ali jaziam. Ao fundo, junto a uma parede, agrupavam-se em redor de um sarcófago de mármore vermelho veronês vazio.

Aguardava que o grupo se apertasse no exíguo espaço e depois falava em surdina, muito devagar, novamente como se estivesse a contar um segredo que não podia ser revelado.

– Este é o túmulo de Julieta.

Havia quem fizesse o sinal da cruz e se ajoelhasse a rezar, e quem atacasse o túmulo com *flashes* fotográficos, prontamente reprimidos por Matteo.

– *No photos* – alertava em tom repreensivo. – Foi aqui que Julieta ficou quando tomou o veneno.

Do solitário, que repetia a visita pela quarta vez, não havia sinal.

*

À noite, Matteo continuou, como era habitual, a visita guiada de forma mais íntima, no seu quarto, em cima da cama, com a presa escolhida de manhã. Raramente falhava. Mostrou-lhe os cantos obscuros do prazer, os miradouros mágicos das percepções sensoriais, o fulgor dos corpos sequiosos.

– Ó meu Deus. Ó meu Deus. Ó meu Deus.

Se o Altíssimo estava a ser invocado com tanto vigor era porque Matteo, mais uma vez, cumpria bem o seu papel de amante italiano.

Enquanto o suor se misturava com a respiração ofegante da fome corpórea, a porta do quarto arrombada com estrondo deixou entrar o turista solitário.

– Ó meu Deus – disse a mulher em pânico, saindo de cima de Matteo e procurando refúgio debaixo do lençol.

– Quem é você? – conseguiu perguntar Matteo, ainda desorientado.

– O importante é quem você é, Matteo Bonfiglioli – limitou-se a dizer o homem, muito calmamente.

O desconhecido exibiu uma Beretta de 9mm com cabo de madeira.

– Ó meu Deus – tartamudeou a mulher.

– Ponha-se a andar – ordenou-lhe o homem.

Ela pegou na roupa, atabalhoadamente, e dirigiu-se à saída.

– Sugiro que se esqueça da minha cara, Mary Theresa Goldwin. O seu marido espera-a no quarto número 204 do hotel Due Torri. Pensa que saiu com a sua amiga Jill. Sabemos onde a Jill anda, não sabemos, querida? Não se preocupem. A minha boca é um túmulo – disse, esboçando um ar cínico.

Sentou-se na beira da cama, de costas para Matteo.

– Se por acaso não se esquecer de mim, eu faço uma visita ao Luke e ao Perry no Adams Hall, 63 South Green Dr., 45701, Athens, Ohio – ameaçou, levantando a arma. – E não será para lhes dizer que a mãe se comporta muito, muito mal.

Deixou a informação percorrer todo o corpo da mulher como um calafrio cortante. Ela estava de costas, ainda nua, e ele sabia que as lágrimas jorravam silenciosas pelo bonito rosto. Era suposto ser apenas uma aventura sexual. Nada mais.

– Adeus, Mary Theresa Goldwin.

Ela saiu mas o desconhecido já tinha colado o olhar em Matteo, com a Beretta, ameaçadoramente, apontada na sua direcção.

– Chegou a sua hora, Matteo Bonfiglioli.

5

Na segunda-feira, a irmã Bernarda testemunhou uma alteração à rotina, até ali imutável, do monsenhor Lucarelli. Como fizera nos três dias anteriores, Stephano saiu logo depois do pequeno-almoço, vestido com um fato de esqui lavado que a freira havia providenciado, e levando os esquis e a mochila. Pela janela do terceiro andar, viu o carro desaparecer ao fundo da rua. Como esperado, passou o resto da manhã e a tarde fora do retiro.

Bernarda aproveitava as horas em que o monsenhor se ausentava para ajudar as irmãs nos outros pisos, ainda que a prioresa a tivesse libertado de outros afazeres que não os de cuidar do enviado de Roma. Como não fora autorizada a entrar no quarto e não havia mais o que fazer, a freira obrigava-se a rezar por bons pensamentos e pelo perdão dos mais impuros, durante sessenta minutos, na capela privada do terceiro andar, e depois descia para ajudar a fazer camas de lavado, aspirar e mais o que fosse necessário. Estava ali para trabalhar, servir a Jesus Cristo, à prioresa, à cónega, às irmãs e aos religiosos e religiosas que escolhiam aquele pedaço de paraíso para se hospedar.

A alteração à normalidade ocorreu às cinco e meia, quando o prelado não apareceu, como de costume, para tomar o seu banho revigorante antes do jantar. O carro não surgiu ao fundo da rua.

A irmã Bernarda deu por si a pensar no que lhe teria acontecido e não conseguiu evitar um sentimento de inquietação. Quinze minutos depois das seis, desceu à cozinha, no rés-do-chão, para recolher o jantar do *seu* hóspede e subiu de imediato. Tinha a esperança que ele, entretanto, já tivesse chegado, naquele intervalo.

O coração palpitava de preocupação. Que coisa. Porque se sentiria assim? Dali a poucos dias ele partiria, certamente, para sempre, e nunca mais o veria.

Nosso Senhor Jesus Cristo, na Sua eterna bondade, cuidai do reverendo monsenhor e fazei com que nada de mal lhe aconteça, pediu mentalmente. *E alivie-me destes pensamentos,* acrescentou. Não se atrevia a fazê-lo em voz alta. Seria tornar real aquilo que nunca o poderia ser. Seria confirmar que desde que ele chegara não conseguia focar o seu pensamento em mais ninguém, nem no seu querido Jesus.

Pousou a bandeja na mesinha e deixou-se ficar à escuta. O coração continuava a apertar-se no peito de consumição. Obrigou-se a acalmar-se. Nada acontecera. Não havia razão para estar tão alterada. Não se preocupava quando os outros hóspedes regressavam tarde ou não o faziam de todo. O monsenhor Lucarelli não era diferente dos outros. Como continuava a não sentir vida dentro do quarto, só lhe restava esperar.

O jantar arrefeceu. Teria de pedir para lhe prepararem outro quando ele chegasse. Entrou na capela privada, ajoelhou-se junto ao altar e pediu à estátua de Cristo que mantivesse o prelado debaixo da Sua luz sábia e acolhedora. Rezou durante horas. Até se esqueceu de jantar, mas não se importou. Não tinha qualquer necessidade de comida naquele momento.

Bernarda deixou a capela depois das duas da manhã quando todo o retiro dormia o sono dos justos aos olhos de Deus.

Não havia qualquer sinal do reverendo monsenhor Stephano Lucarelli, que saíra de manhã, por volta das sete horas, e não voltara a ser visto. Cogitou se deveria informar a prioresa da ausência dele ou esperar pela manhã. Uma hora depois, considerou… com muitas reticências… entrar no quarto. Da janela do terceiro andar não via nenhuns faróis a iluminar o escuro da noite.

As reticências foram ultrapassadas uma hora depois e, às quatro da manhã, entrou nos interditados aposentos do reverendo monsenhor Lucarelli.

As luzes estavam apagadas. Apalpou a parede ao lado da porta à procura do interruptor e ligou-o assim que o sentiu. Os aposentos não estavam como esperava encontrá-los ao fim de quatro dias. Parecia que nunca tinham sido utilizados. A cama estava impecavelmente feita, a coberta bem esticada, as almofadas na cabeceira. Havia exemplares do Corriere delle Alpi, do La Repubblica, do L'Arena e do L'Osservatore Romano empilhados simetricamente em cima de uma mesa.

A curiosidade levou-a a abrir a porta do quarto de banho. Para além das loções fornecidas pelo retiro, reparou nas dele, perfeitamente alinhadas. Creme de barbear, *aftershave*, champô, gel de banho, escova de dentes dentro de um copo, pasta dos dentes ao lado e outros cremes que a irmã não quis saber para que serviam. O seu voto de pobreza cingia-a ao banho diário, obviamente com todos os condimentos comuns mas sem cremes para rugas, esfoliantes, máscaras de beleza, e todas as outras poções da eterna juventude. O outro voto, o de castidade, impedia-a de estar dentro dos aposentos do prelado, sem autorização.

Permitiu-se abrir a porta do escritório, só para se certificar de que não encontraria o corpo dele no chão, inanimado.

Deus nos livre, murmurou para si mesma. Forçou a maçaneta mas não a conseguiu abrir. A porta estava trancada. Infelizmente, sabia onde havia uma chave, na gaveta de cima da cómoda, e nem pensou duas vezes.

Destrancou a porta, acendeu a luz e estacou. O contraste com o resto do quarto era evidente. Parecia que alguém deixara a janela aberta e a corrente de ar espalhara papéis por todo o lado. Em cima da secretária, no chão, na cadeira. Por trás da secretária estava afixado um painel cheio de recortes de jornais, fotografias, um pequeno mapa do norte de Itália ao centro, com indicadores de várias cores cujo significado desconhecia, outro da Europa no topo superior direito. O que significava aquilo tudo? Concentrou-se nas fotografias para ver se conhecia alguém. Fita adesiva vermelha ligava duas das fotografias… dois homens. Um bem mais velho que o outro. O mais velho vestia um fato preto e saía de um carro grande e preto, ladeado por dois homens de uniforme que pareciam polícias, o outro tinha um aspecto jovem e moderno. Essas duas fotografias estavam encimadas por um recorte do L'Arena com uma notícia antiga, datada de 1983. "Atropelamento e fuga matam padre em Verona, na Via Carlo Cattaneo." O artigo trazia um retrato do malogrado padre a fitar a objectiva como se estivesse a posar para um documento oficial. Bernarda não reconheceu nenhum dos homens, e aproximou-se do painel para o observar com mais atenção.

De repente, sentiu um objecto metálico encostar-se à sua cabeça e escutou um ruído mecânico que ouvira tantas vezes na casa de campo da família, quando o pai carregava as armas para a caça, e fechou os olhos apavorada.

– Nunca ouviu dizer – sussurrou-lhe o monsenhor Lucarelli ao ouvido – que a curiosidade matou o gato, irmã Mia Gustaffsen?

6

John Scott preferiria estar na sala de espera do consultório da doutora Pratt M.D., em Nova Iorque, do que ali onde estava. À apreensão e à paranóia juntara-se o pânico, ingrediente essencial para os arrepios e suores frios que tentava esconder a todo o custo.

A audiência com o Secretário de Estado da Santa Sé, na Cidade do Vaticano, em pleno coração romano, estava marcada para aquela segunda--feira às dez e meia da manhã. Não deixava de registar de forma sinceramente inesperada que o ramalhete de sensações e sentimentos que o preenchiam, segundo o método da doutora Pratt M.D., a sua psiquiatra, era muito mais negativo que positivo, facto estranho, já que se encontrava em terras de Nosso Senhor Jesus Cristo, pretensamente um lugar de paz e amor.

Estava sentado em frente a uma estátua do Nazareno, numa versão violenta, golpeado no ventre, nas mãos e nos pés, num visível esgar de sofrimento inconcebível. Ao lado, outro santo, São Judas Tadeu, de tamanho inferior, pois nada nem ninguém podia cobiçar as alturas de Jesus. O santo, bem a propósito, era aquele a que se devia recorrer em caso de desespero e nas causas perdidas, predição ou coincidência, num mundo onde nada acontecia por acaso.

John segurava um dossiê castanho encostado ao peito, como se nele guardasse um segredo muito valioso. A sua mais recente investigação levara-o ali, a uma audiência com o número dois do Vaticano, Tarcisio, um

Salesiano de Piemonte, conhecido pela sua frontalidade, se bem que muitas vezes confundida com arrogância.

Quarenta e sete minutos depois de ter chegado e trinta e dois depois da hora marcada, John foi convidado a entrar no gabinete por um jovem de batina preta. Um homem alto e imponente veio recebê-lo com um meio sorriso e indicou-lhe uma cadeira, em frente a uma enorme secretária, onde se sentar. Tarcisio foi cordato o suficiente, não demasiado, e sentou-se no cadeirão que estava de costas para uma parede onde dominava uma imagem do Papa Bento XVI a fitar austeramente a ampla sala.

John não se lembrava de alguma vez ter entrado num gabinete com tanto fausto, e era um homem que se podia dar ao luxo de dizer, embora nunca o fizesse, que já entrara duas vezes na sala oval da Casa Branca e uma no Primeiro Edifício, mais conhecido como Senado, no Kremlin. A maioria das paredes estava coberta por estantes que iam do chão ao tecto, repletas de livros, pastas, incunábulos, visivelmente inventariados para que ninguém se perdesse nos meandros de séculos de informação. Havia ainda um sofá de pele castanho de três lugares e uma janela que dava para o pátio de São Dâmaso, a entrada oficial do palácio medieval, parte integrante do Palácio Apostólico. Uma porta na parede oposta à da secretária dava para outra divisão que John não conseguiu identificar por estar fechada. No tampo da secretária de Tarcisio amontoava-se uma pilha de papéis à espera de deliberação ou despacho que justificavam a famosa burocracia vaticana.

Permaneceram em silêncio durante uns momentos, segundos constrangedores que pareceram minutos. O americano pigarreou por fim, para aclarar a garganta. Era de esperar que fosse ele a iniciar a conversa.

– O... o... Obrigado por me con... con... con... ceder es... es... esta audiência, Eminência.

– Quando o cardeal-arcebispo de Nova Iorque faz uma recomendação por escrito, é minha obrigação dar-lhe ouvidos. Não tem de agradecer – proferiu Tarcisio, numa voz baixa e desinteressada, a roçar o gélido. – A que devo a sua visita?

John Scott obrigou-se a parar de bater freneticamente com o pé no chão e abriu o dossiê. Três folhas caíram no chão alcatifado como se quisessem fugir dali. Ele próprio seguir-lhes-ia o intento se pudesse. Precisava de alinhavar bem as ideias, pois transmiti-las ia ser um problema, por si só.

– Pe... peço des... culpa – escusou-se o jornalista, levantando-se para apanhar as folhas foragidas.

Controlou, finalmente, a situação e tornou a sentar-se. Disse que o motivo da visita se prendia com um pedido, requerimento talvez fosse a designação mais correcta, que desejava fazer a sua Eminência, o Cardeal Secretário de Estado.

O piemontês olhava fixamente para um papel que tinha em mãos e parecia nem sequer estar a prestar atenção ao que o jornalista lhe dizia. A verdade era bem diferente. Nada escapava ao falcão salesiano que superintendia os destinos da Igreja.

John continuou na sua gaguez incorrigível. No âmbito de uma investigação que estava a fazer, gostaria que a Secretaria de Estado lhe concedesse autorização para visitar um edifício. Hesitou antes de fazer o pedido e fê-lo de cabeça baixa como se quisesse ser poupado à reacção do homem de Deus que tinha à sua frente.

– Eu... eu... desejava vi... si... si... tar o Tor... Torreão Ni... co... lau... Nicolau V.

Tarcisio levantou o olhar do papel pela primeira vez e dirigiu-o a um John Scott que se pudesse tornar-se-ia invisível, a mão direita tremia, dominada pela vergonha.

– Está fora de questão. Pedido recusado – limitou-se a dizer o prelado.

Infelizmente, John Scott já contava com aquela decisão, sem sequer um pedido de elucidação sobre as razões de pretensão tão inadequada; apenas um não liminar, sujeito a uma única interpretação.

John insistiu na relevância de tal consentimento, antecipando o mesmo desfecho. Mudaria de estratégia quando esgotasse todas as possibilidades.

– Segundo as minhas informações, o senhor é um jornalista versado em investigações económicas.

A folha para onde Tarcisio olhava era um sumário das habilitações de John Scott, provavelmente, visto, revisto, acrescentado, riscado, até à versão final que estava na mão do Secretário.

John confirmou. Era verdade.

– Não vejo o que possamos ter de interessante no Torreão Nicolau V que mereça a sua atenção.

John respirou fundo e, mentalmente, decidiu que estavam esgotadas todas as possibilidades de uma autorização com base na confiança ou mesmo no currículo. Chegara a hora de mudar de estratégia e passar ao ataque. Abriu o dossiê e entregou ao Secretário uma folha. O piemontês pousou o currículo do americano e ficou pálido assim que examinou o que John lhe passara.

– Como obteve isto?

John registou o facto de o secretário nem sequer ter contraditado a autenticidade do documento, apesar de se tratar de uma fotocópia.

– Não... não es... es... tou auto... ri... zado a re... re... velar a iden... identidade da... da... da minha fonte – declarou o jornalista com alguma autoridade, ainda que os nervos lhe enriçassem a pele por debaixo da roupa.

– Essas fontes são muito convenientes. Arvoram-se fazer o papel de historiadores com fontes não identificadas.

– Não... não sou historiador, Emi... Eminên... Eminência.

– Pois não, longe disso. Mas quer fazer história.

O dever de um jornalista é para com a verdade, contrapôs John. Era essa a obrigação dele e dos seus colegas.

Explicou também que tinha reunido elementos mais que suficientes para publicar a história mas gostaria de conhecer a versão dos responsáveis pelo Torreão Nicolau V.

– Le... levo muito a... a... a sério o meu... meu... trabalho, Emi... nência.

Tarcisio sabia muito bem quem tinha à sua frente, por isso o recebera. Uma simples recomendação escrita do cardeal-arcebispo de Nova Iorque não garantia a ninguém qualquer audiência com o número dois da Igreja Católica Apostólica Romana. Mas um telefonema, a meio da noite, desse mesmo prelado, a avisar que um jornalista possuía cópias de documentos autênticos do *Istituto per le Opere di Religione*, o famígero banco extraterritorial do Vaticano, que ficava num edifício desconhecido do comum dos mortais no Torreão Nicolau V, era motivo mais que suficiente para que esse encontro acontecesse. O papel que segurava nas mãos confirmava o que Timothy lhe dissera.

John prosseguiu a sua explanação entre sílabas repetidas. A *Fondazione Donato per la lotta dei bambini con leucemia*, como sua Eminência podia ver na cópia que segurava, tinha um activo de mais de quarenta milhões de euros. Os movimentos estavam perfeitamente documentados: depósitos astronómicos, avultados débitos, desde 1982, e juros bonificados de nove por cento.

– Sim, estou a ver – interrompeu Tarcisio, secamente.

Pousou o papel em cima da secretária e entrelaçou os dedos uns nos outros, num gesto de cogitação. Matutava o passo seguinte.

– Essa autorização terá de passar, obrigatoriamente, pelo Santo Padre.

– Com... pre... endo per... feitamente.

O pé de John tornou a bater no chão num ritmo frenético que só os seus nervos conheciam. A mão percutia no braço da cadeira.

– Caso seja autorizado – prosseguiu o piemontês –, terá de assinar um acordo de confidencialidade sobre tudo aquilo que vier a ver e a ouvir. Tenha em consideração que não estou, de maneira alguma, a garantir uma resposta positiva do Santo Padre.

John recusou aquela condição. O seu trabalho visava a publicação e não podia pactuar com acordos de confidencialidade. Aquela história estava a esgotar-lhe a paciência. Mais valia recusarem o pedido de uma vez, em lugar de imporem condições impossíveis e fazê-lo perder tempo.

Tarcisio manteve uma expressão pensativa. Avanços, recuos, passos pequenos mas firmes, tudo na Igreja requeria muita ponderação.

– Falarei com o Santo Padre. Terá a nossa resposta amanhã.

John levantou-se da cadeira, fez um aceno em jeito de cumprimento com a cabeça e avançou para a porta. Tarcisio manteve-se sentado.

– Não esqueça, doutor Scott – relembrou o piemontês. – Este encontro não aconteceu.

– Con... conseguirei vi... viver com isso, Emi... Eminência. Bom dia.

Tarcisio assistiu à saída do jornalista americano e pegou no telefone.

– Acredito que consiga viver com isso, doutor Scott. Mas tenho muitas dúvidas que o deixem – murmurou para si mesmo quando alguém atendeu. – Chamem-me o intendente Comte.

7

Para o Francês o segredo era a respiração. Encher os pulmões de ar e guardá-lo durante o tempo necessário para não interferir com o mecanismo. Havia outros factores a ter em conta, claro, mas a quantidade de ar que se inalava e a escolha do momento certo para o fazer era o mais importante. Outros diriam que o factor crucial era a distância, ou as condições atmosféricas ou, ainda, o mecanismo que se usava para o efeito, o foco do anel da objectiva ou o ajuste de paralaxe. Estavam errados, completamente errados e, por isso, tinham morrido quase todos, e os que ainda não haviam entregado a alma ao Criador, fá-lo-iam antes dele. No ramo de trabalho do Francês, não havia margem para erro. Era matar ou morrer, literalmente. Para ele, aqueles que não sabiam viver deviam ter o mérito de morrer e o homicídio era a forma mais extrema de censura. O Francês considerava--se isso mesmo, um censor.

O pior de tudo era a espera. Eram muitas horas à espera. Já devia estar habituado. Afinal, passava mais tempo à espera do que a contemplar o fruto do seu trabalho. Na verdade, o regozijo da missão cumprida não durava mais que uns instantes, uns simples microssegundos, praticamente o clímax de um orgasmo. Os dinheiros eram transferidos para a sua conta especial e passava à espera seguinte, entregue ao seu vício. Mais horas, dias, semanas, vigilante, silencioso, cauteloso, até ao próximo trabalho. Poder-se-ia cognominar de profissional da espera mas, apesar da imensa experiência, nunca se habituara.

Preferia Londres, Madrid, Roma, Sardenha ou qualquer outra ilha mediterrânica. Nunca Paris, Marselha ou mesmo Mónaco. Côte d'Azur estava completamente fora de questão. Avaliava muito bem os seus alvos antes de atacar. Demorava o tempo que fosse preciso. Os seus parcos clientes conheciam o seu *modus operandi* e não se queixavam. O importante era um trabalho bem feito e esse, o Francês, executava-o como ninguém.

Estava em Roma há três dias e aproveitara para passear pela cidade. O frio era um pormenor de somenos importância numa cidade tão civilizacional. Alugara um Mazda 3, nada vistoso, perfeitamente comum. A morada fora facultada pelo cliente e fez questão de realizar uma ligeira inspecção visual logo no primeiro dia. Nada de muito invasivo. De máquina fotográfica encostada ao peito, a alça suspensa pelo pescoço, visitou o local e ficou maravilhado com os frescos, o mármore, as gárgulas…

A rua era comprida, com prédios residenciais, edifícios públicos e hotéis de ambos os lados. Muito comércio, com ofertas variadas para saciar o corpo, o estômago e os olhos. Várias lojas de artigos religiosos, como não podia deixar de ser, com as montras pejadas de santos, porta-chaves, postais, bandeiras, lenços, pratos, chávenas, não esquecendo as réplicas em vários tamanhos e materiais dos principais monumentos romanos e vaticanos, entre outras bugigangas carimbadas, na sua maioria, com o rosto de Bento XVI e também de João Paulo II. As esplanadas importunavam os passeios, ora estreitos, ora largos, sem regra, à boa maneira romana.

No primeiro dia, milagrosamente para os padrões romanos, encontrou lugar para estacionar a poucos metros do edifício. Se o Francês fosse um homem de fé poderia pensar que seria um bom augúrio mas nem ele o era nem se passou nada de especial além da habitual espera. No segundo dia optou por não levar o Mazda. Andou a pé, vigiou as imediações, fingindo, outra vez, ser mais um dos muitos turistas que por ali passavam. Tirou fotografias, atentou na porta de entrada mas não entrou e depois foi, efectivamente, passear.

Neste terceiro dia jogara pelo seguro. Substituíra o Mazda por um Alfa Romeo e deixou o hotel a meio da tarde. Às seis e meia já estava estacionado a cerca de cem metros do edifício. A cidade fervilhava com o movimento turístico característico. Inúmeras carrinhas e alguns camiões enchiam as artérias romanas para os provimentos vespertinos. Nada podia faltar às lojas que se esvaziavam a todas as horas do dia. Roma era uma cidade buliçosa e queria estar sempre composta para agradar a todos os seus visitantes.

Alheio a tudo isto, o Francês observou a entrada do edifício, como nos dias anteriores. Os turistas ainda eram muitos. Deambulavam a espaços, admirando as fachadas e evitando os condutores mais impacientes que poluíam o ar da cidade, indiferentes aos afazeres dos outros, muito menos importantes que os seus.

Os minutos foram lentos a tornar-se em horas. O Francês comeu uma sanduíche que comprara na noite anterior e bebeu água. A alimentação era totalmente descurada quando estava a cumprir um contrato. Ossos do ofício. Em breve, poderia tornar a dar largas à sua paixão. Até lá, tinha de tolerar o frio e a fome. O combinado era entrar na igreja ao fim da tarde e assim fez. O cliente corrigi-lo-ia se o ouvisse ou perscrutasse os seus pensamentos. Não era uma igreja mas uma basílica. E discorreria sobre as diferenças entre uma e outra, mais as de permeio, como uma igreja ser um templo com mais de um altar, ao contrário de uma capela que só tem um, e muito diferente de uma basílica que é um edifício grande, como este, com uma nave larga, com naves laterais, fileiras de colunas, uma abside semicircular. Não esqueceria de mencionar as catedrais, abadias e santuários. Repetiria as vezes que fossem necessárias até que a informação lhe assentasse no cocuruto, até que a soubesse repetir de cor. Errar era morrer, literalmente, e libertar um homem do erro era dar e não tirar, pois o erro fazia mal e prejudicaria o homem que o abrigasse, mais cedo ou mais tarde.

Entrou na basílica como combinado. Desta vez trazia uma mochila comprida às costas, em vez da máquina fotográfica, com as alças enfiadas nos ombros, como se fosse um estudante a caminho da escola.

Os últimos turistas admiravam a fachada barroca, fruto da voluntariedade da duquesa de Amalfi, cujo patrono familiar era o mesmo Andrea que dava nome à basílica. Caminhou até ao altar e observou a imensa nave central, um espaço tão amplo onde caberiam milhares de pessoas. O cliente fora claro. Do lado direito, de quem olha para a nave central a partir do altar. Para que não restassem dúvidas, relembrou as palavras exactas que lhe havia dito, com a habitual voz pausada, no último telefonema. Na sua profissão não havia lugar a mal entendidos; eram fatais.

Os últimos turistas encaminhavam-se, lentamente, para a saída. Não havia rasto de nenhum teatino, os membros da ordem que se encarregava de zelar pelo local.

Olhou em redor e aproveitou o momento. Abriu a pequena porta e entrou. Por fora, o confessionário parecia muito mais pequeno. Dentro havia espaço para se sentar e ficar à vontade. Fechou a porta com cuidado para não levantar suspeitas e abriu a mochila em silêncio. Montou o mecanismo em poucos segundos e testou-o. Fora feito por si, manualmente, peça por peça, para poder ser usado em todas as situações. Entreabriu a porta. Uma menina de 10 anos atravessou a nave a correr, fazendo dela o seu imenso parque infantil. Da sua posição tinha um ângulo de visão de quinze metros para cada lado. Era mais que suficiente. A mãe veio buscá-la e deu-lhe a mão para se irem embora. A criança fez birra, tentando uma chantagem emocional que não resultou. O Francês agradeceu. Era melhor ela não andar por ali. A inocência, uma vez perdida, não podia ser recuperada e, pelo contrário, as trevas, uma vez contempladas nunca seriam esquecidas. O Francês era um censor, não um monstro. A birra continuava enquanto a mãe a puxava pelo braço em direcção à porta. O Francês assistiu a tudo isto pela mira telescópica. Ajustou o anel da objectiva e focou os alvos, a mãe e a filha, ensaiando o destino de uma e de outra de dentro do confessionário. Os ângulos estavam ajustados. O resto já não dependia dele.

Agora só lhe restava esperar. O pior de tudo era a espera.

8

Alguns filamentos brancos emprestavam ao cabelo um ar grisalho que lhe assentava bem. Era o encanto dos 45 anos que para ele lhe era indiferente, mas fazia as mulheres olharem uma segunda vez para se desiludirem com aquele friso branco no colarinho, o cabeção, sinal de relação, pretensamente exclusiva, com Deus Pai Todo-Poderoso, Criador do Céu e da Terra. Caminhava a passos firmes, senhores de si, que faziam os cabelos loiros do pupilo, com metade da idade, arrepiarem-se de reverência e temor.

– Lembra-te, Niklas – avisou Luka com uma sedutora voz tonitruante –, não lhe dirijas a palavra a não ser que ele ta dirija a ti.

– Certamente, professor – respondeu, sumido, o jovem.

As vielas ao entardecer perdiam as pessoas. Restavam turistas, a maioria de mochila às costas, roupas descomprometidas com casacos por cima, máquina fotográfica pronta a disparar e olhos de estupefacção. A luz alaranjada do sol moribundo que se dignara aparecer naquele dia sem aquecer os corpos tingia as fachadas dos edifícios de um tom encantador, carregado de impressões, que hipnotizava os estrangeiros que passavam.

Apesar de estrangeiros, Luka e Niklas não eram turistas, e passavam indiferentes. Prosseguiam a caminhada tenaz com passos gigantes, mais o primeiro, que obrigava o mais novo a esticar bem as pernas para o acompanhar. Viraram à esquerda na Via dei Santi Apostoli e percorreram os poucos metros da rua para depois virarem à direita na Via Cesare Battisti. Seguiram em frente, passando a Piazza Venezia, entraram na Via del Plebiscito, ignorando o colégio da Companhia de Jesus, que ficava do lado esquerdo, e a Igreja de Jesus, na *piazza* com o mesmo nome, que se erguia ao fundo, e desembocaram no concorrido Corso Vittorio Emanuele II, onde ainda havia bastante trânsito. Faltavam vinte minutos para as sete da tarde. Seriam precisas mais algumas horas para esvaziar as principais artérias da cidade dos milhares de veículos que as entupiam durante o dia.

Niklas desorientou-se um pouco, mas Luka colocou-lhe uma mão possante no ombro e indicou-lhe o caminho.

– Por aqui. Atravessamos ali à frente. – Referia-se a uma passagem para peões a cerca de cem metros.

Os homens de Deus seguiam, prudentemente, as regras dos homens... quase sempre ou sempre que podiam, assim Deus o permitisse.

A mão no ombro guiava Niklas, como uma orientação divina, mostrando-lhe o trilho do Senhor, que muito precisaria assim que soubesse para onde se dirigiam. Apesar do temor reverencial sentia-se bem com ele, ou não fosse Luka o seu tutor.

Atravessaram a movimentada rua na passagem para peões que Luka indicara e prosseguiram no mesmo sentido, o do Largo di Torre Argentina. Uma vez lá, meteram pela Via del Sudario, junto ao terminal do eléctrico, uma viela estreita que findava na Piazza Vidoni. Depois voltaram à direita, retornando ao Corso Vittorio Emanuele II.

Cravada como se sempre ali tivesse estado erguia-se imponente a Basílica de Sant'Andrea della Valle, com a fachada barroca a apontar para o céu. E a verdade é que pernoitava naquele exacto local, na Corso Vittorio Emanuelle II, defronte para a *piazza* com o mesmo nome da basílica, há cerca de 350 anos e vira aquela rua ter outros nomes antes deste, enquanto a sua estrutura permanecia imutável, apenas consumida pelo tempo, como hoje.

Luka e Niklas subiram os seis degraus até à porta verde. Niklas tentou abri-la. Estava trancada.

– Está fechada.

– Não para nós – murmurou Luka enquanto olhava em redor para o movimento da rua.

Em seguida, cerrou o punho e bateu duas vezes com vigor. Uma. Duas. Luka voltou a desviar a sua atenção para a rua, ignorando a porta da basílica.

– E agora, professor? – perguntou Niklas, a medo.

– Agora esperamos – respondeu o padre alemão sem fitar o jovem.

Duas mulheres, na casa dos 30 anos, passaram e lançaram um sorriso a Luka que lhes retribuiu.

– O fruto proibido... – sibilou, entre dentes, em alemão.

– *Buon pomerigio*, senhor padre.

Niklas evitou olhar para as mulheres. Um ressentimento antigo. Provavelmente alguma delas, não estas, terá sido a responsável pelo seu apego à batina e pela oferta do seu coração a Deus Nosso Senhor, ou então não queria simplesmente cair em tentação. Ainda era muito novo para quebrar o voto de castidade que todos vinculava a esta provação celibatária.

– Terão ouvido, professor?

Niklas referia-se à porta da basílica e às pancadas que Luka havia dado na madeira.

Nesse preciso momento, ouviu-se a tranca rabujar com a ferrugem. Um homem de idade, descabelado e mal-encarado, surgiu do interior.

– Já terminou a hora da visita. Que desejam? – perguntou com maus modos.

A identificação visual que os rotulava como padres não influenciou o porteiro. Era o que mais via todos os dias ali e por toda a cidade.

Luka não perdeu tempo a tentar cair nas graças dele. Enfiou Niklas pela abertura, desviando o homem de idade, e seguiu-o sem pronunciar uma única palavra.

– Façam de conta que estão em vossa casa – resmungou o porteiro. – Atropelem-me à vontade que eu não sou filho de Deus. – A idade não lhe retirara o sarcasmo.

Luka e Niklas não prestaram grande atenção ao local escolhido por Puccini para protagonizar o primeiro acto da ópera *Tosca*, embora nunca ali tivesse sido apresentada, ou pelos Piccolomini para albergar dois antepassados, Pio II e III, para a eternidade. Nem sequer admiraram a segunda maior cúpula do mundo, projectada por Carlos Maderno, o mesmo que fora nomeado arquitecto principal da Basílica de São Pedro, a pouco mais de dois quilómetros dali. Tinham outras prioridades.

Encontraram-no na parte direita do transepto, joelhos dobrados, mãos sobre o rosto, lábios a sibilar uma ladainha silenciosa ou um pedido pessoal a San Andrea Avellino, o protector das causas imprevistas, a quem era dedicada a capela lateral. Se sentiu os passos deles não o demonstrou. Prosseguiu a oração mais alguns minutos.

Luka tornou a pousar a mão protectora sobre o ombro de Niklas e levou o dedo indicador aos lábios a pedir silêncio.

Do homem de idade que lhes abriu a porta não havia sinal. Talvez estivesse a ver na televisão a sua amada AS Roma a jogar contra o Inter. Já tivera a sua dose diária de crentes e turistas.

Niklas estava tenso. Fitava o homem que rezava. Estrutura semelhante à de Luka, porte atlético, talvez a mesma idade. Uma batina de monsenhor com faixa violácea. Gostava de ser assim quando tivesse a idade deles. Uma gota de suor formou-se num dos lados da testa. A mão paternal de Luka funcionava, duplamente, como um calmante empurrado por uma chávena de café forte. Por um lado, estava ciente de que o clérigo lhe queria bem. Eram conterrâneos, falavam a mesma língua, o que era bom, ainda que Niklas fosse de Munique e Luka de Nuremberga. Niklas nunca fora a Nuremberga e detestava que Luka conhecesse Munique melhor do que ele. Por outro lado, era um professor demasiado exigente e inflexível. Neste momento, preferia esse lado implacável do Bávaro. Mas não o estava a encontrar.

– Foste seguido? – perguntou o homem que acabara de fazer o sinal da cruz e se libertava do peso oratório para se virar para eles.

– Provavelmente – respondeu Luka, sabendo que a pergunta só podia ser para si.

Niklas estranhou a pergunta e ainda mais a resposta.

O homem levantou-se e fitou o jovem durante alguns instantes. Olhos frios e sedutores ao mesmo tempo. Deus e o Demónio num só. Inspeccionou-o da ponta dos sapatos aos fios louros do cabelo. Niklas sentia-se desconfortável.

– É ele? – perguntou o homem a Luka.

– Niklas Grübbe – apresentou Luka, dando-lhe uma palmada nas costas que o fez dar um passo em frente. – Meu aluno no Colégio Germânico. Filho do…

O homem ergueu a mão impedindo que o alemão continuasse. O vozeirão de Luka tinha menos força perante aquele homem. Era como se o desconhecido fosse superior. Talvez fosse. Em alguns casos as patentes da igreja não estão tão à vista como no exército. Mas era outra coisa que lhe fazia impressão. Uma certa vassalagem da parte do seu professor, pouco habitual, dava-lhe voltas à barriga. Niklas mirava a batina negra do estranho que não se apresentara. Aqueles olhos frios e sedutores continuavam a avaliá-lo como se se tratasse de uma mercadoria.

– Conta-lhe – pediu Luka a Niklas.

– Aqui não – proferiu o desconhecido.

Aproximou-se dos dois alemães e olhou para a nave. Vazia. Havia um corredor central, livre, ladeado por dezenas de bancos de plástico virados para o altar-mor.

– Vamos arriscar. Sigam-me – indicou o estranho de batina. Não era um pedido.

Niklas seguia entre Luka e o outro padre que liderava. Não estava a gostar do rumo dos acontecimentos. Sentia-se nervoso e com medo, e aqueles dois padres eram a razão do desconforto. Muito secretismo, poucas palavras. Que se estava a passar?

– Tomazzo – chamou o padre que ia à frente.

Não houve resposta.

– Tomazzo – tornou a chamar.

A mesma resposta.

– Quem é o Tomazzo? – perguntou Luka.

– O velho simpático que nos abriu a porta.

Foi então que o viu, em cima, na tribuna, junto ao órgão de tubos. Estático, debruçado sobre a balaustrada, inanimado.

– Por aqui – gritou o da frente, empurrando Niklas com tanta força que este foi embater num confessionário que estava encostado a uma coluna. Luka atirou-se para os bancos do lado oposto. O jovem padre, completamente em pânico, tentou levantar-se, desorientado. O estranho puxou-o para baixo e colou-o à parede. Escudavam-se na parede lateral do confessionário.

– Queres morrer? – recriminou-o num alemão polido.

– Não! – respondeu Niklas, ignorando a obviedade da resposta.

– Já nem na casa de Deus se está seguro – ironizou Luka com um sorriso.

Tudo ficou em suspenso durante alguns minutos. Niklas arquejava com os nervos e não reparava na calma dos dois padres que o acompanhavam, mas também quem o faria perante tal situação?

– Consegues ver alguma coisa? – perguntou o desconhecido.

Luka fez que não com a cabeça.

O desconhecido, que estava ao lado de Niklas, enfiou a mão dentro da batina e retirou uma Beretta Cougar 8000 de 9 mm. Niklas sentiu os cabelos loiros eriçarem-se de medo. O coração ia rebentar, tal era a força com que pulsava. O pior foi quando viu o padre Luka, professor de teologia e seu mentor no *Collegium Germanicum* fazer o mesmo. Se percebesse alguma coisa de armas saberia que era uma 85FS Cheetah.

Niklas estava a ponto de não segurar a bexiga.

– Quem são vocês? – conseguiu perguntar, numa voz, simultaneamente, de pavor e ultraje.

O padre desconhecido olhou para ele muito calma e cautelosamente, e avançou pela frente do confessionário. Nesse preciso momento tombou com a cabeça desfeita para o lado esquerdo, derrubando algumas cadeiras. Segundos depois, foi Luka que caiu para trás e embateu numa coluna da capela de Nossa Senhora do Sagrado Coração. Os olhos abertos a mirar o vazio, esvaídos de vida, a cara salpicada de sangue. Dois tiros na testa. O jovem padre não conseguia acreditar no que estava a acontecer.

A porta do confessionário abriu-se com violência, o que fez Niklas dar um salto de pavor. Não saberia dizer se gritou ou não. Do interior da estrutura de madeira saiu um homem que segurava uma arma estranha com mira telescópica. Sorriu para Niklas e pegou no telemóvel para enviar uma mensagem. A primeira fase estava concluída. Depois tirou um *post-it* azul do bolso e colou-o na porta do confessionário.

Tirou a luva de uma das mãos para cumprimentar o jovem padre que estava em estado de choque, sem conseguir desviar o olhar dos corpos. Niklas nem se apercebeu da mão forte do homem que estava à sua frente. O Francês sentia-se curioso em relação ao jovem padre alemão. Uma curiosidade que era insubordinação no seu estado mais puro. O Francês era um insubordinado de si próprio, já que não respondia perante mais ninguém. E se tivesse sido abençoado com o dom da fala, perguntaria ao jovem padre alemão por que razão entregara a sua vida a Deus.

9

Para Jacopo Sebastiani as noites serviam para dormir, excepto ao início da noite de sexta-feira que serviam para cumprir as prerrogativas conjugais com Norma, com quem era casado há mais tempo do que aquele que conseguia lembrar. Era, por isso, uma imbecil anormalidade, segundo palavras dele, ter de se levantar da cama por estarem a tocar à campainha e a bater à porta, incansavelmente. Olhou o relógio da mesa-de-cabeceira e esfregou os olhos para ver se eram mesmo quatro e vinte da madrugada. *Raios.* Seguramente fora a sonolência que lhe refreara a irritação.

Norma ressonava virada para o outro lado. Era o bom que ela tinha. Se um dia um cataclismo varresse o prédio, Deus o livrasse, ou quem quer que fosse a entidade que geria essas preces, não teria de se preocupar em salvá--la. Morreria tranquilamente, na paz do sono revigorante da eternidade.

A imbecil anormalidade apresentou-se na forma de um jovem, aparentemente adolescente, que continuou a carregar na campainha mesmo depois de Jacopo ter aberto a porta. Foi ele quem sacudiu a mão do rapaz do botão. O miúdo transpirava e parecia que subira ao quarto andar pelas escadas, por causa da forma como arfava. Jacopo reconheceu-o. Era um dos lacaios da câmara pontifícia, um criado do Papa.

– Que queres? – perguntou com maus modos. – Não devias estar a dormir ou a rezar ou…? – *Lá o que fazes à noite…?*

O rapaz não conseguiu articular uma palavra. Estava ainda a recuperar o fôlego.

– Não digas nada – disse o outro, arreliado. – Para teu bem, espero que tenha começado o Apocalipse segundo São João. – Lançou-lhe um olhar ameaçador que não era difícil concretizar àquela hora. – Espera aqui. Venho já.

E fechou a porta na cara do rapaz.

Vinte minutos depois, que fizeram o rapaz pensar várias vezes se havia de arriscar tocar à campainha novamente ou não, saíram os dois para o ar frio da Via Britannia e entraram numa viatura Fiat com matrícula SCV, indicadora de pertença do Estado Cidade do Vaticano.

– Já nem se respeitam as segundas-feiras – resmungou Jacopo antes de o carro arrancar.

O jovem ia corrigi-lo e dizer-lhe que, tecnicamente, já era terça mas achou melhor permanecer calado.

Roma era uma cidade que dormia de noite, como Jacopo, sem grandes alaridos. Os locais de diversão nocturna estavam muito bem definidos e ganhavam vida por norma às sextas, como Jacopo e Norma, aos sábados e nas vésperas de feriado. Àquela hora só se via aqueles que não podiam fugir ao trabalho e a libertinagem que vagabundeava pela noite.

Noutros tempos, passaria o resto da curta viagem a perguntar-se sobre as razões de tão inesperada requisição mas, desta vez, limitou-se a puxar o chapéu para a frente dos olhos e ignorou o rapaz e o motorista. Via Cesare Balbo, à direita para a Via Panisperna, novamente à direita pela Via Milano e depois à esquerda para a Via Nazionale. Nem precisava de ver. Conhecia a cidade como as próprias mãos.

Jacopo Sebastiani já passara os 60 anos, era um descrente ao serviço da crença, eminente especialista em religiões comparadas – o que quer que isso significasse –, historiador, paleógrafo e mais umas quantas qualificações de menor importância. Por vezes, o Santo Padre requisitava a sua sabedoria para um parecer idóneo ou para enviá-lo para onde Judas perdera as botas em busca de uma autenticação ou aquisição difícil. Sempre o servira com competência e lealdade, mas sem nunca silenciar o que lhe ia na alma, fosse o que fosse. Não poupava os seus pensamentos a ninguém, nem mesmo ao Papa. Que raio de documento não podia esperar pelas nove da manhã?

Ao fim de um quarto de hora, passaram a ponte Vittorio Emanuele II, sobre o Tibre, e, minutos depois, entraram no Estado do Vaticano pela Porta de Sant'Anna. O guarda-suíço, que enfrentava o frio com um capote preto por cima do uniforme azul, fez-lhes a continência e permitiu-lhes a passagem. Jacopo nem o viu, pois só despertou quando o carro estacionou nas imediações do Palácio Apostólico mergulhado na penumbra e no silêncio. Jacopo conhecia muito bem aquele caminho. Mal-humorado, seguiu o tímido rapaz e entraram no palácio pelo Pátio de São Dâmaso. Ao contrário do que as pessoas pensavam, o Palácio Apostólico não era na realidade um palácio, mas um complexo de palácios interligados. Para seu espanto entraram na residência papal e não no edifício da Secretaria de Estado. Subiram pelo elevador de serviço e saíram para o imenso corredor do segundo andar. Um homem de fato preto aguardava-os. Era Guillermo Tomasini.

– A culpa disto é tua? – lamuriou-se Jacopo.

– Boa noite, também para ti, Jacopo.

– Boa noite o raio que te parta. Aposto que isto é culpa tua.

– Não tenho nada a ver com isto.

– Tu? Olha quem – atirou Jacopo com um olhar furioso. – Estás metido em tudo e fazes de conta que não é nada contigo.

Guillermo sorriu. Conhecia Jacopo há muitos anos. Sabia como ele era capaz de explodir extemporaneamente. Também sabia que passava depressa. O homem desviou o olhar para o jovem.

– Obrigado, Filippo. Podes ir descansar.

O imenso corredor estava repleto de tapeçarias gigantes nas paredes. Estavam nos apartamentos papais, não significando isso que iam ver o Papa. Os apartamentos ocupavam o segundo e o terceiro andares. O terceiro era o da residência do Santo Padre, onde ele devia estar a dormir o sono dos anjos e dos apóstolos. Aquele onde estavam era onde o Papa e os seus colaboradores trabalhavam, a horas próprias e não àquela em que Jacopo ali estava. Várias estátuas enfileiravam-se de ambos os lados. Pontífices do passado que os observavam com expressões austeras. Os ladrilhos respiravam debaixo dos pés deles, testemunhas silentes de séculos de passadas que transportavam a história dos actos e dos livros, dos sussurros, das intrigas e dos ideais.

– Vais dizer alguma coisa? – quis saber Jacopo, ainda irritado, mas com um tom de voz mais suave.

– Está frio, não está?

Jacopo virou-lhe a cara. Aquele sempre fora bom a desconversar. Só tirou o chapéu quando entrou pela porta que Guillermo lhe indicou. Ao fundo, junto à janela, um homem de meia-idade estava recostado na cadeira a passar o dedo pelo ecrã de um iPad. A tecnologia também marcava presença na casa de Deus.

– Doutor Sebastiani – cumprimentou o homem, levantando-se da cadeira assim que o viu, com um sorriso nos lábios. – Bons olhos o vejam.

Pousou o *tablet* em cima do tampo da secretária mostrando o cabeçalho do *Il Messagero*.

– Reverendo Giorgio. Não me importava nada de o ver um pouco mais tarde. – Estendeu a mão para cumprimentar o prelado. Acenou com a cabeça para o *tablet*. – Ainda acredita em boas notícias?

– Estou a seleccioná-las para a leitura matinal do Santo Padre. Mas nada de novo, de facto. A Europa está a ruir connosco dentro – respondeu o clérigo, bem-disposto, apesar da hora.

– O Santo Padre não se cansa de ler sempre a mesma lengalenga?

– A informação é tudo hoje em dia. Mesmo que seja sempre a mesma coisa.

Apontou para uma cadeira que Jacopo, sem cerimónia, aproveitou, e contornou a secretária para retornar à sua. Guillermo ficou em pé, encostado a uma mesa de reuniões.

– A que se deve a honra de ser chamado a esta hora da madrugada? – atirou Jacopo sem aguardar que o outro se sentasse.

– Pois, peço desculpa por tê-lo feito levantar-se tão cedo, doutor Sebastiani.

– Pode chamar-me só doutor – atalhou o mais velho, corrosivo. – Vá directo ao assunto, por favor.

Giorgio entrelaçou os dedos e exibiu uma expressão pensativa como se estivesse a delinear uma estratégia para começar a falar.

– Já ouviu falar dos irmãos Finaly? – acabou por perguntar.

Jacopo anuiu com a cabeça e franziu o sobrolho em alerta. A que propósito ele perguntara aquilo?

– O que é que sabe deles? – quis certificar-se o secretário.

– A esta hora da noite? – escarneceu o historiador.

Giorgio sorriu com condescendência e pousou as mãos em cima da secretária. Jacopo não conseguia perceber se ele tinha dormido alguma coisa ou se não pregava olho desde a noite anterior. Parecia fresco, enérgico, ainda que os olhos estivessem raiados de vermelho e se notassem as olheiras em volta deles. Talvez descansasse pouco, o que era apanágio do posto que ocupava. Quem servia o Santo Padre oferecia mais do que tempo e dedicação, oferecia a vida.

Jacopo ajeitou-se na cadeira e abriu o arquivo de memórias onde, algures entre Pio XII, Adolf Hitler, Segunda Guerra Mundial, Holocausto, nazismo e outros itens relacionados, encontrou o registo correspondente ao dos irmãos Finaly. Era um dossiê simples com informação escassa e nunca verificada.

– Quer mesmo a minha versão? – quis certificar-se.

Giorgio anuiu. Prezava o doutor pela sua frontalidade e honestidade intelectual. Queria ouvir a sua versão da história.

– O que eu sei, e isto é tudo baseado em fontes sem qualquer crédito, portanto, boatos…

– Não se preocupe. Continue.

– Eram dois irmãos judios, crianças, que foram escondidos dos familiares depois da guerra, em França. Robert, o mais velho, e Gérald, o mais novo. Fazem parte dos milhares de crianças judias que, supõe-se, não foram devolvidos às famílias.

Giorgio suspirou. Parecia incomodado.

– Mas porque é que estavam à nossa guarda?

Jacopo fitou-o perplexo.

– Não sabe?

O alemão voltou a suspirar e levou uma mão ao rosto.

– Acredite ou não, até hoje nunca tinha ouvido falar deles. Posso ser completamente honesto consigo?

– Não espero outra coisa – respondeu Jacopo com evidente franqueza.

– Estou completamente a leste disto tudo.

Foi a vez de o historiador respirar fundo. Olhou para o relógio que trazia no pulso e perdeu a última esperança que tinha de voltar ao aconchego da cama. Já passava das cinco.

– Tenha em atenção que a informação de que disponho carece de verificação. Se pretender, posso, mais tarde, fazer uma pequena pesquisa e dar-lhe dados mais fundamentados – repetiu a advertência.

Comunicada a qualidade da informação, Jacopo recomeçou o seu relato.

– A partir de 1942 ou 1943, o Papa Pio XII deu ordens a todas as instituições religiosas que albergassem os refugiados de guerra sem olharem à religião. Deviam ser todos vistos como seres humanos. Milhares de pessoas foram acolhidas em mosteiros, conventos, famílias de acolhimento católicas, e onde quer que houvesse espaço.

– Maioritariamente judeus? – questionou Giorgio.

– Sim. No início, o Papa, especialmente em Roma, e por via do, na altura, monsenhor Montini, conseguiu negociar com o General das SS Reiner Stahel, que declarou a extraterritorialidade de todas as instituições religiosas. Aqui mesmo, no Vaticano, refugiaram-se milhares de judeus e o Papa esperava que todas as instituições, através desse acordo com Stahel, fossem tratadas de igual forma. Aqui os nazis nunca se atreveram a entrar sem serem convidados. Porém, os alemães, que não eram burros nenhuns – lembrou-se nesse momento que estava a falar com um –, começaram a fazer inspecções nos mosteiros e nos conventos. Foi uma época muito perigosa. Resumindo, no final da guerra havia, para além dos órfãos, muitas crianças por reclamar. Algumas foram reclamadas mais tarde, outras não. De qualquer forma, a Igreja não devolveu as que acolheu durante mais tempo.

– Não? Porquê?

– Os mais novos foram entregues às famílias, obviamente os que permaneceram à guarda da Igreja durante muito tempo acabaram por ser educados na religião católica e não sabiam nada de Israel, nem hebreu, nem nada. Esses não foram devolvidos.

– Foi o caso dos irmãos Finaly?

– Mais ou menos. Verdade seja dita que Roma mandou devolvê-los aos familiares.

– E o que aconteceu?

– As crianças foram enviadas para um convento em Grenoble mas eram muito novas para lá permanecerem. Acabaram por ser entregues a uma creche. A tutora dos miúdos, de quem não me lembro do nome, se é que alguma vez o soube, afeiçoou-se a eles e antes de cumprir a ordem baptizou-os, em 1948.

Giorgio escutava com muita atenção, completamente envolvido pelas palavras de Jacopo. Percebera o problema. Pela lei canónica, uma criança baptizada não podia ser entregue a tutores que professassem outra religião.

– Isto acabou por envolver as autoridades civis. O tribunal de Grenoble deu razão aos familiares, como era justo, e ordenou a entrega imediata aos familiares, depois de infindáveis recursos. Isto já em 1952. O núncio de Paris, na altura o monsenhor Roncalli...

– O Bom Papa João – interrompeu Giorgio em jeito de correcção.

– Exactamente. Na altura não era Papa nem cardeal. O futuro João XXIII – enfatizou a contra gosto – ordenou a entrega dos dois irmãos mas alguém teve a infeliz ideia de os recambiar para Marselha e depois para o País Basco. Foi ainda mais difícil encontrá-los e devolvê-los à família, em Israel. Foi um escândalo internacional, apareceu em todos os jornais... Prenderam a madre superiora, as freiras, a tutora; foi um descalabro diplomático monumental. Em Julho de 1953, finalmente encontraram-nos e levaram-nos para Israel para sempre.

– Percebo. Obrigado por me elucidar um pouco mais sobre o venerável Pio XII.

Permaneceram em silêncio durante algum tempo. Jacopo estava à espera que ele o dispensasse para poder voltar a casa, tomar um banho e ir aturar os alunos na Sapienza. Giorgio levantou-se e contornou a secretária. Parou na frente de Jacopo, fitando-o de cima para baixo. Guillermo continuava na mesma posição, impávido e sereno.

– Já ouviu falar do padre Niklas?

Jacopo fez de conta que não percebeu. *Mais miúdos? Que raio de conversa é esta?*

– Quem?

– Um jovem padre alemão – acrescentou Guillermo.

– Esse não é o... – não sabia como continuar. – Não é o filho do...

– Exactamente – interrompeu Giorgio.

– É o filho do Embaixador da Alemanha em Itália. O Doutor Klaus Grübbe – afirmou Guillermo.

– Exacto – disse Jacopo, aliviado. – É isso.

Guillermo e o monsenhor entreolharam-se de modo suspeito.

– Alguém me vai dizer o que tem o rapaz? – perguntou Jacopo impaciente.

Giorgio entregou-lhe um papel. Era um *post-it* azul.

– O que é isto? – quis saber o historiador. Não estava a perceber o sentido da conversa.

– Um imprevisto.

– Um imprevisto? – Que raio queria o prelado dizer com aquilo?

– É um assunto muito sensível que pede bastante discrição.

Jacopo tentou devolver o bilhete a Giorgio.

– Pode ficar com ele. Não tenho intenção nenhuma de me meter em assuntos sensíveis e discrição não é qualidade que me tenha calhado.

Giorgio não aceitou o pequeno papel. Pigarreou para aclarar a voz como se as palavras estivessem enferrujadas.

– É um pedido de resgate. O padre Niklas, filho do embaixador da Alemanha, foi raptado há algumas horas em Sant'Andrea.

Jacopo engoliu em seco ao ler o bilhete.

– O que é que os irmãos Finaly... – não quis continuar. – Já informaram a família?

Giorgio fez um meneio negativo com a cabeça.

– Não. A família ainda não sabe. E temos esperança de conseguir resolver este assunto sem que chegue ao conhecimento deles – ouviu-se uma voz áspera dizer da porta.

Jacopo desviou a cabeça nessa direcção e viu o intendente da Gendarmaria Vaticana, Girolamo Comte. Vestia um fato preto por baixo de um sobretudo cinzento-escuro.

– Entre, por favor, Comte – pediu o secretário. – Estava mesmo a colocar o doutor ao corrente da situação.

– Os relatores já foram alertados? – quis saber o historiador.

– O intendente enviou um destacamento de segurança – respondeu Giorgio, acenando com a cabeça na direcção de Girolamo. – Como correram as coisas com a Polizia di Stato?

Girolamo esboçou uma expressão mal-humorada. Não tinha corrido bem.

– O Cavalcanti não perde uma oportunidade de nos dificultar a vida – respondeu o intendente. – Mas falei com o Amadeo, o superior dele, e o mais tardar amanhã de manhã teremos acesso aos corpos.

– Quem é que os avisou?

– Não sei – respondeu o intendente, frustrado.

– Provavelmente quem colou o bilhete no confessionário – sugeriu Guillermo.

– Precisamos de saber onde ele está – interveio Girolamo, com acidez, fitando Jacopo.

– Como é que hei-de saber? Falem com quem o raptou – Jacopo sentia-se cada vez mais desconfortável.

– Precisamos de saber onde está o Rafael – precisou Guillermo.

– Ah! Esse – verbalizou Jacopo.

– Ele pediu uma licença de alguns dias ao Tomasini para tratar de assuntos pessoais – explicou o monsenhor. – Não fazemos ideia onde ele está.

– E acham que eu sei?

Os dois homens que estavam em pé acenaram que sim.

O historiador sorriu cinicamente e olhou para Guillermo.

– Que raio de serviço de espionagem geres tu que nem consegues encontrar os teus homens?

– Precisamos dele aqui com a maior urgência – explicou Guillermo, ignorando o comentário. Não era hora para discussões.

Jacopo ficou com calor de repente. Desapertou o botão de cima da camisa. Sentia um aperto na garganta e as axilas a transpirar. Que desconforto. Estava tudo a começar de novo.

Meu Deus... Quando o Rafael souber disto... Acho que nem Tu o deterás.

– Precisamos que nos digas onde ele está – frisou Girolamo.

Jacopo fez um não categórico com a cabeça antes de se levantar.

– Não posso fazer isso. Como bem disseram, foi tratar de assuntos pessoais – sentenciou.

O intendente acercou-se do historiador, fincou as mãos nos braços da cadeira e fitou-o nos olhos com uma expressão ameaçadora.

– Podes dizer-me onde ele está a bem... ou a mal – rosnou.

– Calma, Comte – insurgiu-se o secretário, colocando uma mão no ombro do polícia.

Jacopo engoliu em seco antes de responder à ameaça.

– Eu vou buscá-lo.

10

John Scott não conseguira pregar olho toda a noite. Um ligeiro tremor nas mãos deixava escapar a apreensão que o angustiava. As duas horas de terapia semanal a que John Scott se submetia haviam-lhe ensinado a identificar com precisão as sensações e os sentimentos que o assaltavam.

Estava apreensivo. Imaginou a doutora Pratt, a psiquiatra, sentada no sofá, a uma terça ou a uma quinta-feira, as pernas cruzadas que ele costumava ver através da despudorada visão periférica, com meias acetinadas que deixavam entrever uma pele bronzeada, um caderno de apontamentos em cima do colo, caneta na boca, o grande relógio de pulso a marcar a duração da relação entre médico e paciente, a voz cândida, a pedir-lhe para definir aquela apreensão, e a janela com vista para o Hudson. A apreensão dele não era diferente da dos outros, continha doses iguais de insegurança e medo, com picos momentâneos de um ou de outro sentimento, à medida que o tempo passava.

John Scott não estava, infelizmente, no consultório da doutora Pratt M.D., na rua Hudson da confortável ilha de Manhattan, mas no quarto número 221 do hotel Napoleon. Era um velho edifício decadente, na Piazza Vittorio Emanuele II, a necessitar de um restauro há muito adiado. John sentia olhos invisíveis atrás de si, ainda que estivesse dentro de um quarto exíguo sem mais ninguém à vista desarmada.

John Scott era um reputado jornalista do *The New York Times* há mais de vinte e dois anos. O seu aspecto franzino e desmazelado escondia um repórter de investigação sério e escrupuloso que já pusera muitos políticos e empresários em sentido ou mesmo atrás das grades. A sua imagem física desdizia a força do seu nome. John Scott era sinónimo de seriedade, honestidade, zelo. À primeira vista e ao primeiro aperto de mão mole parecia que se podia partir a qualquer momento e quando começava a falar manifestava uma gaguez perturbante.

O jornalista arrastou-se pelo quarto, ainda em roupão, e foi à janela. Uma neblina cúmplice com a sua apreensão descera sobre a Cidade Eterna e não deixava ver sequer as árvores que se perfilavam no meio da praça em frente.

Pegou no telemóvel e voltou a marcar o mesmo número que o registo indicava ter sido utilizado por cinco vezes naquela manhã, sem sucesso. Começou a tocar no outro lado da linha invisível. Um, dois, três, quatro, cinco… *Ligou para Sarah Monteiro…* ouviu dizer a voz feminina em inglês. Já deixara mensagem de voz, enviara um sms e três emails, escrevera-lhe pelo Facebook, utilizara todos os meios de comunicação de que dispunha, mas não obtivera ainda qualquer resposta.

– On… on… onde an… andarás, mi… mi… miúda? – murmurou para si mesmo.

Sarah Monteiro era a editora de política internacional do jornal londrino *Times*. Apesar de mulher, era a pessoa que mais sabia sobre assuntos do Vaticano. Pelo menos que ele conhecesse. Trabalhara com ela há mais de dez anos, ainda estagiária, nervosa, mas muito competente. O jornal, em Londres, informara-o que Sarah estava em Roma há meses. Precisava mesmo de falar com ela.

O telefone do quarto soou nesse preciso instante, deixando-o sobressaltado. Acercou-se da mesa-de-cabeceira e levantou o auscultador. Era da recepção a informá-lo de uma chamada externa. Era estranho, mas John consentiu que lha passassem.

– Bom… bom di… dia, co… mo está? – perguntou, em italiano. – Fi… fi… fiz como instruiu. M… m… m… mas estou muito nervoso…

E quanto mais nervoso mais a língua travava e atravancava a comunicação. Aproximou-se novamente da janela, esticando o fio do telefone, e olhou para baixo. O nevoeiro abria a espaços revelando um movimento intenso. Era uma das praças mais movimentadas de Roma. Por ali passavam automóveis, autocarros, camiões e havia imensas pessoas no jardim central, todas suspeitas, nenhuma inocente. Até a menina que girava um *hula hoop* com a anca, que não teria mais de 10 anos, podia ser uma espia a soldo deles. A paranóia era pior que a apreensão.

– Che... gou... chegou hoje – disse, pegando numa caixa embrulhada em papel dourado. – OK. A... aguar... do resposta du... rante o dia. – O interlocutor disse-lhe mais alguma coisa. – Espere. Deixe-me tomar nota.

Pegou no bloco de apontamentos que o hotel fornecia e escreveu o que lhe ditaram.

– Eu sei... eu sei... que... que ela é essen... cial pa... para o caso. Até lo... go.

Pousou o auscultador e acendeu um cigarro. Precisava de um para acalmar os nervos, a apreensão e a paranóia. Nestas ocasiões até a pensar gaguejava, um descalabro mental que o impedia de funcionar. Aspirou a nicotina sofregamente e obrigou-se a não pensar em nada. Mais fácil de dizer do que de fazer; no caso dele, nem uma coisa nem outra.

Abriu o dossiê castanho que estava em cima da cama ainda por fazer e tentou concentrar-se nos números. Era nisso que John era, tremendamente, bom. Analisar números. Perceber se se interligavam coerentemente ou não. Bastava um olhar, um cálculo e entrevia logo se estava tudo correcto ou não. Tirou a primeira folha, um mapa de movimentos com depósitos e débitos e leu-os um por um, linha por linha, coluna por coluna, data por data. Ao fim de alguns minutos começou a acalmar. Deixou de ouvir o protesto do coração dentro do peito e a respiração também retomou a normalidade. Uma ponta de cinza do cigarro caiu ao chão mas ele nem deu por isso. Sentiu uma sede súbita. Abriu a porta do minibar mas estava vazio. Era apenas um objecto de decoração.

Como é que esta merda tem quatro estrelas?

Pegou no telemóvel e voltou a ligar para a Sarah Monteiro. A resposta foi idêntica às seis vezes anteriores. Atirou o telefone para cima da cama e abriu o roupeiro. Tirou umas calças e uma camisa de ganga, e colocou-as em cima da cama. Apagou o cigarro no cinzeiro e despiu o roupão. Desembrulhou o papel dourado que envolvia um estojo aveludado e abriu-o. Dentro estava um revólver Amtec de calibre 38 que ele retirou do encaixe. Duas filas com cinco balas alinhavam-se por cima do encaixe da arma. Foi tirando uma de cada vez até encher o tambor. Fechou-o e fez pontaria para um alvo imaginário. Em seguida, pousou a arma e começou a vestir-se.

– Se Maomé não vai à montanha...

11

O comboio número 9406, procedente de Roma Termini, chegou à estacão de Santa Lúcia trinta e oito minutos depois das onze da manhã, de terça-feira. Uma chuva miudinha saudou os passageiros que saíram da gare. Para muitos era o início de uma viagem de sonho pela candura veneziana, as ruas, os canais, os palácios, para Jacopo Sebastiani era a conclusão de um trabalho que não queria fazer.

Agasalhou-se o melhor que pôde, apertando o casaco e levantando as golas, e saiu para o exterior, em direcção à Ferrovia, a estação dos *vaporetti* que ficava à esquerda, mesmo em frente à Igreja degli Scalzi. O Canal Grande agitava-se à sua frente enquanto esperava pelo autocarro aquático. Ao lado da estação viam-se táxis de água que aguardavam pelos clientes que pretendiam um serviço mais exclusivo. A ponte degli Scalzi ligava o Sestiere de Cannaregio ao de Santa Croce e muitos dos passageiros atravessaram-na. A cidade sem carros era mais agradável no inverno, apesar de tudo, quando o número de turistas era drasticamente inferior ao dos meses de calor. Por outro lado, a inclemente Lagoa de Veneza, auxiliada pelo incomplacente Adriático, não dava tréguas à cidade nesta época. As sirenes que anunciavam a *acqua alta* soavam frequentemente. Fosse como fosse, Veneza não era um roteiro turístico que agradasse a Jacopo e dificilmente a escolheria se o motivo da sua viagem fosse o lazer.

Depois da reunião com o secretário do Papa, Guillermo, e o intratável intendente, se assim se podia chamar ao encontro que tiveram, Jacopo teve apenas tempo de ir a casa vestir algo mais adequado, devidamente acompanhado por um motorista que, mais tarde, o deixou na estação de Termini. Roma começara a acordar lentamente mas quando chegou à estação já milhares de pessoas se deslocavam como autómatos para onde a agenda os mandasse, mirando os painéis informativos espalhados pela gigantesca gare à procura do destino e da linha certos.

Não foi a tempo de apanhar o primeiro comboio para a Sereníssima mas conseguiu apanhar o segundo quando faltavam quinze minutos para as oito.

O objectivo da sua missão atemorizava-o. Não queria estar na pele do Rafael e também não queria ser o mensageiro maldito a que se propôs, ainda que contra a sua vontade. Jacopo vira Rafael por duas vezes, depois da questão jesuíta, e ambas de forma muito fortuita. A primeira fora junto à Gregoriana quando ele saía de uma reunião do conselho pedagógico. Rafael estava com Sarah. Tinham parado na Piazza della Pilotta porque ela cansara-se durante o passeio. Uma das consequências do tratamento a que estava a ser sujeita. *Se não morrer do cancro morre da cura, certamente,* lembrou-se de ter pensado. Sarah estava muito diferente de quando a havia conhecido, meses antes. Magra, fraca, frágil, esmaecida. A vida era mesmo uma folha de papel, vulnerável, à mercê de qualquer advento mais ou menos quezilento, que a faria esfumar-se como se nunca tivesse existido. Cumprimentou-os e fugiu logo que pôde para bem longe. Vê-la era tornar real uma história que ouvira e na qual não quisera acreditar. Ficavam bem, juntos, aqueles dois, apesar de ela ser jornalista e ele padre.

Na segunda vez, dias antes, viu apenas Rafael, quando passou pelo edifício da Gendarmaria Vaticana. O padre estava a entrar mas parou para o cumprimentar. Jacopo inventou uma desculpa qualquer para apressar o encontro e desmobilizar antes que a conversa chegasse ao inevitável ponto sobre o estado de Sarah. A pressa. Demasiados afazeres. Reuniões muito importantes no supermercado do Vaticano, livre de impostos, e no posto de abastecimento de combustível onde ia de quinze em quinze dias abastecer o carro a trinta e três cêntimos de euro o litro. A pressa.

Jacopo era um egoísta, sabia-o, preservava o seu bem-estar, por isso era com esforço que estava ali e foi a custo que entrou no *vaporetto* da linha 1.

O cheiro a gasóleo misturado com a maresia inundou-lhe as narinas e fê-
-lo tossir. Tapou a boca e o nariz com as golas do casaco. A água acastanhada evidenciava ondas criadas pela passagem do barco que se propagavam
até embaterem na ondulação criada pelas outras embarcações que enchiam
o canal. Não ia muita gente no *vaporetto*. Entrou na zona coberta e sentou-se. Levaria uns bons quarenta minutos até à estacão de Salute, na Fon-
damenta della Salute.

A chuva engrossou na parte final da viagem. Um vento frio começou a
soprar de leste transportando um uivo nas suas entranhas. Saiu na estacão
de Salute, no Sestiere de Dorsoduro, quarenta minutos depois, já os ven-
dedores indianos de chapéus-de-chuva se amontoavam, uns em cima dos
outros, na esperança de servirem de arautos à protecção diluviana. Eram
melhores que qualquer balão meteorológico, pois sabiam sempre se era hora
de vender chapéus-de-chuva e capas impermeáveis ou lenços e leques. Recusou todas as ofertas e avançou para o largo. Em frente, a imponente
Basílica octogonal de Santa Maria della Salute, uma pérola em estilo bar-
roco, pareceu-lhe um excelente abrigo. Olhou para o relógio. Um trejeito
de frustração inundou-lhe o rosto molhado. Subiu ainda mais as golas do
casaco, se tal era possível, e seguiu para a direita. Não havia tempo para se
abrigar. Virou as costas à basílica e ao Seminário Patriarcal de Veneza e atravessou uma ponte em direcção ao Campiello Barbaro. Avançou pelo Campo
de San Gregório e pela Via Bastion, debaixo de uma chuva que lhe atingia
os olhos e o resto do corpo como dardos inteligentes e perversos.

Cinco minutos depois e encharcado até aos ossos, abriu a porta gra-
deada do número 352 de Dorsoduro, o Palazzo Dario, uma pérola em mármore branco do gótico veneziano com restaurações renascentistas. Uma
das fachadas estava plantada no Canal Grande com vista para o Sestiere
de San Marco e outra, lateral, para o rio delle Torreselle. As janelas com arcadas redondas, no rés-do-chão e nos dois *piani nobili*, não deixavam indiferentes os turistas que navegavam no Canal Grande, que também não
deixavam de reparar na ligeira inclinação do edifício para o lado esquerdo.

O piso inferior era um espaço amplo, repleto de colunas. Apesar de o
palácio ser propriedade privada, a família que o detinha acordara com o
município albergar exposições temporárias de pintura, escultura, artes plás-
ticas, tudo em nome da cultura. Para Jacopo era apenas um abrigo acolhedor da intempérie que caía na rua.

Algumas pessoas, poucas, deambulavam naquele piso admirando quadros pertencentes a uma colecção da Tate Gallery. Na recepção, uma senhora com alguma idade lia uma revista à espera de visitantes mais interessados. Olhou para o relógio e para a porta. Depois tentou ver se reconhecia alguma das pessoas. Não. Ninguém lhe era familiar. Rafael estava atrasado.

Que raio de sítio para marcar um encontro, pensou para si. Que estaria ele a fazer em Veneza?

Apetecia-lhe um chá quente para aquecer o corpo, despachar o assunto e enfiar-se no comboio de regresso a Roma. A conversa não ia ser rápida mas não tinha qualquer intenção em pernoitar ali. Rafael tinha de regressar à capital com urgência, relembrou as palavras do secretário e de Guillermo, e o rosnado de Comte. *Por que raio não marcaste num café ou num restaurante? Tinha de ser logo neste palácio maldito.*

A porta abriu-se para deixar entrar um casal encharcado e o uivo do vento. Não havia sinal dele. Tornou a olhar para o relógio e aproximou-se de uma das janelas para mirar o Canal.

Onde estás, Rafael?

12

Monsenhor Stephano Lucarelli deixou o retiro das irmãs da Santa Cruz, no Monte Bondone, em Trento, pouco depois das seis da manhã de terça--feira. Antes de se meter no carro e acelerar para Sul, limpou o escritório de todas as fotografias, recortes de jornais e mapas do painel, apagou as impressões digitais de tudo aquilo em que tocara e deixou uma carta, dentro de um envelope, dirigida à prioresa. Nela agradecia-lhe a estadia muito aprazível: pudera repousar como desejara o Santo Padre, e a assistência prestada pela irmã Bernarda fora de uma qualidade inexcedível ao ponto de ter decidido requisitá-la, com efeitos imediatos, para o assessorar em Roma.

Um email com endereço do gabinete papal já estava na caixa de correio electrónico do retiro com a ordem de requisição da freira e a assinatura de um dos assistentes por baixo da imagem de linhas pretas do brasão pontifício.

Deixou a cidade ainda adormecida, já com o sol a despontar timidamente deixando um rasto de penumbra atrás de si. Rumou a Sul, pela auto--estrada A22, acompanhando o Lago Garda e, uma hora depois, passou ao largo de Verona.

Parou numa estação de serviço. Na casa de banho despiu a batina de reverendo monsenhor e vestiu um fato preto com camisa azul-escuro, e pôs uns óculos de sol. Desfez o telemóvel e o cartão SIM em peças e envolveu--os, separadamente, em papel higiénico. Atirou-os para dentro da sanita e puxou o autoclismo. Enfiou a batina dentro do saco da roupa e retomou a viagem, desta vez para leste, pela A4, deixando o Lago Garda para trás. Conduziu durante uma hora e meia debaixo de uma chuva miúda e depois estacionou na Piazzale Roma, em Veneza. Não demorou mais de quinze minutos a encontrar lugar no maior parque de estacionamento da Europa, pelo que se podia considerar um homem com sorte. Atravessou a ponte pedonal della Constituzione, que ligava a ilha artificial onde ficava o parque ao Sestiere de Cannaregio. Tomou o pequeno-almoço na estação de Santa Lúcia – café preto e pão com manteiga – e esperou. Faltava ainda algum tempo. Mirou os indicadores informativos. O comboio chegaria dentro do horário previsto.

Posicionou-se perto de um quiosque quando a composição chegou ao terminal, de forma a vê-lo sem ser visto. Não foi difícil. Estava enfiado num casaco grosso com as golas subidas e cara de poucos amigos. Viu-o sair da gare a caminho da estação da Ferrovia, no Canal Grande. Atentou na retaguarda para ver se alguém o seguia. O caminho estava livre. Assim que o *vaporetto* aportou na estação, Lucarelli requisitou um táxi aquático, uma embarcação de cor branca que fazia o mesmo na água que os seus congéneres em terra. Viu-o entrar no autocarro de água e inspeccionou os outros passageiros antes de indicar ao barqueiro que seguisse o *vaporetto*.

O *taxista* ainda sugeriu alguns locais turísticos que não podiam deixar de ser vistos por quem visitava a cidade, sob pena de ficar amaldiçoado, mas desistiu após alguns minutos sem resposta do passageiro. Saiu na estação de Salute, em frente à basílica que dava nome à paragem. Comprou um chapéu-de-chuva, para aplacar os pingos que caíam com mais intensidade, a um vendedor de Mumbai no largo e seguiu o percurso do outro. O passeio terminou no Palazzo Dario para onde o viu entrar, completamente encharcado. Deu uma volta pelas vielas vizinhas, mirou as janelas dos edifícios, recuou ao Campo di San Gregorio e, satisfeito com a inspecção, regressou ao Palazzo Dario. Não havia ninguém a segui-lo. Fechou o chapéu-de-chuva e entrou.

Não estavam muitas pessoas e foi fácil detectá-lo junto a uma das janelas com um olhar vazio para o Canal. Os demónios. Ninguém era imune aos seus.

– Jacopo Sebastiani – disse, quando chegou perto dele.

Jacopo olhou-o com uma expressão terna e triste e esboçou um meio sorriso.

– Até que enfim, Rafael.

13

– Não podias ter escolhido outro sítio? – protestou Jacopo.

– É uma questão de coerência.

– Coerência?

– Como arauto da desgraça, não há local que te assente melhor que este – disse com um sorriso cáustico.

– Pois. Tu és o verdadeiro trevo da sorte. Lembras-te daquele episódio em que eu tinha uma arma apontada à nuca numa basílica jesuíta? Ou terá sido imaginação minha? Nem sei porque ainda não recuperei do trauma – atirou Jacopo para contrabalançar o ataque retórico.

– As últimas vezes que te vi estavas a fugir e não estou a falar daquela vez em que te escapuliste a sete pés dessa mesma basílica jesuíta.

Jacopo lembrou-se da mente perspicaz de Rafael e que o seu encontro com ele durante a questão jesuíta, de má memória, tinha começado com uma má notícia que ele próprio anunciara. A morte de um amigo.

– A que se deveu a demora?

– Imprevistos – limitou-se a dizer Rafael.

– Imprevistos? Estudaram todos pela mesma cartilha – praguejou. – Sabes a história deste sítio? – perguntou o historiador, apontando para o edifício.

– Não. Mas tu vais contar-ma, não vais?

Jacopo não percebeu se ele estava a ser irónico ou não. Era difícil percebê-lo.

O problema do Palazzo Dario, que deixava Jacopo um pouco indisposto, era que quando alguém o adquiria, e isto desde a sua construção, no século XV, ou se arruinava financeiramente ou sofria uma morte violenta. A lista era extensa. O próprio Woody Allen esteve interessado em comprar o palácio mas desistiu quando lhe contaram a maldição que o atravessava desde que existia ali, no Canal Grande, ligeiramente tombado para a esquerda. Jacopo tinha razões para se sentir apreensivo. Naquele edifício ninguém estava seguro.

– Descansa – tranquilizou-o Rafael. – Não estás a pensar comprar o palácio, pois não?

Deambularam pelo piso térreo adoptando um interesse fingido pelos quadros que estavam dispostos nas paredes e em mostruários próprios para esse efeito.

– Como foi em Trento? – perguntou o historiador.

– Deu para descansar – respondeu Rafael, desinteressado. – Não estamos aqui para a visita guiada, pois não?

Jacopo engoliu em seco. A história do palácio inquietava-o de tal maneira que se esquecera da razão que os levara até li. Chegara a hora de revelar o motivo daquele encontro. Inspirou fundo para ganhar fôlego e estruturou o pensamento. Rafael apreciava a organização das ideias.

– O que é que sabes sobre o Eugenio Pacelli?

– Não tenho ido às aulas de História da Igreja – zombou o mais novo, enquanto caminhavam pelo salão.

Jacopo manteve o silêncio à espera da resposta. Lá fora, a chuva caía com menos intensidade e o uivo do vento começou a perder força. Rafael encolheu os ombros.

– Não percebo a pergunta.

– Não sei como posso ser mais claro. O que é que sabes sobre Eugenio Pacelli? – repetiu Jacopo.

– O que é que queres saber? A versão oficial?

– Para início de conversa.

Rafael respirou fundo. O despropósito daquilo tudo raiava o absurdo.

– Nasceu em 1876, descendente de advogados intimamente ligados à Igreja.

– A *Nobreza Negra* – completou Jacopo.

– Eram tão nobres como nós. Ou então eram nobres tesos. Eles alinharam com a *Nobreza Negra* e, por consequência, com a Igreja, mas não lhe pertenciam.

– As coisas que tu sabes – escarneceu o historiador.

– Quem devia saber isto eras tu. O avô dele, Marcantonio Pacelli, foi um fiel seguidor de Pio IX, subsecretário do Ministério das Finanças Papal e Secretário do Interior até 1870, e foi o fundador do L'Osservatore Romano. É interessante; toda a família esteve ligada à *Questão Romana* do início ao fim. O pai, Filippo, era deão do tribunal da Rota Romana e o irmão de Eugenio, Francesco, era advogado canónico no mesmo tribunal e foi o negociador de Pio XI para a resolução da *Questão Romana* com Mussolini, em 1929.

– O Tratado de Latrão.

– O Eugenio foi o compilador do primeiro Código de Direito Canónico da história, publicado em 1917, altura em que partiu para Munique onde foi núncio da Baviera. Em 1925 trocou a nunciatura de Munique pela de Berlim, ainda que fosse núncio dos dois locais. Deixou a Alemanha em 1929, por ordem de Pio XI, tornou-se Secretário de Estado em 1930 e Papa em 1939. Morreu em 1958. Chega?

Jacopo suspirou. Que história tão pobre. Até ele sabia muito mais do que Rafael dissera.

– E podres?

– Um Papa não tem podres, nem faltas, nem falhas. Cuidado com a língua, Jacopo – alertou o outro.

O historiador lançou-lhe um olhar de impaciência, ainda que não soubesse se ele estava a falar a sério ou não.

– Tu tratas de suprimir essa parte, não é?

– Vá, Jacopo. Chamaste-me para te dar uma lição sobre Pio XII? Onde está a má notícia?

A porta voltou a abrir-se para deixar entrar dois casais de turistas. Pousaram os chapéus-de-chuva num cesto de verga ao lado da porta e desceram os degraus até à recepção. Eram loiros, provavelmente nórdicos.

– Algum boato, alguma história mal contada? – insistiu o mais velho.

– Nada de mais, tirando as partes que já conheces e aquela lengalenga da Segunda Guerra. Foi um homem como os outros. Um árduo defensor da centralização do poder da Igreja, como o seu antecessor, como Pio X, Leão XIII e o próprio Pio IX. A diferença é que ele foi bem-sucedido nesse propósito. E foi o único Papa a conseguir um aumento do número de fiéis, na ordem dos 150 milhões, coisa que já não acontecia desde o Renascimento. Salvou mais judeus que as organizações não-governamentais e particulares todas juntas, ao contrário do que se pensa. Renunciou ao papado na primeira votação...

– Renunciou?

Jacopo desconhecia este facto. Rafael anuiu com a cabeça.

– Sim. Ganhou a eleição e quando o cardeal Caccia-Dominioni lhe perguntou se aceitava a sua eleição canónica ele recusou e pediu que não o incluíssem na votação seguinte.

– E o que aconteceu para ele ter mudado de ideias?

Rafael considerou, durante uns instantes, a melhor forma de o dizer.

– Por detrás de um grande homem há sempre uma... – não completou.

– Uma quê, Rafael? – insistiu Jacopo, completamente transtornado.

Rafael não respondeu.

– Uma grande mulher? É isso que ias dizer?

– Eu não disse nada.

– Então diz, raios.

A mesma resposta.

– Sempre é verdade? Ela tinha esse poder? – conjecturou o historiador, ciente que era praticamente impossível arrancar uma informação a Rafael se ele não a quisesse dar. O padre era inflexível.

– Pacelli abandonou a Capela Sistina – continuou o padre –, e quando regressou, algum tempo depois, a votação seguinte já tinha começado. Ele não exerceu o seu voto.

– E depois? – perguntou Jacopo, decidido a ignorar momentaneamente aquilo que faltava dizer. Um pequeno recuo estratégico.

– E depois os cardeais votaram e ignoraram o pedido dele. Teve ainda mais votos que na votação anterior. Foi eleito por unanimidade. Não se repetiu o cenário de 1922.

– Que cenário?

– Tu és fraco historiador, não és? – atirou Rafael em tom de provocação.

– Tão bom como tu és padre.

– Na eleição de Achille Ratti, que adoptou o nome de Pio XI, o primeiro eleito, o cardeal Camillo Laurenti, renunciou e pediu que o excluíssem da votação. Nessa altura respeitaram a vontade dele.

– E em 1939 não.

– Em 1939 não. Foi o início do último pontificado ao estilo imperial.

– Ainda não disseste nada verdadeiramente interessante – contestou o historiador.

– Já somos dois.

Voltaram a acercar-se de uma das janelas grandes com vista sobre o Canal. Já não chovia mas o vento recuperara a intensidade. A mesquinhez do clima não importunava o tráfego marítimo que mais parecia uma selva de barcos e barcas, batéis e botes, para um lado e para o outro, segundo regras que só eles conheciam, talvez, torturando a água acastanhada.

– Como é que ela está? – perguntou Jacopo depois de engolir em seco.

– A recuperar. Vai ficar bem – respondeu, ao mesmo tempo que lhe colocava uma mão em cima do ombro. Sabia como a vida real era difícil para o historiador. – Vai ficar bem, Jacopo.

Rafael atentou nas pessoas que estavam na sala. Os dois casais nórdicos, a recepcionista idosa de cabelo apanhado, mais outro casal. Todos pareciam, tal como eles, admirar os quadros expostos. Um dos casais contemplava-os com auscultadores nos ouvidos que explicavam cada uma das obras expostas na língua desejada.

Rafael encaminhou-se para a porta.

– Anda, vamos sair daqui – disse peremptório.

O ar estava empestado com um odor nauseabundo e o pavimento molhado tornara-se escorregadiço em algumas partes. O Palazzo Dario, amaldiçoado e tombado para o lado esquerdo, como numa penitência, ficou para trás. Deambularam sem destino e taciturnos nos primeiros instantes. Rafael saberia o que dizer e quando, ou assim pensava Jacopo, ansioso por atrasar o mais possível o que tinha para lhe contar. O historiador não era um operacional nem sequer o moço de recados que estava a ser naquele momento. O seu trabalho consistia em estudar, examinar, certificar, validar, no conforto do seu gabinete ou de um laboratório, junto às estantes dos livros, dos velinos, com a lupa sempre por perto. A vida real era demasiado perigosa para homens como ele. Lidara com muitas tragédias, com cataclismos, pestes, guerras, milhares e milhares de mortos, mas todos impressos no conforto de um papel, nos caracteres inanimados da história. Os ossos deixava-os para os seus colegas arqueólogos... e para homens como Rafael.

– Temos um problema – acabou por dizer. Já não podia voltar atrás.

– Temos sempre.

– O secretário do Papa abordou-me com uma conversa muito estranha sobre os irmãos Finaly – prosseguiu, ciente de que pisava terreno perigoso.

Rafael torceu o nariz

– O Tomasini e o Comte querem-te em Roma o mais rapidamente possível.

– O Comte que vá dar ordens aos homens dele – insurgiu-se Rafael. – Contaste-lhes?

– Se lhes tivesse contado não estava aqui.

– Ainda não posso voltar – confidenciou o padre, contemplando o Canal.

– Tens de voltar. O Niklas foi raptado – atirou, quase lhe apetecendo fechar os olhos para não assistir à reacção de Rafael.

O padre respirou fundo. Já não estava ali, a mente fugira para outras paragens.

– És um mensageiro de merda, Jacopo. O Luka?

O historiador abanou a cabeça em jeito de negação.

– Não teve hipótese nenhuma.

– E os homens do Gumpel?

– Como é que sabes deles? – perguntou o historiador. Não tinha mencionado nada sobre os relatores.

– Estão em segurança? – insistiu Rafael.

– Não sei.

Rafael mirava o Canal que se arrastava indiferente aos sentimentos de quem o olhava. Jacopo tentou perscrutar alguma sensação de comoção, de abalo, no padre mas não conseguiu detectar nada. Rafael era um homem de acção.

– Já informaram a Nicole?

Jacopo fez que não com a cabeça.

– Ainda bem – disse o padre. – Ela tem de saber. Ela e o embaixador; mas prefiro ser eu a contar-lhes.

– Há um pedido de resgate.

– Quanto?

Jacopo entregou-lhe o pequeno *post-it* azul.

– Não é quanto, Rafael… é quem.

14

O mundo parara há mais de seis meses ou, pelo menos, era o que Sarah sentia desde que soubera da notícia. Aquilo que apenas acontecia aos outros bateu à sua porta quando menos esperava, se é que alguém espera uma coisa destas.

Num dia estava ao serviço do Vaticano, na tentativa de recuperar documentos valiosos sobre Jesus Cristo, e no outro internada na policlínica Gemelli, em Roma, onde lhe largaram o bombástico diagnóstico de coriocarcinoma.

Afinal não és eterna, Sarah. És como os outros e podes morrer. Há muito que sabia que não era imortal. Encarregaram-se de lho explicar quando, anos antes, atentaram contra a sua vida... E muitas outras vezes depois disso. Um pouco antes do internamento na clínica teve uma arma apontada à nuca. Talvez por isso estivesse convencida que mais depressa morreria por causa de um tiro ou qualquer outro factor externo do que atraiçoada pelo seu próprio corpo.

O Papa Bento fora preponderante nestes últimos meses. Não deixou que Sarah regressasse a Londres e ordenou que não se olhasse a despesas no tratamento. Se fosse necessário podiam até convocar especialistas estrangeiros que estivessem na vanguarda no tratamento dos coriocarcinomas. Os oncologistas da policlínica não viram necessidade de chamar ninguém.

Os tratamentos estavam a par dos que se faziam por toda a Europa. Começariam imediatamente com a quimioterapia à base de metotrexato.

Quando deixou a policlínica, alguns dias depois, ficou alojada num apartamento com três quartos, propriedade da Santa Sé, no Borgo Pio, em Roma. Era um terceiro andar mobilado, a cerca de 500 metros da Porta de Sant'Anna, que dava acesso ao Estado Pontifício.

Rafael cuidou dela. Preparou-lhe as refeições, viram filmes, trouxe-lhe alguns livros. Histórias de amor maioritariamente. Ela torceu o nariz.

– Por que raio é que achas que gosto de histórias de amor, Rafael? – perguntou quando ele trouxe três livros do Nicholas Sparks. – Tenho cara de romântica?

Ele ficou atrapalhado.

– Pensei que todas as mulheres gostassem de histórias de amor que façam sonhar com o príncipe encantado.

Ela olhou-o de modo reprovador.

– O Nicholas Sparks faz chorar, não faz sonhar. O máximo que vais conseguir é que eu me desfaça em baba e ranho. É isso que queres?

Nunca mais lhe trouxe histórias de amor.

Durante os primeiros dias não saíram a não ser para ir à policlínica fazer os tratamentos. Sarah não se desligou do jornal onde era editora de política internacional. Estava em contacto via correio electrónico e fazia uma reunião telefónica todas as manhãs. O resto ficava ao cuidado do subeditor em Londres. Não se queria sentir inútil. Precisava de trabalhar. Era uma forma de ocupar a mente com algo que a distanciasse da enfermidade.

Rafael dormia no quarto ao lado do seu, sempre diligente, atento, afectuoso. Preparava-lhe o pequeno-almoço de manhã. *Caffellatte*, fatias de *panino ciabatta*, tartes de maçã, suco de laranja e pêssego, chá, croissants, manteiga, queijos e fruta. Depois começaram a sair a meio da tarde para dar um passeio. Não era bom para a recuperação de Sarah ficar fechada em casa o tempo todo. Por vezes jantavam num restaurante num qualquer ponto turístico. Sarah gostava imenso da área junto ao Panteão e das calejas que o circundavam. Era... romântico. Nunca falavam da doença. Ele não perguntava como ela se sentia, ela também não o dizia. Na verdade, ele ocupava tanto os dias dela que não havia tempo para pensar em mais nada. Nem mesmo quando o cabelo começou a cair. Foi Rafael quem o cortou com muita delicadeza numa noite de intenso temporal e trovoada.

Não podia vir mais a propósito. Ouvia-se o vento a zumbir e a chuva a bater fortemente nas portadas quando ela o viu rir-se pelo espelho da casa de banho.

– Qual é a graça? – perguntou, ofendida.

Ele esboçou um sorriso mais amplo. Era muito raro ver Rafael sorrir. Era lindo.

– Lembrei-me que não é a primeira vez que lhe corto o cabelo.

Ela sorriu também ao relembrar aquela primeira noite em Londres em que Rafael lhe cortou o cabelo contra a sua vontade para que ela não fosse reconhecida.

– Odiei-te da primeira vez que o fizeste – confessou.

– Eu sei.

– E acabou por não servir de nada.

– Eu sei – repetiu Rafael. – Mas foi divertido.

Sarah mostrou um melindre artificioso.

– Divertido?

A verdade é que, apesar do cancro que a destruía por dentro, ela nunca se sentira tão feliz. Uma felicidade estranha. Sentia-se tão bem na companhia dele. Só à noite se deixava chorar, no quarto, para ele não ouvir. Não chorava porque tinha medo de o perder. Chorava porque não o queria perder. Sabia que, mais cedo ou mais tarde, quer a doença a vencesse ou não, perdê-lo-ia.

A relação deles era complexa. Uma jornalista influente de um grande jornal britânico e um padre ao serviço da Igreja Católica Apostólica Romana. Não era um padre qualquer. Pelo contrário. Era ele quem resolvia os problemas que a Igreja enfrentava. Era também o padre que Sarah amava, o que, por si só, não era pouca coisa. Não era fácil quando o seu rival, aquele com quem tinha de competir, era Deus.

Um dia, poucos anos antes, salvara-a da morte certa, em Londres, e o coração dela ficara agarrado àquele homem que, em nenhum momento, revelou qualquer intenção de trair o Altíssimo. Não podia deixar de sorrir com a ironia. O seu homem de sonho, quiçá de qualquer mulher, tinha uma relação com algo tão abstracto em que nem ela sabia se cria. De qualquer maneira absorvia o mais que podia daqueles momentos preciosos que passava com ele, ciente de que podiam acabar a qualquer instante.

Ao fim de algumas semanas, Rafael começou a sair para despachar assuntos que não podiam ser resolvidos por outros. Ficava sempre alguém com Sarah, embora ela o considerasse um exagero. A doença era silenciosa. Havia dias em que se sentia um pouco cansada, especialmente depois da quimioterapia, mas, exceptuando essas alturas, não havia razão para alarme. A maior parte das vezes ele regressava para fazer o jantar, o que a confortava. Só por uma vez se demorou quase uma semana. Não fosse a sentinela que ficava com ela e pronunciava um *Correu tudo bem* a Rafael antes de ir embora e quase pareciam um casal.

Sarah não permitiu que ele avisasse os pais dela que moravam em Portugal. Falava com eles regularmente por email ou telefone. Disse-lhes que iria chefiar a delegação italiana do jornal durante alguns meses. Rafael discordou. Não devia mentir aos pais, mas não a quis contrariar. A jornalista acordou em contar-lhes se a primeira fase de quimioterapia não resultasse. Por ora preferia ficar sozinha com ele, só os dois, mas isso não lhe disse, obviamente.

Se isto não é amor, o que será?, perguntava-se Sarah. Era certo que o sacerdócio preceituava o fazer o bem ao próximo mas… era melhor não pensar nisso. Mais cedo ou mais tarde, ela regressaria a Londres e ele ficaria em Roma se… não acontecesse o pior e a doença levasse a melhor. Qualquer que fosse o desfecho, seria como se aqueles meses nunca tivessem existido. Os filmes, as conversas, os passeios, os temperos dele, tudo isso seria uma memória feliz e pungente ao mesmo tempo. Não. Era melhor não pensar nisso também.

Naquela tarde de terça-feira, tivera consulta na clínica e, pela primeira vez, Rafael não tinha podido acompanhá-la. Ausentara-se há cinco dias. Um assunto improtelável que necessitava de resolução urgente. Dissera-lhe pelo telefone que regressaria antes do previsto, ao final da tarde, mas a noite já caíra e ainda não havia sinal dele. Provavelmente não se preocuparia tanto se não soubesse por que teias se movia Rafael. Era um mundo perigoso, o da Igreja. Pregava a fé e os bons costumes mas guardava segredos, e as pontas soltas que por vezes surgiam necessitavam de ser sanadas rapidamente. Assim sobrevivia havia mais de dois mil anos.

Fora um dia ambíguo para ela mas Rafael merecia ter estado na clínica para ouvir os médicos dizerem que a doença estava controlada, que a quimioterapia resultara e o tumor regredira, que apenas tinha de ser vigiada nos próximos tempos, mas que o perigo passara. Que podia voltar a Londres e fazer a sua vida normal e fazer o acompanhamento a partir de lá. Talvez por isso quisesse tanto vê-lo. Faltava-lhe o ar. Ele ajudara-a a vencer a doença, não havia dúvidas disso, mas... ia ser tudo tão doloroso. Ia doer mais que o cabelo perdido, que as sessões de quimioterapia, que as dúvidas, que o medo da morte... A mulher que se olhava no espelho com um lenço a tapar o cabelo inexistente, que cresceria em breve, não era a mesma Sarah de há seis meses. Essa morrera assim que entrara na policlínica Gemelli.

Acalma-te, Sarah. O que for será, disse a si mesma. *Não vai doer para sempre.* Isso era certo. Mas já doía o suficiente para a fazer chorar. Deixou as lágrimas escorrerem pelo rosto livremente. Não ia evocar a injustiça da vida ou que era uma vítima das circunstâncias. As coisas eram como eram e era suficientemente inteligente para sabê-lo. Mas precisava de chorar... e de apanhar uma bebedeira, se pudesse. Nada a impedia, mas seria imprudente fazê-lo. Não depois de tantos tratamentos e agressões ao seu corpo.

Recompôs-se, vestiu uma camisola desportiva com capuz e foi até à sala. Arturo, o padre de plantão, ainda lá estava.

– Se quiser pode ir embora. Estou bem e já tive alta médica – disse, com algum escárnio.

– O padre Rafael não deve tardar. Não se preocupe – proferiu o clérigo com um sorriso plácido.

Padre Rafael. Bah!, zombou mentalmente.

– Vou apanhar um pouco de ar à rua – avisou a jornalista.

– Acompanho-a – prontificou-se o padre.

– Não é necessário, Arturo – disse Sarah. Preferia estar sozinha. – Só vou apanhar um pouco de ar.

O padre percebeu que a jornalista precisava de espaço. Não estava vestida para ir longe.

Sarah saiu para a fria noite romana. Os dias estavam cada vez mais curtos e o sol escondia-se antes das oito horas. Andou uns metros em direcção à Via di Porta Castello. Passou por debaixo de uma das arcadas do *Passeto*. O trânsito era intenso mas ela nem reparou. Parecia um *zombie* a andar sem destino. Demorou-se alguns minutos numa montra e depois decidiu regressar. Talvez Rafael já tivesse chegado a casa. Desejava muito vê-lo naquela noite. Quando chegou ao prédio viu o padre Arturo à porta.

Tê-la-ia seguido? Os servidores de Rafael eram sempre muito diligentes. Ele sabia escolhê-los a dedo. Também este não seria um simples padre, era certamente um elemento da igreja sempre pronto a acobertar os segredos da Santa Sé. A mesma que lhe pagara todas as despesas dos últimos seis meses. Quão irónico.

Sarah sorriu para o padre que lhe abriu a porta.

– O Rafael já chegou? – perguntou a jornalista.

Arturo fez que não com a cabeça.

Um táxi parou mesmo junto à entrada e apitou. Sarah olhou para o interior do veículo enquanto Arturo, sobressaltado, levou a mão ao coldre de ombro que tinha debaixo do casaco. Ela colocou-lhe uma mão no braço como que a pedir que tivesse calma e sorriu para o passageiro que vinha no banco de trás.

– O que estás aqui a fazer?

15

– O que estás aqui a fazer?

A mesma pergunta na quente atmosfera da Don Chisciotte, uma cafe-taria elegante, na Via della Conciliazione, a poucos metros da Praça de São Pedro e do Castelo de Sant'Angelo e da residência provisória de Sarah há mais de seis meses.

– Tam... tam... também gosto de te ver – disse John Scott num tom sarcástico.

Sarah ajeitou o lenço na cabeça como se tivesse vergonha que ele visse mais do que ela desejava. Sorveu um pouco do chá quente que pedira, en-quanto o copo de cerveja Peroni de John permanecia intocado.

– Quando chegaste?

– Há... há tr... três dias – suspirou enquanto brincava com um cigarro por acender entre os dedos e exibia um olhar de frustração. – Far... fartei--me de... de te li... gar.

– Não tenho andado com o telemóvel. Ganhei-lhe aversão.

– Per... per... cebi – fitou-a com complacência. – Co... como te... te sentes?

Sarah tentou impedir, em vão, que uma lágrima se desprendesse do olho e sentiu-a descer pela face.

– Como se a casa tivesse aguentado um terramoto mas sem saber se su-portará as sequelas.

John esticou a mão e tocou na dela.

– Tem… tem cal… calma, miúda.

Não imaginava sequer o que ela tinha passado. Nem sabia se teria forças para lidar com uma provação idêntica. Sugeriu-lhe, com uma expressão paternalista, que não pensasse no futuro. Que se congratulasse com a batalha ganha. Fora a Waterloo ou a Trafalgar ou a Gettysburg dela, e nada mais importava. Não valia a pena lutar contra inimigos invisíveis.

Sarah sorriu, timidamente. John tinha razão, embora parte das palavras não fossem dele mas da doutora Pratt M.D., facto que omitira à sua amiga e colega de ofício. Não fazia mal nenhum usar as palavras dos outros quando se aplicavam à situação, como era o caso.

– Como é que me encontraste?

John não respondeu imediatamente. Levou o copo de cerveja à boca e bebeu o líquido dourado até meio. Limpou a espuma que se alojara no lábio superior com as costas da mão.

– Te… temos um… um a… migo em… em comum.

Sarah não se deu sequer ao trabalho de pensar em quem seria. A verdade é que a sua estada não era segredo para ninguém. O seu alojamento não era secreto. Claro que haveria sempre coisas que não poderia contar mas…

– Pre… preciso da… da… tua ajuda – acabou por despejar o americano, de rompante.

Sarah focou o olhar nele pela primeira vez naquela noite. Estivera a desfiar as suas desgraças mas ainda não o fitara como devia ser. O mesmo ar franzino que lhe conhecia, como um boneco de trapos a desfazer-se, calças de ganga roçadas e uma camisa do mesmo tecido com botões de mola. Tudo nele respirava pragmatismo. Tinha a mente demasiado ocupada com assuntos importantes para se dar ao luxo de se preocupar, minimamente, com o seu aspecto físico ou mesmo com a forma como se vestia. A Sarah bastava-lhe saber que ele tinha 50 anos e era de confiança. Conhecera-o em Londres, no primeiro ano do primeiro mandato de George W. Bush. Ela fora contratada como estagiária para assisti-lo numa investigação que ele liderava sobre dinheiros da lotaria usados de forma fraudulenta. Ele gostara do profissionalismo dela e ela aprendera os truques e vícios da profissão com ele. Zelou por ela, alertou-a, guiou-a, sempre com a mesma atitude paternalista que lhe é característica, apesar de John não ter filhos.

Dez anos depois, Sarah era a editora de política internacional do *Times* e ele um jornalista de prestígio num jornal de referência.

– Não... não quero sa... saber quem... quem são as... as tuas fontes – começou o americano –, mas... mas não é difícil ver... ver que tu... tu... és de longe a jor... jornalista mais... mais bem co... tada dentro da Igreja.

– Bah! Não precisas de me dar graxa, John. Se eu puder ajudar-te sabes que não te direi que não.

John sorriu. Era a Sarah de sempre, mais frágil, mais assustada, mas frontal e sempre com a resposta pronta na ponta da língua.

– Es... tou a fa... zer outra in... in... investigação.

– Tu nunca consegues parar, pois não? Não me digas que andas a investigar o Banco do Vaticano – gracejou.

John não respondeu. Neste ramo, quem cala consente. Sarah baixou a voz e aproximou-se mais do americano.

– Andas a investigar o IOR?

John assentiu com a cabeça.

– Como?

John explicou-lhe, em voz baixa, sílaba a sílaba, que um alto funcionário da Igreja o contactou, sigilosamente, e lhe fornecera um número considerável de cópias de documentos relacionados com o IOR.

– Esse alto funcionário não será bispo em Washington? – lançou Sarah em jeito de adivinhação e provocação, com um sorriso nos lábios. – Ou arcebispo em Nova Iorque?

– Esse al... alto fun... cio... cionário per... permanecerá incó... incógnito – declarou John com uma expressão séria.

– Assunto encerrado. Continua.

John voltou a recorrer ao seu dossiê castanho e entregou um documento a Sarah. Ela olhou para ele mas ficou na mesma.

– Era suposto isto dizer-me alguma coisa? É que não me diz nada.

O americano sorriu e levantou-se para mudar a pesada cadeira para junto dela. Pegou no papel e posicionou-o de modo a que ambos o pudessem ler.

Segundo John, aquilo era um extracto de movimentos de uma conta sediada no IOR. Nada de mais. Mostrou-lhe o número de conta, no canto superior esquerdo, 001-3-14774-C, e o nome. As contas no *Istituto per le Opere de Religione* não eram iguais às dos bancos dos outros países, eram constituídas por fundações ou fundos por uma causa solidária.

– Nes… te ca… caso a Fond…

– *Fondazione Donato per la lotta dei bambini con leucemia* – completou Sarah, atenta. – Fundação Donato para a luta das crianças com leucemia.

– E… exactamente.

Havia várias colunas com movimentos, uma com depósitos, outra com débitos e data-valor das transacções.

Sarah assobiou quando viu o total em activos, mais de quarenta milhões de euros. John olhou em redor para ver se mais alguém se interessava pela conversa deles. A cafetaria era um ponto de passagem e um local apetecível para lanchar ou mesmo jantar depois de uma tarde de lazer. Ficava a escassos metros de um dos locais mais visitados do mundo. Todas as mesas estavam ocupadas e havia até várias pessoas à espera de mesa. Uma senhora descalçara-se e aguardava sentada no chão, junto a uma das portas de entrada. Ninguém parecia interessado no que aqueles dois jornalistas estavam a observar, ainda que no meio de tanta gente fosse difícil entrever olhares suspeitos.

– Es… estás a ver aqui?

Sarah fez um gesto negativo. Para ela eram só números, aparentemente bem somados e subtraídos.

–Dei… deixa-me ex… plicar.

As contas do IOR tinham, como nas dos outros bancos, um ou vários titulares, mas com uma particularidade: só os gestores de conta é que podiam movimentá-las, devidamente autorizados pelos *clientes*. Mas havia mais: apenas os gestores, e só eles, conheciam a verdadeira identidade dos titulares, dentro da carteira de clientes que geriam. Um exercício de privacidade levado ao extremo. Aquela conta, explicou John, entre travamentos e destravamentos de língua, pertencia a uma pessoa que já tinha falecido.

– Como assim?

– O ti…titular é… é um padre que já… já mo… morreu.

– E qual é o problema?

John fez notar que a conta continuava a ser movimentada como se nada tivesse acontecido. Exemplificou dizendo que era como se ele e ela morressem e alguém, que não eles, continuasse a movimentar as suas contas como se eles continuassem vivos.

– OK. Isso é um pouco estranho. Mas a conta não terá passado para a tutela da Igreja, depois da morte do tal padre? – questionou Sarah.

– Foi... foi o que eu... eu pen... pensei.

John retirou outro documento do dossiê e colocou-o por cima do primeiro. Era a cópia da titularidade da conta. Dois titulares, um gestor autorizado. Um conjunto de informações técnicas como o número de conta e de clientes, dígitos de controlo próprios da instituição, entre outros algarismos ininteligíveis para Sarah mas perfeitamente lógicos para John.

– O que é este Piccolo? – inquiriu Sarah, intrigada.

John sorriu. As contas do IOR que tinham a peculiaridade de serem designadas por fundações ou fundos de solidariedade, próprias do nome do banco, Instituto para as Obras de Religião, para além de terem um gestor dedicado e só ele saber a identidade dos clientes, mantinham o nome oculto sob um pseudónimo.

– *Wow*. Isso é a privacidade levada ao extremo – censurou Sarah.

– Ou... ou... um ní... nível de se... secretismo para evi... tar cha... cha... tices – contrapôs John.

– Quer dizer que a este Piccolo corresponde um nome real que só este gestor conhece?

John fez que sim com a cabeça, mostrando um sorriso nos lábios de contentamento. Parecia uma criança com um brinquedo novo quando se envolvia nestas investigações e seguia a frieza harmónica dos números. Mas Sarah estava ciente do quanto aquelas coisas podiam ser perigosas.

O IOR, ao contrário do que se pensava, não era um banco nacional, como os de outro país qualquer. O organismo papal reconhecido pelo Fundo Monetário Internacional como o banco nacional do Vaticano era, na realidade, um dicastério que tinha o nome de Administração do Património da Sé Apostólica, mais conhecido pela sua sigla APSA. O IOR era um banco de investimentos, que beneficiava da extraterritorialidade vaticana e, na verdade, era até muito mais que qualquer banco nacional, explicou o americano, que ia pensando enquanto falava no seu jeito sofrível. O IOR estava ao nível de um Banco Central Europeu e, ao mesmo tempo, de um banco de investimentos, e não era, nem podia ser, escrutinado por qualquer autoridade independente e os seus funcionários não podiam ser detidos nem interrogados.

– A Igreja não se gere com Avé-Marias – relembrou Sarah, uma frase do falecido arcebispo Paul Marcinkus, compatriota de John, que presidira aos destinos do IOR durante mais de vinte anos.

– Po… po… pois.

O jornalista americano continuou a sua explicação. Só o gestor de conta, por norma um clérigo ou um leigo autorizado, tinha acesso à identificação real do titular. Cada gestor tinha uma carteira de clientes, maior ou menor, e nenhum sabia que contas geriam os outros, nem quem eram os seus titulares. Cada um só conhecia os seus.

– Parece uma organização mafiosa.

John explicou que, na verdade, o IOR era composto por um conselho de supervisão que geria as operações mas que respondia a uma comissão de cardeais que as avalizava. Claro que a maioria dos prelados que compunham essa comissão não tinha formação económica e era possível ludibriá-los ou manipulá-los.

John chamou a atenção para um conjunto de movimentos mensais, débitos de baixo valor, na ordem dos poucos milhares de euros, que saíam sempre ao dia 30 de cada mês, excepto em Fevereiro, que saíam ao dia 28, mesmo nos anos bissextos. Eram transferências para outro fundo que tinha o nome de *Fondo Giulietta per i bambini non protetti.* Fundo Julieta para as crianças desprotegidas. Retirou mais um documento do dossiê que na parte superior, abaixo do número de conta, indicava o nome da conta que o extracto de movimentos indicara. John estava muito bem documentado. Os débitos da conta Donato batiam, religiosamente, certo com os créditos do tal *Fondo Giulietta* na data e no valor, do primeiro euro ao último cêntimo. A esse valor de entrada era feito um levantamento, no próprio dia de creditação, de metade do valor, supostamente, em dinheiro. Sarah assobiou quando viu o último movimento, três milhões de euros que tinham sido levantados há dez dias.

– Para onde foi esse dinheiro? – quis saber Sarah. O novelo enredava--se cada vez mais.

– Nã… Não sei – respondeu John.

Mais importante que *Para onde ia o dinheiro?* era de onde vinha, alertou John. Os depósitos eram feitos aleatoriamente em lotes de dez a trezentos mil euros, sempre em dinheiro.

– Então como consegues localizar a proveniência?

– Ve… Ve… Veneza – revelou o jornalista.

O dinheiro vinha de Veneza. Alguém reunia o dinheiro, proveniente de vários pontos do globo, e levava-o para Roma, duas ou três vezes por mês.

E a *Fondazione Donato* não era o único fundo que recebia estes depósitos avultados.

– Como é que conseguiste descobrir isso tudo?

Sarah estava, visivelmente, fascinada.

John hesitou em responder mas acabou por decidir fazê-lo. Se confiara nela tinha de ir até ao fim. Quem, durante muitos anos, recolhia o dinheiro do Piccolo em Veneza e o levava para o Torreão Nicolau V era o seu informador. Trazia o dinheiro dentro de caixas de sapatos.

– Em caixas de sapatos? Como?

O passaporte diplomático e a batina evitavam qualquer inspecção alfandegária.

– Quer dizer que a tua fonte sabe quem é o Piccolo?

O americano confirmou.

Sarah reflectiu sobre aquilo tudo durante alguns instantes. Mais uma vez, quando pensava que a Igreja até nem era tão má como pensava, alguma coisa a fazia desconfiar e voltar a ficar de pé atrás. Pensou em Rafael. Sabia que ele não era nenhum santo, mas será que ele tinha conhecimento disto, ou, melhor, será que estaria interessado em saber?

– O Vaticano anda a lavar dinheiro em grandes quantidades, é isso que me estás a dizer?

John anuiu com uma expressão triunfal.

– Mostraste isto a alguém? – acabou por perguntar.

John baixou a cabeça de modo comprometedor.

– A quem?

– Ti... ti... ve uma au... audiên... cia com... com o... o Secretário de Es... Estado ontem... de manhã.

Sarah esbugalhou os olhos e fez os possíveis por não lhe gritar, e tanto se esforçou que a voz acabou por lhe sair um murmúrio.

– Tu és doido? Foste mostrar isto à toca do lobo?

John admitiu que Sarah tinha razão. Talvez não o devesse ter feito. Mas precisava de saber, tinha de pedir autorização para entrar no Torreão Nicolau V nem que fosse só para tirar nabos da púcara. Contou-lhe o pedido que fez para visitar o edifício e falar com alguém que o pudesse esclarecer.

Sarah sorriu. Ele era completamente louco.

– Achas que te vão autorizar?

– Nã... não... sei.

Explicou que deviam ter dado a resposta durante o dia e ainda não tinham dito nada.

– És completamente doido.

Sarah olhou para o relógio e viu que eram quase onze da noite. O tempo passara a correr. Precisava de ir para casa. *Será que o Rafael já chegou?* Deu mais uma olhada aos documentos que tinha à sua frente. O do *Fondo Giulietta* estava por cima dos outros. Sorriu ao ver o nome do pseudónimo do titular.

– Que… que foi? – perguntou John.

– É preciso ter muito descaramento para escolher um pseudónimo desses – respondeu Sarah, apontando com o dedo para o nome.

– Não… não é um pseu… pseudónimo – explicou o americano. – É… é o ver… verdadeiro ti… tular da conta.

Sarah ficou lívida. Se fosse verdade então aquilo ia até ao topo. O nome era o de Bento XVI.

16

Assim que Jacopo deu a notícia a Rafael, em Dorsoduro, apanharam um táxi aquático em Salute, em frente à basílica, que subiu o Canal até à Ferrovia. Não falaram mas Jacopo notou um poço de fúria a formar-se dentro de Rafael. Talvez até o odiasse. Mensageiros como ele mereciam ser mortos. Atravessaram a ponte pedonal em direcção ao enorme parque de estacionamento onde Rafael deixara o carro. Inspeccionou a viatura, por dentro, por fora, por baixo e quando se deu por satisfeito deixaram Veneza, o Sol mal se aguentava no horizonte, estava prestes a tombar nos lados da península.

A viagem foi feita em silêncio e com o acelerador colado ao fundo. Tinham cerca de 550 quilómetros pela frente e Rafael queria chegar depressa. Rumaram a sul pela A13, com destino a Bolonha. Deixaram rapidamente para trás a região do Véneto e entraram na Emília-Romanha, passando por Ferrara. A maior parte do percurso foi feita por auto-estrada, daí que fosse fácil manter uma velocidade elevada. Jacopo segurou-se como pôde no lugar do pendura. Esteve tentado, algumas vezes, a dizer a Rafael que abrandasse mas considerou que, dadas as circunstâncias, talvez fosse melhor relevar. Se morresse disso sempre teria quem inculpar no além para onde os mortos vão viver eternamente.

A lua estava em crescendo no céu nocturno e dois pontos brilhantes realçavam o seu domínio, um por cima e outro por baixo. Pareciam estrelas, mas Jacopo lera no jornal, aquando da viagem de comboio para Veneza nessa manhã, que eram Vénus e Júpiter. Fora uma daquelas que os chamados reis magos seguiram quando Jesus nasceu. Não deixava de ser interessante notar, e Jacopo fazia sempre questão disso quando o debatia com alguém, que a chamada estrela guia dos reis magos era, na realidade, um planeta e que os, supostos, reis magos eram, na realidade, astrónomos.

Os Apeninos dominaram a paisagem durante grande parte do caminho até se transformarem em negrume, juntamente com a noite. Pararam apenas uma vez para abastecer. Rafael nem perguntou a Jacopo se desejava comer ou beber alguma coisa ou, simplesmente, ir aos lavabos. Por três ou quatro vezes deixaram a auto-estrada para que Rafael visse se estavam a ser seguidos. Contornaram rotundas, entraram em estradas secundárias e, quando a análise era dada como concluída, regressavam à auto-estrada. Em Bolonha seguiram pela A1, que os levaria directos a Roma, e entraram na Toscana. Cruzaram Florença, Arezzo, entraram na Umbria e saíram em Orvieto para verificar novamente se estavam a ser seguidos. Seguiu-se a província de Lácio e, ao fim de cinco horas e um quarto de viagem, entraram no trânsito que se aglomerava para entrar em Roma. Jacopo já dormia e só se apercebeu que tinham chegado porque acordou quando uma travagem mais brusca o sacolejou dos braços de Morfeu. Estavam à porta de sua casa na Via Brittania.

– O que vais fazer, Rafael? – quis saber, antes de sair do carro.

Rafael esticou o braço para o manípulo que abria a porta do passageiro, invadindo o espaço de Jacopo, e abriu-a.

– Vou precisar que me faças um favor, Jacopo.

E contou-lhe o que necessitava que o historiador fizesse.

– Tens a certeza? – perguntou o historiador.

– Tenho. Eu telefono quando chegar o momento.

Jacopo fitou-o, conformado. Não queria nada fazer-lhe aquele favor mas não estava em condições de lhe recusar nada. Aquela prometia ser uma noite longa.

– E depois como é que vou saber o que fazer? – inquiriu Jacopo.

– Vais saber, não te preocupes.

Jacopo resignou-se às vontades do padre.

– Vais contar à Nicole?

– Dá cumprimentos meus à Norma – respondeu Rafael, ignorando completamente a pergunta.

Jacopo saiu vagarosamente. Uma perna, depois a outra e olhou para Rafael antes de se levantar. Era estranha a sensação que o invadia. Por um lado desejara chegar a casa o dia todo, por outro parecia que estava a abandonar um amigo.

– Conta comigo; o meu telemóvel está sempre ligado.

Rafael não disse nada. Limitou-se a olhar para a frente, mantendo as duas mãos pousadas no volante. Se tivesse acelerado uma ou duas vezes pareceria um piloto à espera do sinal verde para iniciar uma corrida. Jacopo queria dizer mais qualquer coisa mas as palavras não lhe saíam.

– Eu… – balbuciou o historiador.

– Eu sei, Jacopo – limitou-se a dizer Rafael.

Jacopo saiu, finalmente, e ficou a ver o carro arrancar a grande velocidade assim que ele bateu com a porta.

17

Rafael não tinha tempo a perder. Eram quase onze da noite. Pensou em Luka, o bom amigo alemão, e em como fora possível levar dois tiros na cabeça sem qualquer reacção. Luka era tão experiente como ele. Ou foi manietado ou confiava na pessoa que o matou. E Niklas. Não passava de um miúdo e... era melhor não pensar nisso.

Atravessou a ponte Vittorio Emanuele II e desembocou na Via della Conciliazione, poucos metros à frente. Percorreu-a até São Pedro, verificando sempre se estava a ser seguido. Estava sozinho, ninguém o seguia. Procurou estacionamento numa das vielas, perpendiculares à Conciliazione, e foi a pé até ao apartamento. Subiu ao terceiro andar e encontrou-o vazio. Nem Sarah, nem Arturo. Pegou no telemóvel e esperou que Arturo atendesse; enquanto isso dirigiu-se ao quarto de Sarah e colocou a mala de viagem dela em cima da cama.

Pousou o telemóvel por falta de resposta e abriu o enorme roupeiro. Começou, com cuidado, a colocar as roupas dela dentro da mala.

– O que é que estás a fazer, Rafael? – ouviu então Sarah perguntar.

– Onde é que vocês andaram?

– O que é que estás a fazer? – disparou Sarah, enrubescida de raiva. *Que raio estás tu a fazer?*

Rafael não respondeu, continuou a encher a mala com calças, blusas, camisolas, tudo excepto as peças mais íntimas – nessas não se atreveria a tocar.

– Não me estás a ouvir?

– A Sarah vai regressar a Londres – comunicou, com uma voz seca, como se fosse uma decisão consumada e inapelável.

Sarah fechou-lhe a mala de rompante, com violência, quase não lhe dando tempo para tirar as mãos.

– Deixa, Rafael. Eu faço a minha mala.

A sua voz, apesar de trémula, não deixava margem para dúvidas. Era melhor ele não argumentar e afastar-se.

Muito calmamente, Sarah tirou toda a roupa de dentro da mala e começou a dobrá-la e a colocá-la em montes organizados em cima da cama. As calças, as blusas, a roupa interior, que ela foi buscar a uma gaveta na cómoda, e as meias, tudo obedecendo a uma lógica própria, seguramente científica.

– O Arturo vai consigo e vou destacar uma equipa para zelar pela sua segurança em Londres, Sarah – informou Rafael, na tentativa de pôr fim ao silêncio pesado que, entretanto, se instalara.

– Não quero mais padres atrás de mim – sentenciou ela, enquanto continuava a empilhar a roupa. *Não quero mais nenhum a não ser tu.* Mas isto ela não disse. – Além disso, não vou já para Londres. Estou a fazer uma investigação com um colega para o jornal.

– Que investigação é essa? – Desconhecia que ela tivesse regressado ao trabalho de campo. – Fico muito mais descansado se tiver segurança, Sarah.

Ela começou a colocar a roupa, metodicamente, dentro da mala, numa organização, absolutamente, perfeita.

– A tua missão acabou, Rafael. Decerto alguém da clínica já te informou que estou curada, por agora. Mais uma vida salva. Obrigada por tudo.

Não conseguiu disfarçar o cinismo nem a amargura que sentia. Não imaginara uma despedida assim. Imaginara muitos cenários onde havia lágrimas e choro e tristeza; era um desfecho inevitável, sabia que iria doer, sempre, mas nenhum começava assim.

– Não está a compreender, Sarah. Eu não estou a mandá-la embora.

– Ah! Espera! Então isto é uma surpresa? Vamos de fim-de-semana para um local paradisíaco? Ah! Não. Hoje é terça-feira.

Rafael calou-se. Mais valia deixar que ela pensasse o que quisesse. Doeria muito mas o tempo encarregar-se-ia de apagar a mágoa.

Sarah foi ao quarto de banho e arrumou todos os cremes e loções que usava, dentro de um estojo próprio para essa função. Meteu os medicamentos que ainda tinha de tomar dentro de um saco e regressou ao quarto para os enfiar num espaço que havia deixado na mala para esse efeito. A eficácia feminina, sempre admirável. Fechou a mala e a mente a mais de seis meses de recordações, medos, rotinas, e a Rafael. Tudo acabado, no fim, deitado ao cesto do lixo das memórias. Fora apenas mais uma missão para ele? Piedade? Dívida? Fosse por que razão fosse, preferia que nada daquilo tivesse acontecido. Pegou na pesada mala e colocou-a no chão. Elevou a pega e transportou a mala para fora do quarto.

– Adeus, Rafael.

O padre ficou especado, mudo, quedo, a vê-la sair com a mala. O lenço que lhe cobria a cabeça caiu ao chão e ela ainda fez menção de apanhá-lo mas, depois, lançou um olhar enfurecido a Rafael, os olhos raiados de vermelho, e saiu com a cabeça descoberta. *Adeus, Rafael.*

Segundos depois, ele ouviu a porta da rua abrir-se e bater para a deixar sair. *Adeus, Sarah.*

Arturo apareceu à entrada do quarto. Rafael mirou-o.

– Segue-a – ordenou-lhe. – Não deixes que ela te veja mas não a largues nem um segundo. Liga-me de hora em hora.

Arturo desapareceu para cumprir o que lhe foi ordenado e Rafael sentou-se na beira da cama a fitar as paredes. Não queria que nada daquilo tivesse acontecido. Não assim. Levantou-se e apanhou o lenço caído no chão. Levou-o ao nariz e inspirou. *Sarah.* Fechou os olhos e tentou não sentir nada. Precisava de não sentir nada. Chamou o Rafael insensível, frio, o operacional que mentia, matava, feria em nome do Santo Padre e, por consequência directa, de Deus Todo-Poderoso, mas ele não veio. Só o cobarde que ficara a vê-la fazer a mala, sem dizer nada. Lembrou-se de Londres e da pergunta dela – *O que há entre nós?* –, há mais de um ano, há uma eternidade, e da sua resposta, o mesmo incompreensível silêncio de agora.

Deitou-se de lado, na parte esquerda da cama, pois Sarah preferia a direita, as pernas encolhidas, e abraçou-se ao lenço como se estivesse a abraçar-se a ela. Sentiu o perfume dela e fechou os olhos.

Adeus, Sarah. Não queria que fosse assim.

18

Os dias sucedem-se uns aos outros numa cadência repetitiva que transforma o segundo em minuto, hora, dia, semana, mês, ano, depois tudo se repete, os invernos, os natais, os verões, uma renovação permanente numa sucessão incessável.

Sarah já vira este filme. Lembrou-se do Walker's Wine and Ale Bar, em Londres, há mais de um ano, e das palavras dela e do silêncio dele. Um interlúdio na forma de um Adónis escultural chamado Francesco que não aguentou a pressão que era a vida dela. Coitado. Depois veio a doença e toda a atenção de Rafael, os *Caffellatte*, fatias de *panino ciabatta*, tartes de maçã, suco de laranja e pêssego, chá, croissants, manteiga, queijos e fruta, os filmes, as conversas, os passeios, os temperos dele... No dia da vitória sobre o tumor acontecia isto... isto que nem sabia descrever o que tinha sido.

– Esse tipo ainda não percebeu que Deus não está à tua altura? – reclamou Vincenzo.

Sarah sorriu, enquanto subiam no elevador ao oitavo andar.

– Não devias estar em casa?

Vincenzo era o director do Grand Hotel Palatino, onde normalmente Sarah ficava hospedada quando estava em Roma, excepto nos últimos meses. Deu um pouco de folga à gravata como se de repente tivesse sentido que o nó não deixava passar o ar.

– O hotel está cheio. Três grupos grandes. Há jogo da Liga dos Campeões. Sabes como eu gosto de *hooligans* no meu hotel.

Saíram no oitavo andar e percorreram o corredor sóbrio, de paredes creme e alcatifa aveludada carmesim a suportar-lhes fofamente os passos. As portas e os rodapés eram de madeira de cor preta. Vincenzo usou o cartão para lhe abrir a porta do quarto e antes de a deixar entrar enfiou-o na ranhura que ligava a corrente eléctrica. Parecia que estava num quarto em sua casa, tal o à-vontade com que se movimentava. Era director do hotel há dezassete anos, mas tinha uma experiência de mais de trinta naquele ramo. Desviou umas cortinas que tapavam uma porta e abriu-a. Dava para uma varanda com uma mesa e duas pesadas cadeiras de ferro. Dali assistia-se em lugar privilegiado à noite romana, ao ruído da cidade viva que mais não era que um eco da respiração. Estava frio, mas nada de insuportável. Aliás, para Sarah, depois do que tinha passado com Rafael, tudo era suportável.

A jornalista saiu para o ar da noite e abraçou Vincenzo.

– Obrigada, querido.

As lágrimas escorriam-lhe pelo rosto, livremente.

– Então, menina?

Vincenzo correspondeu ao abraço paternal e afagou-lhe o cabelo.

– Queres que lhe vá bater? – perguntou o italiano.

Sarah sabia que ele estava a falar a sério, mas ignorava no que se estaria a meter. Ela esboçou um sorriso débil.

– Eu vou ficar bem, Vincenzo.

Ficaram a olhar para os telhados que se espalhavam até onde o negrume da noite deixava entrever e para os pontos de luz que saíam das janelas, reivindicando vida humana no meio do escuro. Lá em baixo, invisíveis ao olhar deles, ouviam-se os motores dos carros e das lambretas, das vozes e dos passos, que se misturavam num ronco desconexo, gutural, que chegava à varanda como um latido.

– Vai para casa. Não precisavas de ter subido.

– Não sejas tonta, Sarah. As tuas dores são as minhas.

Sarah sorriu com os olhos marejados.

– Os teus filhos já estão criados, querido.

Foi a vez de Vincenzo sorrir com uma expressão de "pobrezita, não sabe o que diz".

– Nunca estão, Sarah. Quando fores mãe saberás.

O italiano arrependeu-se do que disse mal se ouviu a proferir aquelas palavras.

– Desculpa.

– Não disseste nenhuma mentira. Suponho que deves ter razão.

Vincenzo deu-lhe um beijo no rosto e outro na testa.

– Vou embora. Tenho de ir ter com a minha outra mulher – disse a sorrir. – Qualquer coisa de que necessites manda-me chamar. O Riccardo está de serviço na recepção esta noite.

– Eu sei. Obrigada por tudo.

– "Obrigada" são cinco euros, já sabes – brincou Vincenzo, a tentar aliviar o ambiente.

– E "desculpa" são dez – acrescentou Sarah.

– Exactamente. "Desculpa" são dez. – Deu-lhe outro beijo na testa. – Descansa. Tenta dormir. Amanhã venho ver como estás e tomamos o pequeno-almoço juntos.

Vincenzo bateu a porta ao sair mas deixou o silêncio entrar. Sarah apagou todas as luzes do quarto e saiu para a varanda. O frio entrava pelas frinchas da roupa provocando-lhe arrepios na pele, mas ela gostava da sensação. Pareciam agulhas a sacudi-la da letargia e a acordá-la para a vida.

Sentou-se numa das pesadas cadeiras de ferro e fitou a imponência do céu silente, majestoso, estrelado. Doía. Recriminava-se por não poder controlar a dor que a fazia sofrer tanto. O dia começara tão bem, com uma notícia de vida, um prazo de existência prorrogado, uma carta de alforria que a libertava do peso da morte que havia pairado, constantemente, nos últimos meses, e nem essa grandiosidade a fazia feliz.

Queria ouvir os grilos, as cigarras, os zumbidos dos insectos, mas só lhe chegava o rufar artificial e cruel da natureza humana. Sarah fechou os olhos e deixou-se ficar a ouvir. Um carro, uma motoreta, uma gargalhada conivente, duas, uma voz masculina, uma donzela indefesa com vontade de acreditar no amor e entregar o coração, um coro de rapazes a discutir a virilidade, conversas e mais conversas, numa verborreia ininterrupta, em crescendo. Roma adormecia tarde, quase sempre muito depois da meia-noite, mas acabava sempre por adormecer.

Pensou nele, outra vez, os passeios cúmplices nas vielas, os jantares, o cuidado, os livros do Nicholas Sparks. Sabia que, inevitavelmente, a vida de casal idílico terminaria e que ia doer mais que uma faca entranhada no ventre, mas não tinha de ser assim…

Ouviu o seu telemóvel soar no quarto e levantou-se com esforço. Não queria falar com ninguém, não estava para aturar ninguém, mas o toque estridente incomodava-a. Tirou o aparelho da bolsa e leu o nome no ecrã. Era John Scott. Atendeu e preparou-se para repreendê-lo devido ao adiantado da hora, mas o americano não lhe deu tempo.

– Des… des… culpa es… tar a li… li… ligar-te – começou ele com alguma agitação na voz. – Re… re… re… mexeram-me o quar… to e… e… e a… acho que es… estou a ser… ser se… seguido.

19

Os homens não são todos iguais. Essa ilusão vai-se desfazendo com o tempo, de desilusão em desilusão, até que cada um assuma a sua real posição na escala hierárquica da vida. Os poderosos mandarão sempre naqueles que detêm menos poder, os quais, por sua vez, imporão a ordem a outros menos poderosos ainda, e assim sucessivamente até se chegar aos que não têm poder nenhum, no fundo da cadeia alimentar da sociedade.

Rafael não respondia apenas a Deus e ao Santo Padre pelas suas acções. Tinha um superior, alguém que lhe dizia o que fazer, que lhe transmitia as directrizes enviadas pelo topo da cadeia, onde residia o chefe do chefe de Rafael.

Jacopo já lhe havia transmitido a peremptória ordem que clamava a sua presença no edifício administrativo, apenso ao Palácio Apostólico, com a máxima urgência. Levantou-se da cama que fora a de Sarah nos últimos meses, mal-humorado, dobrou o lenço que ainda segurava na mão e guardou-o no bolso. Foi ao quarto de banho lavar o rosto e depois saiu do apartamento.

Poucos minutos depois, entrou no Estado Papal pela porta de Sant'Anna. À excepção dos guardas suíços de vigília às portas e dos gendarmes que faziam segurança ao perímetro do pequeno Estado, não se via vivalma.

Estacionou no parque junto às casernas da Guarda Suíça, enfiou as mãos nos bolsos do casaco e caminhou os escassos metros que o separavam do edifício administrativo, onde entrou já passava da meia-noite.

Guillermo não estava no seu escritório, no rés-do-chão, e não parecia haver mais ninguém em todo o edifício. Era dali, daquele recôndito espaço desconhecido, colado ao palácio mais influente do mundo, que partiam as ordens dos servidores da Igreja e saíam os *emissários* para as cumprir aonde o Vigário de Cristo entendesse. Tinha o simples epíteto de Edifício Administrativo, mas ali não se administrava nada, executava-se. O seu nome correcto raramente era usado. Ali operavam os serviços de espionagem do Vaticano, a Santa Aliança, mais conhecidos como *A Entidade*.

Rafael puxou uma das cadeiras que estava alinhada ao lado de outras duas na parede e sentou-se no interior do gabinete do chefe, à espera. Estava cansado e exasperado. A imagem revoltada de Sarah colou-se-lhe ao cérebro e não despegava. Arturo ligara-lhe a informar que Sarah se alojara no Grand Hotel Palatino, na Via Cavour. Imaginara que o fizesse. Era o seu porto de abrigo em Roma quando outros lhe falhavam. Faltavam alguns minutos para Arturo fazer novo ponto da situação.

– Ah! Já cá estás – ouviu Guillermo dizer atrás de si. Parecia que tinha vindo a correr, tal era a forma como arfava.

Guillermo Tomasini, o quinquagenário chefe dos agentes secretos papais, de quem nunca ninguém ouvira falar, nem era provável que viesse a ouvir, entrou no gabinete e cumprimentou Rafael com um forte aperto de mão. Rafael nem se levantou.

– Ui. Estás um caco, homem. Dormiste alguma coisa? – perguntou Guillermo sentando-se no tampo da secretária.

– Não deixaste – protestou o subordinado.

– Pois. Desculpa, mas por aqui tem sido um pandemónio.

– É sempre.

– A Polizia di Stato não nos larga a mão.

– Já libertaram o corpo do Luka? – Sentiu um aperto no coração quando disse o nome do colega, mais um que transitara para a, já longa, lista dos mártires.

Guillermo fez que não com a cabeça.

– Estão a fazer finca-pé para ver se lhes damos alguma coisa. Sabes muito bem como é quando o Comte e o Cavalvanti estão ao barulho – explicou, ao mesmo tempo que, com a mão direita, pegava numas moedas que estavam espalhadas em cima da caótica secretária. – Queres um café?

– Quero. Esses dois nunca se deram bem.

– Nem se darão.

Guillermo saiu do escritório e Rafael levantou-se para segui-lo. O caminho não era longo, pararam junto a uma máquina automática de bebidas quentes mesmo ao lado do escritório. Privilégios da chefia. Guillermo enfiou algumas moedas na ranhura da máquina e pressionou um botão que a fez emitir bipes e ruídos eléctricos para cumprir o pedido.

– O café aqui ainda não é de graça? – reclamou Rafael.

– O que é que aqui é gratuito?

A primeira bebida ficou pronta em poucos segundos e a máquina, bem comportada, remeteu-se ao silêncio. Guillermo entregou o copo de plástico a Rafael e enfiou mais moedas para tirar outro para si.

– Obrigado. Fazes ideia do que aconteceu em Sant'Andrea? – perguntou Rafael depois de um gole na bebida quente.

Guillermo encolheu os ombros. A vida e o ofício, em medidas iguais, encarregavam-se de lhe esfriar os sentimentos. Nada era, verdadeiramente, importante ou impressionante. Claro que preferia Luka vivo, mas a morte dele não lhe iria tirar o sono.

– O Luka foi direitinho à toca do lobo. Só não conseguimos perceber porque é que o rapaz foi com ele.

– O Luka era muito experiente – argumentou Rafael. – Ser surpreendido não faz o género dele.

– Eu sei, Rafael... Talvez... Já não tenho certeza de nada. Ele tinha a arma na mão e levou dois tiros na cabeça – comentou Guillermo, retirando o seu copo da máquina. – Que te parece?

Rafael respirou fundo antes de responder, a tentar imaginar a cena na sua cabeça, mas Sarah continuava a invadir-lhe os pensamentos. Sempre ela.

– Ele tinha a arma na mão?

– É o que diz o relatório preliminar.

Entraram novamente no escritório e Guillermo tentou encontrar algo em cima da secretária. Fez uns trejeitos de impaciência com a língua.

– Isso estava por aqui. Ainda há pouco estive com ele na mão.

Acabou por encontrar um molho de papéis que entregou a Rafael. Este sentou-se para os ler.

– Encostado à coluna da capela de Nossa Senhora do Sagrado Coração, com dois tiros na testa?

– É o que diz o relatório.

– E a Beretta na mão.

Continuou a ler o relatório preliminar da polícia italiana, com atenção. Posição dos corpos, ferimentos visíveis, disposição do terreno, condicionantes, entre muitos outros itens, na maioria ainda à espera de resposta laboratorial.

– O outro padre tinha dois tiros na têmpora direita. Quem era ele?

Guillermo expeliu um *ui* de desapontamento.

– Lamentável. Ficou com a cabeça desfeita. Os homens do Cavalcanti ainda não sabem quem é. Estão a tentar identificá-lo.

– E nós sabemos?

– Um dos relatores – revelou Guillermo apreensivo. – O Domenico.

– E o nosso relatório preliminar? – perguntou Rafael.

– Podes não acreditar mas, desta vez, o Cavalcanti chegou primeiro.

– Como é que isso aconteceu?

– Alguém o avisou. Ainda não descobrimos quem foi. O Comte ficou possesso. Acho que ainda não lhe passou – disse o chefe da espionagem, a sorrir.

Em qualquer crime perpetrado em solo católico, salvo raríssimas excepções, uma equipa de agentes sob a tutela do intendente da Gendarmaria Vaticana, Girolamo Comte, avaliava, antes de qualquer outra entidade, a cena do crime. Comte enviava uma mal tinha conhecimento do caso. Só depois de efectuada esta análise preliminar é que se entregava o caso às autoridades civis. Isto era prática corrente em todos os edifícios católicos do mundo. Desta vez a equipa de Comte chegou depois dos agentes da Polizia di Stato.

Guillermo tornou a perder-se no meio do caos da sua secretária até encontrar outro molho de papéis presos por um clipe. Era a análise pericial da equipa pontifícia. Rafael também avaliou este documento atentamente.

– Porque é que ele levou o rapaz? – perguntou Rafael, mais para si próprio, como se estivesse a falar sozinho, com uma nota de incredulidade na voz.

– O Luka ligou-me a falar de um encontro com o Domenico. Mas nunca me disse que ia levar o rapaz. Aliás, eu não sabia quem era o rapaz até ontem. Quem fez isto sabia que o Luka era o tutor do miúdo e que ia levá-lo. Mais: sabia onde iam estar e a que horas.

Guillermo contornou a caótica secretária, retirou o telefone de cima da sua cadeira e sentou-se. Rafael continuou a ler o que os seus colegas encontraram em Sant'Andrea.

– Quem é que o Comte enviou para Sant'Andrea? – quis saber Rafael.

– Foi lá ele pessoalmente. Depois deixou o Davide encarregue das operações. Claro que o Cavalcanti fez-lhe a vida negra.

Rafael conhecia Davide. Era extremamente competente e acima de qualquer suspeita, apesar de ser muito chato. Havia sempre uma rivalidade latente entre os homens de Guillermo e os de Girolamo, alimentada pelos dois chefes, mas Rafael tentava ignorá-la. O profissionalismo era tudo. O relatório não apresentava diferenças em relação ao da polícia italiana.

– Quem recebeu o pedido de resgate?

– Ninguém. Foram os italianos que descobriram o bilhete colado num confessionário. Está limpo. Por isso no-lo deram.

Rafael tirou o *post-it* azul do bolso e atirou-o para cima da secretária, mais um papel não faria diferença. Guillermo já sabia o que dizia mas leu-o em voz alta.

– *Os relatores do Gumpel andam a fazer um mau trabalho. A punição não tardará. Anna P. e padre Rafael S. 36 horas. Aguardem instruções. Se as seguirem o rapaz vive, se não o rapaz morre.*

– O que é que os relatores do Gumpel andam a fazer? – perguntou Rafael. Guillermo encolheu os ombros desinteressado.

– Não faço ideia. O Comte é que está a tratar disso e o sacana retirou-me acesso à investigação. Não percebo o interesse deles em ti.

– Nem eu. O Comte não pode fazer isso.

– Teoricamente não. Na prática tem o apoio do Cardeal Secretário de Estado como sempre teve e…

– Não podemos ir contra as ordens do Cardeal Secretário de Estado – completou Rafael. – Teremos de contornar essas ordens e agir nas costas do Comte.

Os dois homens deixaram as palavras elevar-se no ar e impregnar o ambiente, e adoptaram uma pose pensativa. Precisavam de respostas mas, neste momento, só tinham dúvidas, entraves e perguntas, perguntas e mais perguntas.

– Como é que eles tiveram conhecimento dela? E de ti?

– E como é que souberam do rapaz?

– Por onde é que andaste? – perguntou Guillermo, do nada.

– A tratar de assuntos pessoais.

– E correu bem?

– Sim, exceptuando alguns imprevistos.

– O homem planeia, Deus sorri – atirou Guillermo com um sorriso.

– Já mo tinham dito – afirmou Rafael, endireitando-se na cadeira. – Voltando ao assunto... Como procedemos então?

– Por mim devíamos ignorar. Não podemos negociar com terroristas, ponto final. O Federico que contenha os estragos. Esse é o trabalho dele. Claro que é uma pena isso do rapaz, é jovem, tem a vida pela frente, blá, blá, blá, mas muitos nem sequer chegam à idade dele e...

– E o que dizem os do terceiro andar? – interrompeu Rafael. Esperava que não pensassem como Guillermo.

– A mesma coisa. Que devemos ignorar as instruções e eliminar a mulher o mais rapidamente possível e de uma vez por todas. É uma pedra no sapato, diga-se. Sempre o foi. Por mim eliminamos as duas.

Pesaram os prós e os contras, cada um para si, ainda que a decisão já tivesse sido tomada por instâncias superiores à vontade deles, insondáveis e, sobretudo, inquestionáveis. Nunca podiam esquecer que eles eram o braço que executava e não a cabeça que pensava.

Rafael pousou os relatórios periciais e levantou-se.

– Dois tiros na testa – repetiu Rafael, um facto longínquo de um assunto que já ficara para trás, pelo menos para o chefe. – Foi projectado para a capela de Nossa Senhora do Sagrado Coração.

Guillermo fitava-o em silêncio. Rafael parecia ter encontrado uma explicação plausível.

– O outro ficou com a cabeça desfeita com dois tiros na têmpora direita. Quem disparou sobre eles estava do lado direito.

– Exacto, Einstein.

– Ao lado deles, não à frente.

– Captaste a minha atenção.

– Era alguém em quem eles confiavam ou, pelo menos, não consideravam uma ameaça.

– Mas eles tinham ambos as armas na mão – contrapôs Guillermo.

Rafael tentou imaginar a cena. Conhecia bem Sant'Andrea e mesmo que não conhecesse, quem já viu uma igreja viu todas, era apenas uma questão de tamanho. No caso da Basílica de Sant'Andrea della Valle, ela era bastante grande, com a segunda maior cúpula de Roma a seguir à de São Pedro.

– Talvez tivessem sacado a arma por outro motivo.

– Que motivo, Rafael? – questionou Guillermo, sem paciência. – Não estarás a ver coisas onde elas não existem? Eu também desejava que ele não tivesse falhado, mas se calhar baixou simplesmente a guarda.

Rafael negou com a cabeça.

– Não levas dois tiros na testa se desconfiares que o gajo ao teu lado te vai matar. Eu já saquei muitas vezes a minha arma sem razão, apenas por me sentir ameaçado.

– Isso é tudo muito relativo.

– Aposto que o relatório forense vai dizer que os tiros foram dados a curta distância. Caramba, um ficou com a cabeça desfeita... – Depois parou como se estivesse a pensar.

– O que foi?

– O Domenico.

– Que tem?

– Dois tiros na têmpora direita.

– Dois tiros na tromba. Pum. Pum – zombou Guillermo com o indicador apontado a simular uma arma. – Cabeça desfeita.

– Esse foi o primeiro a morrer. A ameaça veio seguramente da direita, mas ele nem sequer se deu conta do que lhe aconteceu. O relatório menciona o corpo do zelador na varanda da tribuna. Se eles o viram, sacaram imediatamente as armas. Portanto, eles sabiam que havia perigo mas não se aperceberam que estava tão perto? Talvez dentro do confessionário.

Guillermo levantou uns papéis da secretária. Estava novamente à procura de qualquer coisa. Acabou por encontrar um bloco de notas e uma caneta que atirou para a frente de Rafael.

– Para que é isto?

– Para escreveres a morada.

Rafael olhou para o chefe com perplexidade.

– Para quê?

– Para irmos tratar da mulher.

– São ordens do Santo Padre?

– Evidentemente. Já falámos sobre o que decidiu o terceiro andar – advertiu Guillermo. – Não teríamos importunado o doutor Sebastiani se a tivéssemos.

Rafael torceu o nariz.

– Por alguma razão só eu é que sei onde está a Anna – refutou o prelado inferior. – Se bem te lembras, a ideia foi do Cardeal Secretário de Estado. Quando ele assumiu o cargo disse-me que não queria saber onde ela estava e que não devia mencionar o paradeiro dela a ninguém. Nem a ele. O único a quem o posso revelar é ao próprio Santo Padre.

– Eu sei, Rafael. E é o próprio Santo Padre quem o solicita. A situação alterou-se e saiu do nosso controlo. Ameaçam matar uma pessoa por causa disto...

– Não podemos deixar que isso aconteça – interrompeu Rafael.

– Pois não. Não se trata de um jovem padre qualquer. Mas não está nas nossas mãos e o destino do Niklas já foi traçado.

Rafael sabia bem porquê e não precisava que Guillermo lhe refrescasse a memória. Niklas era filho de um diplomata alemão e isso devia ser levado em conta.

– Alguém mais sabe do rapto?

– Além de nós? Sabem os raptores. O embaixador ainda não sabe, por enquanto – respondeu Guillermo enquanto se levantava. – Trinta e seis horas, lembras-te? Perdemos mais de dois terços desse tempo a tentar contactar-te. Temos menos de oito horas para resolver isto. Não percebo como é que eles tiveram conhecimento da existência dela. Estamos a ser atacados por todos os flancos.

– O que queres que faça?

– Já te disse. Que escrevas a morada dela – declarou Guillermo, peremptório, ao mesmo tempo que apontava com o indicador para o bloco de notas que atirara para a frente de Rafael. Era uma ordem.

– E porque não me deixas, simplesmente, ser eu a ir buscá-la?

– Olha para ti. Não podes com uma gata pelo rabo. Além disso, preciso de ti aqui em Roma.

– Para quê?

Guillermo atirou-lhe outro molho de folhas para a frente, derrubando outras tantas que acabaram por cair no chão. Estavam presas por uma mola e eram encimadas por uma fotografia de um homem em tamanho dez por quinze.

– Ainda hoje, Rafael. Os de lá de cima querem isso resolvido com urgência. Rápido e sem percalços.

– Depois posso ser eu a ir buscá-la? – insistiu Rafael.

– Depois quero que faças uma visita aos relatores.

– O quê? – Rafael não queria crer no que acabara de ouvir.

– Isso mesmo.

– O Comte destacou uma equipa de segurança para as residências deles, suponho. Não precisam de ama-seca.

– Não sejas insolente. Escreve a morada, Rafael. Irra, que feitio.

Rafael fitou Guillermo e resignou-se. Acabou por rabiscar algo no bloco de notas e atirou-o para o chefe, que arrancou a folha onde ele escrevera a morada.

– E este quem é? – perguntou Rafael apontando para a fotografia do homem.

– Ninguém – limitou-se a dizer Guillermo. – Assim que receber a tua visita não será ninguém.

Rafael levantou-se, libertou a fotografia da mola e pousou o resto das folhas em cima da caótica secretária.

– Trata disso. Esteja ele com quem estiver – acrescentou o chefe.

– E se ele estiver num café ou num restaurante… ou numa igreja? Trato da saúde a todos? – perguntou Rafael para provocar Guillermo.

– Não o faças numa igreja, por favor… – pediu o chefe, e depois olhou para Rafael com maus modos. – Tu percebeste muito bem o que eu quis dizer. – Rabiscou algo apressadamente no mesmo bloco de notas onde Rafael escrevera e arrancou a folha. – Este é o hotel onde ele está.

Rafael fez um meio sorriso, pegou na folha de papel e saiu do gabinete sem um *boa noite* ou outro qualquer cumprimento. As cortesias não eram apanágio destes homens.

Deixou o edifício e caminhou em direcção ao carro, estacionado a poucos metros dali. Nesse momento, o seu telemóvel tocou. Era Arturo.

– Sim? Santini. – Escutou o relato conciso do colega. – Onde é que ela vai? – esperou pela resposta. – Está bem. Avisa-me assim que saibas para onde ela vai.

Desligou a chamada e guardou o telemóvel no bolso. Abriu a porta do carro e, antes de entrar, olhou uma última vez para o rosto impresso na fotografia que o chefe lhe entregara. Tirou a Beretta de cabo de madeira do coldre de ombro e verificou o carregador antes de o voltar a enfiar no mesmo sítio.

– Qual terá sido o teu pecado, John Scott?

20

John Scott aspirou, sofregamente, o fumo do tabaco até encher os pulmões, ao mesmo tempo que o cigarro lhe tremia nos dedos. Estava sentado ao balcão do bar do hotel com um copo de uísque à sua frente, enquanto, junto ao lavatório, o empregado limpava copos e chávenas. Além do empregado, um grupo de ingleses sentado em três mesas encostadas a um canto, cheias de garrafas de cerveja, discutia em grande algazarra.

Todos lhe pareciam suspeitos mas antes preferia estar ali do que subir novamente ao quarto, no segundo andar. Talvez fossem todos espiões, mas não soubessem que a missão de cada um deles era a mesma: apagá-lo do mapa para todo o sempre e limpar o rasto da sua existência. Arrepiou-se ao pensar nisso.

Quando se despediu de Sarah, no Don Chisciotte, cerca das onze da noite, não lhe apeteceu vir logo para o hotel. Preferiu deambular pela cidade, admirar as luzes, o movimento, sempre agarrado ao dossiê castanho como se a vida dependesse disso. Demorou-se muito tempo na Piazza Papa Pio XII, em frente à outra praça, a de São Pedro, na fronteira que separava a República Italiana do Estado Cidade do Vaticano, encostado às grades cinzentas, a contemplar o poder silencioso que a basílica emanava. Ao lado direito, por cima da Colunata de Bernini, dominava o Palácio Apostólico. Sentiu um calafrio. As luzes ainda estavam acesas nas janelas do terceiro andar, na esquina do lado direito do edifício, dos apartamentos papais. John perguntou-se se seria ele o motivo da falta de sono do Papa, se estariam a falar dele dentro daquelas paredes onde estivera na manhã do dia anterior. Contemplou as duas colunatas, o Obelisco Egípcio, as fontes, e temeu pela sua vida. Pensou, pela primeira vez, que talvez aquele dossiê lhe abreviasse o destino, em vez de o salvar.

Olhou ao redor e viu dezenas de pessoas, entre meros turistas e profissionais e membros do clero, de sorriso aberto, a tirar fotografias. A praça estava interdita a todos a partir das seis da tarde e tornava a abrir-se às sete da manhã. As fotografias nocturnas eram tiradas do lado de fora da grade. John viu um homem com uma máquina fotográfica apontada para ele e sentiu os pelos do corpo eriçarem-se. Depois viu o mesmo homem abrir-se num sorriso para uma mulher que passou pelo jornalista com a mão esticada como se quisesse tapar a lente da câmara e um sorriso envergonhado a dizer *Basta! Basta!*

Dali, seguiu pela Via della Conciliazione em direcção ao Castelo Sant'Angelo e passou a outrora chamada ponte de Adriano, que actualmente tem o mesmo nome do castelo. As estátuas dos anjos que repousavam em cima das balaustradas de mármore travertino mais se pareciam com figuras demoníacas a lançarem-lhe olhares suspeitos. Até as estátuas de Pedro e Paulo pareciam estar contra ele. Havia muita gente na rua; nas zonas turísticas era sempre assim, o ano inteiro, todos os dias, fizesse chuva, frio ou sol. Ao fundo, a cúpula da Basílica de São Pedro ainda dominava os céus, no meio dos prédios do Corso Vittorio Emanuele II, o pai da pátria, a avenida mais movimentada de Roma.

Chegou ao hotel depois da meia-noite. Pediu a chave na recepção e subiu ao quarto. Assim que abriu a porta recuou, amedrontado. Depois entrou a medo, passo a passo, pé ante pé. Estava tudo remexido. Uma cadeira tombada em cima da cama, a mala de viagem no chão, a roupa espalhada pela cama e em cima das mesas-de-cabeceira. Quem ali entrara quis, obviamente, que ele soubesse que ali tinha estado. Era uma mensagem clara. Deu por si com o revólver Amtec, de cinco balas, a tremer-lhe na mão, como se soubesse usá-lo. Sentiu-se um idiota e um cobarde. Era melhor levá-lo à cabeça e premir o gatilho.

Pegou no telemóvel e ligou a Sarah, em pânico, a apreensão e a paranóia ganhando o lugar cimeiro nos batimentos cardíacos. Mesmo não sendo crente rezou a Deus e a todos os santos para que ela atendesse e não o deixasse pendurado. Ela atendeu, tranquilizando-o imediatamente. Disse-lhe que fosse para o bar e que iria ter com ele dentro de dez minutos. Ele ainda procurou por alguma mensagem que lhe tivessem deixado, mas não encontrou nada e desceu para o bar, a correr, descendo pelas escadas de dois em dois degraus.

Levou o copo de uísque à boca mas teve de o segurar com as duas mãos, tais eram os nervos. *Acalma-te*, gritou mentalmente. Mas o coração continuava a latejar como um louco dentro do peito. O empregado lançou-lhe olhares impertinentes e perguntou-lhe se estava bem por duas vezes.

– S... s... sim. Es... tou bem... bem – respondeu em ambos os momentos.

Decerto o empregado era um espião e esperava que o veneno que pusera no uísque fizesse efeito. Decerto ele, John Scott, era um idiota. Já passara por situações semelhantes, evidentemente. Ninguém fazia o que ele fazia sem criar alguns inimigos. Alguns telefonemas a meio da noite com uma voz séria a ameaçá-lo de morte ou da quebra de alguns ossos do corpo ou do corte de algumas partes sensíveis. Mas nunca passou disso. Sabia que o seu nome impunha algum respeito. Fazer-lhe mal era perder. Preferiam caminhos mais subtis como um carro, uma viagem, uma oferta em dinheiro, ou uma mulher deslumbrante que de repente se apaixonava perdidamente por ele e queria despir-se na sua cama ou em qualquer quarto desde que ele estivesse presente. Os criminosos americanos e ingleses tinham estilo, atentavam ao carácter, aos vícios, às fraquezas humanas. Ali, na Cidade Eterna, nada disso se aplicava. Era um estrangeiro no meio de uma investigação muito estranha. Não tinha ninguém a quem recorrer, a não ser Sarah. Sem ela teria de pedir ajuda à Embaixada do seu país ou meter-se num avião e fugir dali a sete pés. Conhecia bem os métodos italianos, muito diferentes dos americanos e ingleses. Não perdiam tempo com subtilezas nem com as convenientes explorações do género humano. Em Roma, os inconvenientes eram eliminados e atirados ao Tibre, sem apelo nem agravo, sem justiça.

Olhou para a entrada do bar pela milionésima vez desde que ali entrara. Qualquer ruído ou movimento brusco, real ou imaginário, fazia-o desviar os olhos para a única entrada que havia. Não havia porta. Era apenas uma abertura grande que dava acesso a outras zonas do hotel. O empregado parecia estar sempre a limpar o mesmo copo, ou seria outro? O grupo de ingleses continuava a berrar sobre as suas aventuras e desventuras, sempre com muito álcool, grandes gargalhadas e movimentos de braços exagerados.

Estava prestes a dar em doido quando Sarah chegou. Foi como se um anjo protector tivesse aparecido no bar para acabar com todos os seus medos.

– Então, John?

John abraçou-a com força, quase não a deixando respirar.

– Menos, John, menos – pediu ela.

Ele largou-a. Tinha os olhos marejados. Libertara uma enorme pressão.

– Des… culpa. Des… des… culpa – pediu o americano. – Des… culpa por tu… tudo, por… por te ter… ter li… ligado, por ter i… i… ido ter con… tigo…

– Ena, tanta desculpa – zombou Sarah, deixando a mente vaguear para outra pessoa de quem queria ouvir aqueles pedidos de desculpa. – Calma, John. Senta-te e conta-me tudo devagar.

John contou tudo como se de um relato jornalístico se tratasse. O passeio nocturno por Roma até à Praça de São Pedro e o percurso que fez a pé de regresso ao hotel.

Sarah ouviu-o com atenção. Era uma forma de evitar os seus próprios fantasmas e imiscuir-se nos dos outros, nos de John, que estava visivelmente alvoroçado.

– Parece que chamaste a atenção de alguém, John – alvitrou Sarah. – Que não está muito satisfeito com o que estás a investigar.

John bebeu mais um pouco de uísque e olhou para Sarah, fixamente.

– A… achas que eles me po… podem ma… mat… mat…

Sarah não o deixou terminar a frase.

– Não, John. Que ideia. – Esboçou um sorriso tranquilizador enquanto dizia a mentira.

Sarah sabia muito bem do que as pessoas eram capazes naquele mundo, mas não o queria alarmar enquanto não tivesse uma noção mais precisa do que se estava a passar. Apesar de estar eternamente grata por tudo aquilo que lhe haviam proporcionado, as condições de tratamento, a clínica, a casa, Rafael… sabia perfeitamente que tudo era uma questão de gestão de equilíbrios. Os aliados do presente podiam ser os inimigos do futuro. A verdade era que, desde que os conhecera pela primeira vez, em 2006, aquando de um caso relacionado com a morte do Papa João Paulo I, sempre a haviam tratado bem. Talvez até lhes devesse o facto de ainda estar viva. Mas a pergunta que John queria ver respondida, embora não a tivesse verbalizado, era se a Igreja era capaz de matar para zelar pelos seus bens. E a resposta era sim, claro que sim. Rafael e um exército de outros homens como ele encarregavam-se disso. Se seriam eles por detrás desta ameaça a John Scott? Não sabia. Mas tinha forma de descobrir.

John olhou para a entrada e viu dois homens entrarem e sentarem-se numa mesa perto da saída e longe dos ingleses. Estremeceu. Seriam aqueles os carrascos dele? Ou apenas dois hóspedes à procura de uma bebida? Fossem quem fossem, o certo era que um deles não desviava os olhos de si e de Sarah, descaradamente.

– A… acho que… que temos com… compa… companhia – disse John, a medo.

Sarah olhou para os desconhecidos e depois novamente para John. Em seguida dirigiu-se à mesa junto à saída do bar onde os dois homens estavam e sentou-se.

– Vieste pedir-me desculpa, Rafael?

21

Para o cliente, as últimas oito horas eram as mais importantes. Fora muito específico quando dissera que não toleraria qualquer falha. Para o Francês, a falha significava a morte. Um contrato fechado era um contrato executado e depois passava ao próximo, se houvesse, ou entraria no seu tão benquisto modo letárgico. No fundo, ele matava para alimentar o seu próprio vício que, na maior parte das vezes, se revelava caro. Não tinha por hábito aceitar adendas ao contrato, nem tão-pouco modificações. Um contrato era um contrato, cumpria-se e terminava. A dupla liquidação foi feita na Basílica de Sant'Andrea della Valle e o miúdo levado para o local combinado. Primeira fase encerrada. Olhou para o temporizador do reló-gio que recuava inexoravelmente... Um objectivo sem um plano não pas-sava de um desejo.

O cliente revelara-se cumpridor. Não estaria ali se não o fosse. O di-nheiro referente à primeira fase já tinha sido transferido. Todos os homens tinham um preço, não havia ilusões sobre isso, e o dele era muito alto. Três milhões de euros mais alto. Ele não lidava com urgências. O cliente sabia-o e por isso, para a conclusão da segunda fase, além do dinheiro, acenou com um pagamento especial para lhe sustentar o vício por uns tem-pos. Era algo precioso que fez o Francês aceitar o contrato sem reservas. Se não estivesse interessado, a conversa não se teria alongado. O cliente sabia-o. Se continuava a ouvir era porque aceitara as condições.

– Como pagamento pelo seu trabalho arranjo-lhe uma verdadeira pérola – propôs-lhe o cliente.

E que pérola seria essa que o cliente podia, idiotamente, ousar sugerir? A revelação surpreendeu-o.

– Uma obra do século XIV. O *Inventio Fortunata*, já ouviu falar?

Depois daquela revelação não podia permitir-se não fazer o trabalho. Muito poucas pessoas conheciam a sua paixão, o seu vício, por livros raros. Eram a sua perdição. Ler a edição mais próxima, temporalmente, do autor ou autores era imperativo. Gostava de partir à descoberta de um manuscrito que nem sabia se existia, só porque se falava dele no mundo subterrâneo dos coleccionistas e alfarrabistas. Seguir as vontades dos homens, a imponderabilidade incomplacente da vida que fazia com que objectos valiosíssimos andassem de casa em casa ou de sótão em sótão ou de cave em cave, esquecidos, perdidos, sem que tantas vezes os seus detentores se dessem conta do real valor do que tinham em mãos. Eram até capazes de os usar como papel para acender a lareira. Se alguma vez encontrasse alguém a fazê-lo seguramente lhe daria um tiro nos miolos, com um sorriso nos lábios.

Sabia que um vício era uma fraqueza, e que uma paixão era a morte. A falha, o fracasso não estava nas paixões mas na falta de controlo sobre elas. O Francês não se importava de sofrer uma morte simples… a ler.

Sofria dessa maldição de querer saber tudo, uma avidez de conhecimento capaz de o levar à loucura. Se pudesse leria tudo o que já fora escrito pelos homens. Lia para poder viver. Era louco, sabia-o. Mas quando nos lembramos que somos todos loucos, os mistérios desaparecem e a vida torna-se simples. O cliente conhecia o seu vício. Poucos o conheciam. Naquele momento, necessitava de descer à terra, esquecer a *Inventio Fortunata*, desprender-se desse cheiro a papel velho e a pó que já conseguia sentir. A descrição do Polo Norte por um monge franciscano do século XIV que se julgava perdida para sempre. Uma coisa de cada vez. Concentrou-se nas palavras do cliente.

– Deve seguir o plano como estipulado no contrato. Informe-me de qualquer imponderabilidade e eu dar-lhe-ei as instruções para lidar com ela.

Um cliente que lidava com o imponderável. O Francês nunca dizia nada. Nem podia. As palavras não lhe saíam da boca desde que nascera. Apenas escutava. Era um censor. Servia para punir aqueles que já não podiam viver.

O manuscrito da *Inventio Fortunata*. O pensamento voltou a debandar para o vício. Uma mente educada era capaz de entreter um pensamento sem o aceitar.

Os poetas e os filósofos tinham a resposta para todas as dúvidas da alma humana. Quem precisava da ciência quando os fantasmas que amaldiçoavam os grandes pensadores podiam responder das profundezas do pensamento deles? Alguns até se tinham matado na procura das respostas ou, simplesmente, porque não aguentaram mais. Eles aventuraram-se pelas vísceras do ser mais que quaisquer outros.

O Francês não se ligava aos vivos. Só aos mortos. Aos poetas e aos filósofos.

Tinha trocado o Alfa Romeo por um Fiat. Misturou-se no trânsito nocturno e deixou-se andar. Olhou para o temporizador do relógio de pulso que recuava implacavelmente, insensível, como um censor. Estacionou na Via dell'Erba e saiu para a fria noite romana. Seguiu para norte e virou à esquerda na Via dei Corridori, depois seguiu em frente e encontrou-o na praça, como o cliente dissera.

– Se se despachar vai encontrá-lo na Piazza Papa Pio XII, junto a São Pedro. Não precisarei de lhe dizer para esperar pela ocasião certa como foi contratado. Para o caso de não chegar a tempo, enviei-lhe uma mensagem com a morada onde o poderá encontrar.

22

– Viemos tomar café. Ou é proibido? Isto é um local público – atirou Rafael.

Arturo sorriu timidamente perante a tirada do seu superior.

– E foste logo escolher este bar, neste hotel?

– Está aqui hospedada? – perguntou o padre, com desapego.

O empregado do bar chegou nesse preciso momento para satisfazer o pedido daqueles clientes tardios. Com os ingleses a pedir mais cerveja e os recém-chegados, a noite ia ser longa.

– Dois cafés – pediu Rafael sem sequer consultar Arturo.

– Com certeza – disse o empregado, retirando-se para ir cumprir o pedido.

Sarah fez um gesto a John Scott para que se juntasse a eles.

– Sabes muito bem onde estou hospedada, Rafael – contra-atacou Sarah. – Ou achas que eu não vi o Arturo a seguir-me?

Por acaso não tinha visto. Atirou para o ar em jeito de adivinhação. Soube que acertara em cheio quando viu o ar de comprometido de Arturo. Fora apanhado.

John chegou até eles, timidamente, pé ante pé, com o dossiê castanho encostado ao peito com ambas as mãos, e ficou de pé sem saber o que fazer. Sarah puxou uma cadeira e indicou-lhe que se sentasse. O americano não conseguia compreender o que se estava a passar. Nem como Sarah podia estar tão à vontade.

– Senta-te John. Este é o padre Rafael Santini, enviado especial de Sua Santidade. Posso dizer assim, não posso, Rafael? – A sua voz expressava um cinismo dolorido enquanto fazia as apresentações. – E este é o Arturo, responsável pela minha segurança até há poucas horas. Meus senhores, este é o meu amigo John Scott, um reputado jornalista do *The New York Times*. Um homem famoso.

– Olá, John – cumprimentou Rafael, ao mesmo tempo que estendia a mão num cumprimento para confirmar, fisicamente, a palavra. – Muito prazer.

O americano estava, visivelmente, constrangido, mas concedeu o cumprimento como preconizava a boa educação.

– Mu... mu... ito... pra... zer.

Arturo também cumprimentou o jornalista.

– Tomam alguma coisa? – perguntou Rafael, numa voz bem-disposta.

– Não... não. O... obrigado – respondeu John de imediato.

– Aceita, John. Não é todos os dias que bebes uma cerveja paga com dinheiro do Papa – atirou a inglesa sem desviar o olhar de Rafael.

John não estava a perceber nada. No seu entender, essa era uma razão mais que suficiente para não aceitar bebida alguma. Nunca a vira tão arisca e ofensiva.

– Não... não que... quero. O... obrigado – repetiu.

Os olhares mantiveram-se estáticos, como se de uma fotografia se tratasse. Sarah e Rafael, como se não existisse mais ninguém, só eles. Arturo atento ao grupo galhofeiro de ingleses e John, o único que destoava daquele cenário, olhando ora para uns ora para outros, ora para a entrada, sem perceber quem era quem ou o quê.

Parecia que estavam ali há imenso tempo, naquelas posições, a medirem-se uns aos outros, mas os cafés ainda não tinham sido servidos e não levava assim tanto tempo prepará-los.

– Porque é que foram ao quarto do John? – acabou por perguntar Sarah de supetão, quebrando o silêncio e aumentando a tensão.

– Chegámos agora – respondeu Rafael. Era ele o único interlocutor do duo de clérigos. – Não fomos ao quarto de ninguém. Seria má educação. E nós não somos mal-educados, pois não Arturo?

O outro padre, visivelmente inferior em estatuto, não respondeu.

– Podiam ao menos ter tido a decência de o arrumar – continuou Sarah, ignorando deliberadamente a resposta de Rafael.

Rafael desviou o olhar para Arturo, visivelmente incomodado.

– Sabes alguma coisa disto?

O outro fez um meneio negativo com a cabeça.

– Podes falar livremente, Arturo – insistiu Rafael. – Sabes alguma coisa sobre este assunto?

Sarah começou a acreditar que nenhum deles tinha conhecimento daquilo que ela os estava a acusar… Ou ainda estariam dentro das personagens?

Arturo voltou a negar.

– Não, Rafael. Estive o tempo todo com a… Sarah – respondeu, baixando o olhar envergonhado.

Rafael virou-se para o americano.

– Levaram alguma coisa?

– Não… não.

– Tem a certeza?

John assentiu, agarrando bem o dossiê castanho contra o peito. Na verdade, não tinha a certeza, não inventariara os seus bens, mas não queria dizer que tinha fugido para ali o mais depressa que pôde.

– O que é que guarda aí? – quis saber o padre, sem cerimónias.

– N… na… nada – respondeu o jornalista um pouco intimidado. Quem raio seria este homem?

– Então, Rafael? Onde estão os teus bons modos? – atacou Sarah em defesa do colega. – Ah! Tinha-me esquecido. Não os tens.

Rafael olhou para a única entrada que dava acesso ao bar, também a única saída, e para o balcão. Uma porta lateral de serviço à cozinha. As janelas estavam tapadas por cortinas pesadas. Inspeccionou os ingleses que se continuavam a divertir no outro canto. O empregado acercava-se da mesa com uma bandeja com os cafés e um brigadeiro de chocolate para cada um.

Rafael virou-se para Arturo.

– Vai lá fora e vê se alguém está a vigiar o hotel. Depois traz o carro pela Via Machiavelli.

– Mas…

– Faz como te digo – repetiu Rafael com cara de poucos amigos.

Os dois padres levantaram-se. Arturo saiu no momento em que o empregado pousava as chávenas de café e os brigadeiros.

– Dê-me a chave do quarto – pediu Rafael, com a mão estendida, apesar de mais parecer uma ordem.

– Vais arrumar o quarto? – zombou Sarah.

– Es... es... tás im... possível, Sa... Sarah – disse John, entregando a chave ao padre. – É o 221.

Rafael sorriu e debruçou-se sobre o americano com uma expressão intimista, de maneira a que Sarah também o ouvisse.

– Acho que podemos ser amigos, John – disse com um sorriso sarcástico nos lábios. – Esperem aqui. Não saiam daqui! – ordenou, peremptório.

Viram-no sair pelo único caminho possível em direcção ao quarto do jornalista. Sarah queria ter dito "Cuidado" mas não conseguia dizer-lhe nada que não estivesse repleto de rancor, amargura e cinismo.

– Que... quem sa... são eles? – quis saber John.

– O Arturo é o meu segurança, o Rafael é o meu namorado – disse Sarah, sem pensar.

John lançou-lhe um olhar severo e franziu o cenho. Não estava a gostar nada da maneira como Sarah se estava a comportar. Que se estava a passar com ela?

– Con... con... concentra-te. Es... tou a... a... falar a sério. O... o que é que... que tu... tu tens?

Sarah respirou fundo e tentou acalmar o coração nervoso e zangado. O padre deixava-a fora de si, para o bem e para o mal.

– Desculpa – declarou numa voz muito mais serena. – Oficialmente são meros padres.

John fez-lhe uma expressão com o rosto à espera que ela dissesse o que eles eram oficiosamente.

– A verdade? – Acercou-se dele e baixou a voz para um tom quase inaudível. – Santa Aliança. Mais especificamente, *Sodalitium Pianum*.

John abriu bem os olhos a mostrar o seu espanto.

– Sa... Sa... Santa... Pen... pensei que era um mi... mito.

– Com o Vaticano habitua-te sempre a uma coisa – recomendou Sarah. – Não há mitos. E se hoje o são é porque foram realidade algum dia.

John deixou aquela revelação assentar. Santa Aliança. *Sodalitium Pianum*. As organizações de espionagem e contra-espionagem da Santa Sé, mais conhecidas como *A Entidade*. Como era possível? Ouvira dizer que a *Sodalitium Pianum*, fundada no papado de Pio X, em 1907, acabara com Bento XV em 1922. Não podia crer que a criação do monsenhor Umberto Benigni, na época para combater o modernismo, perdurara e se tornara num serviço de contra-espionagem efectivo.

– A... achas que... me... me vão ma... tar?

Sarah deu-lhe a mão para tentar acalmá-lo.

– Não, John. Acho que não. – *Pelo menos não na frente desta gente toda*, pensou, sem coragem para verbalizar.

– San... Santa Ali... Ali... – Ainda não conseguia acreditar.

– Santa Aliança – completou Sarah.

– A Santa Aliança não existe – ouviu-se Rafael dizer.

O padre regressara do quarto no segundo piso e não ficou na mesa com eles. Dirigiu-se ao balcão. Viram-no entregar uma nota de cinquenta euros ao empregado, que a guardou subtilmente, olhando em redor, e sorriu, enquanto Rafael falava com ele e apontava para a mesa deles. Depois regressou à mesa.

– Vamos embora, querida – disse-lhe, pegando na mão dela. Desviou o olhar para o americano. – Venha, John.

Saíram pela porta de serviço que dava para a cozinha industrial que servia o restaurante do hotel, naquele momento vazia de gente. Atravessaram-na de uma ponta à outra, por entre bancadas e armários metaliformes, fornos e fogões, tudo impecavelmente asseado. O empregado ia à frente a indicar o caminho, seguido de Sarah e John, com Rafael a fechar o grupo.

– De onde veio esta gentileza repentina? – perguntou Sarah em português, para que só ela e o padre entendessem.

– Disse-lhe que a Sarah era uma grande amiga do peito e que a minha mulher me tinha seguido até ao hotel, e que eu estava a ver o caso mal parad...

– OK. OK. Já entendi – vociferou Sarah, furiosa, sem olhar para trás, limitando-se a seguir o empregado.

A porta seguinte dava para um corredor estreito e sujo, o oposto da cozinha, iluminado por lâmpadas fracas e tímidas, atacadas por teias de aranha, e onde havia caixotes de um lado e do outro, fruta podre, peças de vestuário espalhadas; parecia uma espécie de depósito de maus sonhos e roupa suja. Mais duas portas, um corredor de serviço e, por fim, a rua.

Rafael piscou o olho ao empregado e entregou-lhe mais cinquenta euros. Este tornou a fazer a mesma fita ao guardar a nota como se tal gesto afectasse, de algum modo, a honradez do sujeito. O padre foi o primeiro a sair. Perscrutou ambos os sentidos da rua. Havia poucos carros a passar. Mirou as fachadas com uma expressão séria.

– Onde vamos? – perguntou Sarah.

Um carro dobrou a esquina com a Piazza Vittorio Emanuele II e fez--lhes sinais de luzes. Parou junto deles. Rafael abriu as portas com desvelo, sempre a olhar ao redor como um falcão à procura da presa. Depois de Sarah e John terem entrado para o banco de trás, entrou ele para o da frente.

– O caminho está livre – afiançou Arturo, agarrado ao volante.

Rafael concordou. Ninguém estava a vigiar o hotel.

– E agora? Para onde? – quis saber Arturo. Não lhe pagavam para pensar, apenas para executar.

Rafael segredou-lhe a morada. Arturo olhou-o espantado.

– Tens a certeza?

O padre superior fez que sim com a cabeça.

– A que horas é que acha que aconteceu a intrusão? – questionou Rafael.

John não tinha percebido que a pergunta era para ele até o padre que liderava toda aquela situação repetir a pergunta.

– Ah! N… não… não sei.

– Quanto tempo esteve ausente do quarto?

– U… um… umas três ou… ou qua… quatro horas.

Arturo desceu a Via Machiavelli e virou à esquerda em direcção à Piazza Dante, seguiu até à Via Petrarca e passou a Piazza di Porta San Giovanni, entrando na Via Appia Nuova.

– O que é que se está a passar, Rafael? – voltou a perguntar Sarah.

– Provavelmente o John chateou alguém ou não nos está a contar tudo. Ainda não sei.

John engoliu em seco, tenso.

– Porque é que não começas por nos contar o que foste fazer ao hotel, Rafael?

Rafael tirou do coldre de ombro, por debaixo do casaco, a Beretta de cabo de madeira e exibiu-a aos dois passageiros do banco de trás.

– Fui lá para matar o John Scott – disse com uma voz seca. – E quem quer que estivesse com ele.

23

A noite acoberta todos os mistérios, demónios e vilões. Até o frio se torna mais abespinhado e intrépido quando o sol abala, e arrepanha os ossos como se a treva concedesse autorização a todos os furores e abrisse as portas da obscuridade. O inferno anda à solta no céu nocturno.

Bertram corria com passos trémulos e trôpegos como se a qualquer momento fosse tombar nas lajes gélidas do passeio. Não escolhera o melhor trajecto. Deixara a Piazza Papa Pio XII e entrara numa encruzilhada de ruas estreitas e escuras, óptimas para passar despercebido mas não para fugir. Não se atrevia a olhar para trás.

Oh, meu Deus! Ajuda-me, implorou.

As sombras espraiavam-se ameaçadoras pelas paredes encardidas das traseiras de um prédio qualquer, esquecidas pela desfortuna de pertencer a um lugar secundário, arredado dos olhares.

Ouviu um ruído atrás de si, ou seria apenas o coração a esmurrar o peito, aflito por sair dali? Olhou por cima do ombro mas não viu nada. Um candeeiro iluminava pobremente o fundo da caleja, de onde ele viera, e o resto estava imerso nas sombras.

Bertram arquejava e o ar frio que sofregamente inalava arranhava-lhe a garganta. Sentia-se encharcado de suor mas não tinha calor. O sobretudo cinzento antracite pesava-lhe nos ombros e dificultava-lhe o andamento.

Estava cansado, no limiar do esgotamento físico. Lidara com demasiadas emoções nas últimas horas. O pior de tudo foram as ameaças.

Senhor, dai-me forças, voltou a suplicar, mentalmente.

Escutou movimento mais à frente. Automóveis, autocarros, pessoas, havia vida para além das vielas. Acelerou o passo ainda mais. Faltava pouco para deixar aquele lugar esconso e entrar na luz da cidade. Trinta metros. Uns míseros trinta metros que pareciam trezentos.

Ouviu novo ruído. Um restolhar. Soava-lhe a passos. Como se alguém não quisesse ser ouvido. Ou seriam os seus passos? Maldito breu, amante dos segredos e das conjurações, cúmplice do pavor e da suspicácia.

Queria ouvir melhor mas o barulho da cidade intrometia-se. O frio, a lassidão e o medo... principalmente o medo também não ajudavam. Tentou olhar novamente pelo ombro quando, subitamente, foi empurrado e quase caiu no chão, não fosse uma mão possante agarrá-lo.

– Perdão – ouviu uma voz jovem desculpar-se.

O velho fitou-o depois de recuperar do susto. Um grupo de jovens irrompera da rua principal numa vozearia desembestada, trazendo garrafas de cerveja na mão. Vinham de algum bar e provavelmente dirigiam-se a outro. O rapaz alto que o segurava derrubou-o, sem querer.

– Sente-se bem? – perguntou o rapaz.

– Sim – respondeu o velho, recompondo-se.

O rapaz repetiu as desculpas e seguiu os amigos que haviam continuado.

O velho olhou para a ruela de onde saíra. Não estava lá ninguém. O coração acalmou-se à medida que os metros se interpunham entre si e a viela e era envolvido pela algazarra da rua. Estava repleta de bares apinhados de gente sequiosa da dose de álcool que lhes haveria de dar a coragem, o estímulo galhofeiro, o desprendimento do feitio, ou o afogamento das mágoas ou do vício, conforme o objectivo ou o grau de dependência. Reconheceu o local onde estava, o Campo dei Fiori.

Serenou, por fim, focando o olhar em algumas pessoas, a gargalhada contagiante de uma mulher, um jovem a atirar uma lata de cerveja para o chão depois de ter despejado o líquido alarvemente, um casal a beijar-se como se o mundo fosse acabar no minuto seguinte..., uma garrafa a estilhaçar-se em mil pedaços que o assustou. Seguiu-se um coro de risos pela exultação ritualista do macho que mostrava às fêmeas ou aos outros machos a sua habilidade na arte de partir garrafas.

Bertram virou à esquerda deixando para trás a alegria ébria do local e deu por si noutra rua. Sucediam-se os carros e as lambretas e os grupos de peões. Desembocou numa rua mais larga. Havia menos pessoas ali. Pequenos grupos e alguns casais que seguiam em sentido contrário ao dele. Aos poucos, a rua esvaziou-se e ele começou a olhar para trás, incomodado. Não viu ninguém.

Decidiu apanhar um táxi. Seria mais seguro e rápido. Fez sinal a um que ia a passar e quinze minutos depois estava em casa, na Via Tuscolana. Chamou o elevador mas este não acudiu ao seu pedido. Carregou mais um par de vezes no botão de chamada como se isso fizesse alguma diferença. Nada.

Subiu pelas escadas até ao quarto andar. Já não tinha fôlego para ascensões sem ajuda da tecnologia. Chegou à sua porta a arfar e a suar. Carregou no interruptor da luz do corredor mas nada aconteceu. Apenas uma pequena luz de emergência aspergia um ténue fio de claridade.

Que raios, praguejou para si.

Recuperou o fôlego e procurou a chave da porta no bolso. Inseriu-a na ranhura e abriu a porta. Por fim o descanso. Nesse exacto momento foi empurrado para dentro do apartamento com tanta violência que bateu com o queixo na pequena mesa do *hall* de entrada e caiu no chão. Virou-se a tempo de ver um homem entrar nos seus domínios e fechar, calmamente, a porta. O homem endireitou o casaco e virou-se para o velho que o mirava desorientado no chão de mármore, agarrado ao queixo.

– Que... quem é o senhor? – titubeou Bertram a custo.

O homem debruçou-se sobre ele e colocou-lhe uma mão no ombro. Depois, esboçou o sorriso.

– O que é que quer de mim?

O intruso tirou um retrato do bolso de dentro do casaco e mostrou-lho. Bertram corou e desviou o olhar assim que reconheceu a figura de Pio XII.

– Eu não tive culpa. Juro. Foi uma decisão do colégio – disse, cheio de medo.

O homem tirou uma arma de dentro do casaco. Pegou num *post-it* amarelo que tinha no bolso e começou a escrever algo nele, em cima da mesa de canto. Depois, olhou para o temporizador do relógio de pulso que recuava implacavelmente, insensível, como um censor.

24

John estava sentado no banco traseiro do carro, encostado com a cabeça para trás, imerso nas palavras sentenciosas do padre. O Vaticano mandara matá-lo. Não havia dúvidas. O padre que seguia no banco do pendura fora bem claro. Aquela visita à Secretaria de Estado selara o seu destino. *A toca do lobo.* Foram estas as palavras de Sarah. Ela sabia o que dizia. Conhecia bem os meandros daquele mundo e ainda estava viva para contar a história... ainda. E agora? Estava dentro do carro dos seus executores, os verdugos que tinham como missão adiantar-lhe a hora de saída do mundo dos vivos. Apetecia-lhe abrir a porta do carro e atirar-se para o exterior, fugir para salvar a vida, mas ele não era esse tipo de homem.

Sarah deu-lhe a mão. Certamente sabia o que lhe estava a passar pela mente. *E quem quer que estivesse com ele.* Foram estas as palavras do carrasco. Também lhe dizia respeito mas, ao contrário dele, Sarah não parecia preocupada. Alguma coisa a ligava ao padre algoz. Disso deu-se conta. Não eram indiferentes um ao outro. Por outro lado, se bem conhecia Sarah, ela preferia partir que vergar.

– Conte-me os seus pecados – ordenou Rafael sem olhar para trás.

– O... o... quê? – perguntou John, presumindo que a pergunta fosse para ele.

– Quais são os seus pecados? Se a Igreja o quer ver morto, algum pecado terá. E não deve ser pequeno.

– O John é perito em assuntos económicos – interveio Sarah, servindo de intermediário. – E descobriu algumas contas mal feitas no IOR – acrescentou de forma sardónica. – Para onde estamos a ir?

– Desembuche. Que contas mal feitas são essas? – perguntou Rafael com maus modos, ignorando, deliberadamente, a pergunta dela.

John contou tudo o que sabia de forma concisa e escorreita, para que não restassem dúvidas. Já bastavam as suas limitações comunicativas para dificultar as coisas. Falou dos fundos, das fundações, dos pseudónimos, dos gestores, da forma como o IOR funcionava. Manifestou uma sabedoria e um profissionalismo acima de todas as suspeitas e referiu, mais de uma vez, estar na posse de documentos que o comprovavam, apesar de não considerar aquele o lugar mais apropriado para os mostrar. Lembrou-se de dizer também que tinha mais cópias guardadas em locais seguros, esperava que isso funcionasse como argumento que fizesse os padres pensar duas vezes antes de premir o gatilho.

– E qual é o problema dessa *Fondazione Donato* e do *Fondo Giulietta*? Onde está a ilegalidade? – questionou Rafael, sem olhar para trás e com uma voz seca, desconfiada.

– O... o... pro... proble... ma...

– O problema é que a *Fondazione Donato*, cujo titular é um tal Piccolo, é financiada com dinheiro ilegal. – interveio Sarah.

Rafael olhou para trás e fitou os dois jornalistas.

– O que é que isso quer dizer, exactamente?

Sarah continuou com um olhar fulminante cravado no padre.

– Que o John identificou a proveniência do dinheiro. Sabe de quem vinha e para quem ia.

John omitiu apenas a fonte. Essa tinha de ser preservada a todo o custo. Era um imperativo profissional e ético. Levaria o segredo para a cova, que lhe parecia agora mais próxima que nunca. Pensou no que aconteceria ao seu corpo. Talvez o atirassem ao Tibre, que o tomaria gentilmente no seu leito até se fartar e o expelir para uma margem. Era pouco provável que o queimassem. Dava muito trabalho. Imaginou-se vendado, com o cilindro frio da arma a arrepiar-lhe a nuca, a cabeça coberta por um capuz, a pedir, como última vontade, que o cremassem, por favor. Depois lembrou-se que nestes casos ninguém lhe perguntaria sobre a última vontade, que não teria direito a uma. Ali não havia os privilégios do corredor da morte.

Pensou na doutora Pratt M.D., nas pernas cruzadas e no sorriso. Quem lhe dera estar em Manhattan, no consultório dela, com vista para o Hudson, e não ali. Será que acreditaria na sua história ou simplesmente o mandaria internar numa instituição psiquiátrica? Apreensão, paranóia e pânico. Era isto que sentia, diria a sua psiquiatra que nunca saberia a razão por que ele era seu paciente há onze anos. Que vivia toda a semana a pensar naquela hora, das três às quatro, às terças e quintas, em que falava pouco, no seu jeito travado e tímido, e... que só lá ia por ela, pela doutora Pratt M.D., pelas pernas cruzadas, o sorriso, a voz melodiosa, a pele acetinada, morena devido à ascendência africana. Morrer sem lhe dizer que se apaixonara por ela era um desgosto insuportável.

Viraram à direita para a Viale Tito Labieno, passaram a Piazza di Cinecittà. As ruas sucediam-se umas a seguir às outras, as praças, os parques iluminados. A noite esfriara ainda mais e os carros estacionados ao longo do caminho estavam cobertos de geada. Entraram numa rua larga e Arturo abrandou à procura de lugar.

– Onde estamos? – perguntou Sarah, olhando em redor.

John também tentava perceber onde estavam, procurando referências visuais. Não reconheceu nada. Era uma rua com prédios residenciais de um lado e do outro. Não costumava andar por ali. Estava cada vez mais apreensivo.

Rafael não respondeu à pergunta de Sarah. Percorreram mais alguns metros, devagar, e o padre apontou para um carro que estava a arrancar.

– Estaciona ali. Aquele Fiat, além, vai sair.

Arturo seguiu a sugestão do superior e, em poucos segundos, estacionou o carro. Rafael foi o primeiro a sair, o mesmo olhar de falcão a inspeccionar a área com atenção. Abriu a porta de trás para deixar sair os dois jornalistas para o frio da rua. De imediato, o bafo da respiração começou a fazer nuvens de vapor no ar, anunciando a temperatura baixa.

Sarah estava irritada com o comportamento de Rafael e tentou encontrar uma placa que lhe dissesse onde estava, já que ninguém lhe dava essa informação. Encontrou-a mesmo em frente, pregada na parede de um prédio.

– Via Tuscolana – disse ela em voz alta. – O que estamos aqui a fazer?

Andaram alguns metros até chegarem a uma porta. Rafael tocou à campainha.

– Viemos tratar de um assunto – limitou-se a dizer o padre.

Ninguém respondeu ao toque da campainha. Rafael debruçou-se sobre a fechadura e enfiou uma gazua no canhão e, instantes depois, ouviu-se um clique que permitiu a entrada deles no edifício.

– Um cavalheiro – escarneceu Sarah.

– Vá, entrem.

John engoliu em seco. Seria aquela a sua última morada? Um prédio, na tal Via Tuscolana? Queria enfiar ambas as mãos nos bolsos, na tentativa de debelar o frio, mas não podia largar o precioso dossiê. Enfiou a mão que tinha livre e nessa altura sentiu-o. Era frio e metálico. Sentiu-se um idiota enquanto acariciava, dentro do bolso, o revólver Amtec de cinco balas.

25

Ninguém era mais importante em horas de desespero que Nosso Senhor Jesus Cristo, filho unigénito de Deus Pai Todo-Poderoso, um e outro a mesma pessoa, a origem e o fim de todas as coisas, o detentor da centelha da divindade, Criador e titereiro deste mundo, Senhor de mil e duzentos milhões de católicos, mais oitocentos milhões das outras Igrejas cristãs, o mesmo Cristo de todas.

A capela, no *secondo piano*, era sua e só sua. Tinha três filas de bancos de madeira e fora adornada com frescos de Giorgio Vasari. O piemontês estava ajoelhado aos pés do Cristo, cuja autoria era atribuída a Miguel Ângelo, com aspecto dolorido que perdurava há mais de quatro séculos. O mármore de Carrara fora desbastado até ao nervo e fazia transparecer contagiosamente o sofrimento daquele Cristo a quem quer que o estivesse a contemplar. Tarcisio sentia o tormento Dele como seu, desde que nascera. Vivia para a Sua glória e ao Seu serviço. Por vezes era um fardo difícil de suportar, como nesta noite, mas Ele colocara-o a dirigir a Sua Igreja. Competia-lhe fazê-lo o melhor que sabia e podia.

– Pai e Senhor do Universo. Sois o Rei dos Reis. Vós que fizestes o paralítico andar, o morto voltar a viver, o leproso sarar. Vós que vedes as minhas angústias, as minhas lágrimas, bem sabeis como preciso alcançar sabedoria e ponderação. Iluminai os meus passos, assim como o Sol ilumina todos os nossos dias. Jesus, tenho confiança em Vós.

Estava cansado. A noite ia a meio e já há alguns dias que não conseguia dormir. Insónias provocadas pelo peso do mundo. A indesejada interrupção chegou antes do final da oração. Guillermo entrara na benta capela, timidamente, mas a porta rangera anunciando a sua presença. Tarcisio elevou uma mão a pedir silêncio. Ao fim de alguns instantes, elevou-se com esforço. Os 78 anos pesavam-lhe nos ossos implacavelmente. O tempo comandava sempre, contra tudo e contra todos.

– O que queres? – perguntou Tarcisio, com maus modos.

O chefe da espionagem fez uma vénia e deu mais alguns passos tímidos para o interior da capela privada. Fez uma segunda vénia e ajoelhou-se para beijar a mão do Secretário.

– Está resolvido? – perguntou o Secretário.

– Não, Eminência – respondeu Guillermo com apreensão. Não era normal as ordens que Tarcisio dava não serem cumpridas.

Tarcisio fixou-o com uma nota de afronta no rosto. Parecia que não tinha entendido. Não estava cumprido? O que queria dizer com isso?

– Explica-te – ordenou o piemontês, com um modo altivo.

– A mulher. A Sarah Monteiro estava com o americano no hotel – respondeu, com a cabeça baixa.

Tarcisio cruzou os braços atrás das costas e caminhou de um lado para o outro a cogitar nas informações que Guillermo trouxera.

– Mais uma razão para resolvermos isso rapidamente.

– Vamos tratar disso, Eminência.

– Precisamos de resolver esse assunto com urgência – prosseguiu o Secretário. – Não pode ficar pendurado por pontas. É uma bomba-relógio, Tomasini.

– Compreendo, Eminência. Não deixaremos que isso aconteça.

– É bom que não.

Tarcisio respondeu mecanicamente. A sua mente vagueava por entre teses e teorias, concepções e estratégias. Contemplou novamente o esgar dolorido de Jesus; o Seu sofrimento penetrava-lhe profundamente na alma. Era aquela dor que o fazia suster o fardo pesado.

– Precisamos desse dossiê – sentenciou. – Já têm a mulher?

Guillermo continuava de cabeça baixa, perto da porta, como um menino a ser repreendido pelo mestre-escola.

– Estão a caminho da casa dela neste preciso momento. Mas... – Guillermo não continuou. Era outro assunto que o apoquentava.

Tarcisio desviou o olhar para ele.

– Desembucha, homem.

– A Sarah Monteiro estava com o americano. Não creio que o Rafael seja o homem indicado para...

Tarcisio parecia escandalizado. Conhecia muito bem Rafael. Era um grande servo do Servo de Deus. Ali ninguém estava acima Dele, o único a quem eles serviam.

– Não controlas os teus homens, Tomasini? – proferiu o intendente Girolamo Comte que acabara de entrar na capela com passos largos e um modo intimidatório. Beijou o anel do Secretário. – O dossiê não estava no quarto. Os meus homens procuraram em todo o lado. Deve estar com ele.

– Foram ao hotel dele? – perguntou Guillermo, desiludido. Não gostava que agissem nas suas costas.

– Alguém tem de fazer alguma coisa – contrapôs o intendente, com maus modos.

– A mulher não fazia parte da equação, Eminência – argumentou o chefe da espionagem, ignorando a crítica do intendente. – Ela tem um historial connosco.

Tarcisio tornou a ajoelhar-se aos pés da estátua. Sempre ela, a imagem da dor, do peso, da mágoa, do sofrimento, a lembrar-lhe que havia uma força muito superior a eles para preservar, acima de qualquer ser humano.

Fechou os olhos e balbuciou uma oração ininteligível. Um ciciar entre ele e Deus que pedia sabedoria, ponderação, iluminação. Outros, antes dele, foram confrontados com situações semelhantes, colocados perante graves dilemas morais e pessoais. Ninguém ocupava aquele ofício sem ter a noção exacta do que ele comportava. Ninguém imaginava que um simples administrador de duas secções, a nacional e internacional, tivesse de dispor da vida e da morte dos outros. Tornou a levantar-se com os ossos a esboçarem novo protesto pelo esforço.

– O Rafael onde está? – perguntou o Cardeal Secretário de Estado.

– Deixou o hotel com eles e com Arturo.

O piemontês reflectiu durante alguns segundos, levando o indicador ao lábio numa pose pensativa. Não havia manual de instruções para aqueles casos. A decisão tinha de partir dele. Por isso Guillermo estava ali, para procurar novas instruções. Consultou Comte com um olhar.

– Quando o saudoso Papa Paulo VI publicou a encíclica *Humanae Vitae*, o futuro Papa João Paulo I, o bispo Luciani, que não a viu com bons olhos, disse: Roma pronunciou-se, cabe-nos cumprir – relatou Tarcisio.

– Aqui cumpre-se, não se questiona. Repete-lhes a ordem – ordenou o intendente, com rispidez. – Eliminar o americano ... e quem quer que esteja com ele. – Desviou o olhar para o Secretário. – Se Sua Eminência permitir, eu posso tomar conta da situação. Precisamos da *moeda de troca* em Roma o mais depressa possível. E escusado será lembrar que temos de recuperar o dossiê do americano o quanto antes.

Guillermo escutou as palavras do intendente com atenção, um certo rubor a invadir-lhe o rosto. Quem é que ele julgava que era? Não lhe cabia dar-lhe ordens. Ficou a olhar para o Secretário à espera de instruções.

– O Tomasini já tem os homens no local. Basta que cumpram. – Lançou um olhar frio ao homem da espionagem. – Faz o que o Comte disse.

– E se o Rafael não acatar?

– Arranja quem o faça – alvitrou Girolamo, já farto daquela conversa. – Tu mesmo disseste que o Arturo está com ele. São estas as tuas ordens.

Guillermo sentiu-se humilhado, recuou para o exterior da capela sem virar as costas ao Secretário, pois era considerado ofensa. O intendente exercia demasiada influência junto do Cardeal Secretário de Estado. Ele tinha de estar atento a isso.

– Tomasini – chamou Tarcisio, de novo virado para ele. – Se ele não cumprir, certifica-te de que isso não volta a acontecer.

– Perfeitamente, Eminência.

Tarcisio ajoelhou-se de novo aos pés de Cristo. Havia novos pecados pelos quais queria pedir penitência. Girolamo acompanhou-o no gesto e partilhou com ele a oração. Não queria pedir penitência pelos pecados. Um homem como ele não perdia tempo com isso. A sua oração contemplava o irmão Giovanni que o deixara há mais de trinta anos.

– Não nos podemos dar ao luxo de ter ovelhas tresmalhadas no rebanho – sentenciou o Secretário.

26

Subiram as escadas a pé porque o elevador não respondeu. Também não havia luz nas áreas comuns do edifício, facto que os dois padres estranharam. Subiram até ao primeiro patamar e Rafael mandou-os parar. Pegou numa pequena lanterna que difundia uma luz forte e sacou a Beretta.

– Fica aqui com eles – ordenou a Arturo. – Eu já venho.

Arturo tirou também a sua arma por precaução.

– O que é que se está a passar? – perguntou Sarah alarmada. – Que lugar é este?

Rafael olhou para ela. Desta vez não havia qualquer animosidade no seu rosto.

– Ainda não é hora de explicações. Vão ter de esperar.

Deixou-os ali com Arturo atento como um falcão às possíveis ameaças. A parca iluminação provinha apenas da porta envidraçada da entrada que deixava entrar a luz da rua.

John continuava com o coração acelerado. Sentia-se desorientado. Não percebia nada do que se estava a passar. Ainda que tivesse o raciocínio toldado pela apreensão, pela paranóia e pelo pânico, dadas as circunstâncias, não lhe parecia que estivessem no local da execução. Embora não soubesse como seria um local propício a esse fim. O comportamento dos dois padres era notoriamente defensivo e não ameaçador.

Rafael não deu sinais de vida durante alguns minutos. Subira pelas escadas com a pequena lanterna a iluminar-lhe o caminho até desaparecer da vista deles. Os seus passos silenciosos foram engolidos pela penumbra e a espera aumentou ainda mais a ansiedade.

As luzes da área comum acenderam-se minutos depois, expulsando a escuridão. Rafael apareceu no patamar de cima e fez um gesto para que subissem. Parecia transtornado.

Subiram ao quarto andar e percorreram um corredor com paredes de cor creme e tecto coberto com traves de madeira. Havia portas que, suspeitavam, davam para apartamentos. O edifício estava imerso num silêncio constrangedor, apenas ameaçado pelos passos deles. Parecia que não morava lá ninguém. Não se ouviam vozes, nem televisões, nem frigoríficos, nem quaisquer outros gemidos eléctricos. Sarah ia à frente, seguida de John. Arturo fechava o grupo atento à retaguarda.

Encontraram uma porta aberta, ao fundo do corredor, e luz no interior do apartamento. Rafael estava lá dentro, debruçado sobre um... cadáver.

Sarah levou uma mão à boca, chocada com a cena que estava a testemunhar.

– O... o... que é que... que o se... senhor fez... fez? – deixou sair John, visivelmente nervoso e desorientado. Não era todos os dias que se via um cadáver. No seu caso era a primeira vez.

– Não fui eu – respondeu Rafael, enquanto fazia uma inspecção visual ao corpo. – Já estava assim quando entrei.

– Mi... minha No... No... Nossa Senhora – balbuciou o jornalista numa invocação à divindade da qual nem era crente.

Entraram todos no apartamento e Arturo fechou a porta, o que provocou um calafrio aos jornalistas.

– É ele? – perguntou Arturo.

– É. O Bertram.

Sarah fitou o cadáver com dificuldade. Manteve o olhar por dois segundos antes de o desviar. Não queria estar ali na presença daquilo. Era um velho, pele enrugada pelos anos, um olhar vítreo de horror no rosto sem vida. Tinha dois orifícios na testa, da qual saíam dois fios de sangue que confluíam no queixo.

– Não morreu há muito tempo – disse Rafael.

– Quem... quem era?

– Um homem bom – limitou-se a dizer Rafael. – O último homem bom que ainda existia.

Levantou-se e dirigiu-se a outras divisões do apartamento. Estava indignado. Girolamo, o intendente da Gendarmaria Vaticana, devia ter providenciado segurança para Bertram e para os outros relatores. Era o mais lógico a fazer. Entrou num quarto e saiu de lá com um lençol azul claro que usou para tapar o corpo. Fez uma reza interior, só para si e para Ele, e persignou-se.

– Descansa em paz, Bertram. – Virou-se para Arturo. – O Comte não mandou para aqui ninguém.

– Ele disse que tratava disso.

– Não está cá mais ninguém – protestou Rafael, apontando para o lençol que tapava o corpo de Bertram. – Cabrão.

Sarah apercebeu-se do transtorno que Rafael tentava disfarçar. Provavelmente era um amigo, mais um a deixá-lo sozinho no mundo, cada vez mais sozinho. Os padres deram uma vista de olhos ao apartamento. Era espaçoso, sobriamente decorado, confortável. Devia ser um local acolhedor para se viver, antes disto.

– Olha ali, Rafael – apontou Arturo para um espelho.

Nele estava colado um *post-it* amarelo. Rafael arrancou-o e leu-o.

Os dois jornalistas ficaram parados a olhar para ele, à espera que desvendasse o mistério do papel amarelo e acabasse com a curiosidade deles, mas o padre limitou-se a mostrá-lo a Arturo e depois guardou-o no bolso do casaco.

– O que fazemos com eles? – perguntou Arturo, referindo-se a Sarah e John.

O jornalista americano ficou com a boca seca de repente e agarrou no revólver Amtec de cinco balas, sem o tirar do bolso. Não era nenhum pistoleiro. Nunca tinha disparado um tiro na vida. Na verdade, abominava aqueles objectos. Esperava não dar um tiro em si próprio. Com a outra mão agarrava o dossiê contra o peito como um escudo protector.

– Eu trato deles – disse Rafael peremptoriamente.

No acaso das coincidências que Deus controla a seu bel-prazer, alimentando o drama, os telemóveis de Rafael e Arturo tocaram ao mesmo tempo, anunciando a recepção de uma mensagem. Ambos leram o texto espelhado nos aparelhos respectivos e entreolharam-se. Rafael imaginava que tipo de mensagem Arturo recebera. Os dois homens mediram-se em silêncio durante alguns momentos. As circunstâncias haviam mudado.

– Eu trato deles, Arturo – reiterou Rafael.

– Então trata – disse o outro, com um olhar desafiador, à espera.

Rafael estava numa situação difícil. Recebera uma ordem que não tencionava cumprir e tinha a seu lado uma sentinela que, como missão, tinha de se certificar que o serviço era cumprido e, pior, bem cumprido. O padre sentia que devia uma justificação a Arturo, devido aos seus fiéis serviços dos últimos meses. Só por isso. Arturo não conhecia a história toda, nada daquilo lhe dizia respeito. Guillermo jogara mal e colocara-o numa posição de ter de matar um colega que estimava. Se mais alguém tivesse de morrer naquele apartamento, seria Arturo e não ele.

– É nesta altura que me sinto obrigado a dizer-te que um homem inteligente virava as costas e ia embora.

A tensão acumulava-se. Os jornalistas observavam mudos e quedos, sem saberem o que pensar, muito menos o que fazer. Estavam ali dois homens a decidir o destino deles como se fossem simples objectos inanimados, sem direito a opinião.

– E o que digo ao Tomasini? – perguntou Arturo. – Que virei as costas?

– Que eu te disse que trato deles.

Aquilo era um teste. A resposta àquela pergunta confirmaria a Rafael as suas suspeitas. Não queria fazer mal a Arturo, Deus era sua testemunha.

– E porque não o fazes já? – insistiu Arturo, visivelmente nervoso e inseguro.

Aquela fora a confirmação que Rafael necessitava.

– Mata-os aqui e agora – sentenciou Arturo.

27

Matteo Bonfiglioli abriu um olho e depois o outro, estremunhado. Parecia ter ouvido uma porta a fechar-se mas devia ter sonhado. Habituou-se à luz frouxa e mirou o tecto de madeira que fazia lembrar o convés de um barco virado ao contrário. Estava deitado numa cama de solteiro que não era a sua, num quarto que, seguramente, não era o seu. Cobria-o um cobertor castanho de lã grossa. Estava transpirado e o coração palpitava nervoso dentro do peito.

Levantou-se e pisou o soalho frio de madeira. A cabeça doía-lhe e sentiu uma tontura que lhe provocou náuseas. Sentou-se na beira da cama. Lembrou-se do homem que lhe apareceu no quarto, na casa de Verona, e depois o vazio, o escuro. Não se recordava de mais nada. Sentiu um calafrio. A imagem da arma que o homem lhe apontou não lhe saía da cabeça. Deitou-se novamente e fechou os olhos. Precisava de se acalmar. Quantas horas dormira? Onde estaria? As perguntas bombardeavam-lhe a cabeça como o coração que lhe latejava nas têmporas. Deixou-se ficar assim durante alguns minutos e depois voltou a abrir os olhos e a levantar-se lentamente. Sentia uma moedeira na cabeça, um zumbido nos ouvidos e uma dor no pescoço. Procurou os sapatos mas não os encontrou. Caminhou devagar pelo quarto, os passos faziam ranger as tábuas do soalho.

Um candeeiro em cima de uma cómoda, ao lado de uma porta fechada, era a única fonte de luz da divisão. A janela estava fechada. Não sabia se era dia ou noite. Para além da cómoda, havia uma grande cruz de Cristo por cima da cabeceira da cama e pouco mais. Uma secretária com alguns livros com encadernação de capa dura antiga em cima, e uma cadeira, e era tudo. Nem molduras com retratos, nem quadros, nem quaisquer outros objectos decorativos. Uma divisão despida dos bens materiais mais usuais, sem vida.

Ao fim de uns minutos, Matteo começou a sentir-se melhor. A dor de cabeça passara, restava apenas a dor do pescoço, talvez devido ao excesso de horas na cama. Tentou encontrar um relógio mas não havia nenhum no quarto. Não havia sinal dos seus sapatos.

Dirigiu-se à porta fechada e rodou a maçaneta que, não tinha dúvidas, lhe diria que estava trancado no quarto. Enganara-se. Estava aberta. Olhou para o espaço desconhecido fora do quarto. O coração voltou a acelerar. Era um corredor estreito e escuro. Conseguiu enxergar um rasto de luz, uns metros à frente. Caminhou devagar, descalço, os pés já habituados ao soalho frio, a tentar não fazer qualquer ruído. Escutou o som de louça e água a correr, e um tiquetaque, tiquetaque, tiquetaque. Talvez pratos ou chávenas. Chegou a uma sala. Estava vazia, pelo menos na parte que conseguia entrever. Em frente, havia uma porta encostada de onde partiam os sons da água a correr e da louça. Devia ser a cozinha. Sentiu passos ligeiros do outro lado da porta e viu uma sombra movimentar-se.

Entrou na sala e viu um relógio de pé, antigo, com um pêndulo prateado que marcava as quatro e meia. Tiquetaque, tiquetaque, tiquetaque. Faltava saber se era de tarde ou de noite. Deu por si a caminhar em direcção à porta encostada. Alguém devia estar a fazer alguma coisa do outro lado.

– Boa noite – ouviu uma voz masculina e rouca dizer atrás de si.

A saudação fê-lo dar um pulo para trás. Era um homem de idade que estava sentado numa poltrona e o fitava atentamente. Ao seu lado, apoiada ao braço da poltrona, repousava uma bengala. A porta que estava encostada abriu-se de repente para deixar sair uma jovem mulher que carregava uma bandeja com uma chávena de chá fumegante. Passou por Matteo, que estava completamente desorientado e sem reacção, e pousou-a numa mesa de centro em frente à poltrona do idoso. Pegou na chávena e na colher e abriu a tampa do açucareiro.

– Três – disse o homem com um sorriso maroto. – Sou um guloso.

Matteo viu a jovem colocar três colheres de açúcar e entregar o pires e a chávena ao idoso.

– Obrigado, minha querida Mia. Seria um anjo do céu, se eu acreditasse nisso – agradeceu o idoso, desviando o olhar corrosivo para Matteo. – Sente-se, por favor.

Matteo continuava sem reacção, atónito. Nunca tinha visto aquelas pessoas que agiam como se o conhecessem. Sentia-se uma carta fora do baralho. Tinha tantas perguntas para fazer e nenhuma lhe assomava à boca. Mia colocou uma cadeira ao lado da poltrona e Matteo deu por si a seguir a indicação e a sentar-se ao lado do velho que sorvia lentamente o chá quente.

– Onde… onde é que estamos? – acabou por perguntar, ainda que tal lhe tivesse soado como uma pergunta idiota. Havia outra bem mais importante, pelo menos. *O que se está a passar?*

– Não importa – respondeu o homem de idade sem acrescentar mais nada.

– O que pretende de mim? – acabou por ganhar coragem para perguntar. Afinal, tratava-se de um idoso e de uma rapariga; seguramente dava conta dos dois.

– Nada.

– Então porque me trouxeram para aqui?

O homem de idade não respondeu e continuou atido ao seu chá.

– Os meus sapatos? – perguntou, já sem paciência, colocando uma nota de irritação na voz e no rosto.

– Perderam-se pelo caminho.

Matteo levantou-se de rompante e agarrou nas golas da camisa do idoso de tal forma que a chávena e o pires caíram ao chão e se quebraram, derramando o líquido quente sobre os pés descalços sem que ele se desse conta disso. No momento em que o ia levantar pelos colarinhos sentiu algo colar-se à nuca e um estalido.

– Comporte-se – ordenou-lhe uma voz masculina vigorosa. – Sente-se imediatamente. Não vou repetir.

A jovem mulher levou as suas mãos às de Matteo, com uma serenidade contagiante e afastou-as do idoso que o fitava impávido e sem qualquer apontamento de medo. Fez-lhe uma carícia na face e tornou a sentá-lo na cadeira ao lado do velho. Parecia hipnotizado. Matteo olhou para o homem que guardava a arma no interior do casaco. Não era o mesmo que tinha entrado no seu quarto, em Verona, mas tinha o mesmo vigor físico. Vestia um fato de fino corte Armani, e viu que mancava de uma perna quando ele se dirigiu à cozinha, a resmungar entre dentes.

– Mia, importas-te de me trazer outro? – pediu o idoso enquanto se sentava novamente, como se se tivesse tratado de um infortúnio acidental.

– Com certeza, senhor.

Matteo voltou a focar o olhar no frágil homem de idade que tinha ao seu lado.

– Quem é o senhor? O que é que eu estou aqui a fazer? Onde é que eu estou? – perguntou Matteo, desnorteado, com as mãos na cabeça. Queria tanto que aquilo não passasse de um sonho mau.

– Calma, Matteo. O mundo é feito de vilões e heróis. Eu não sou uma coisa nem outra. Divirto-me em ambos os lados conforme me dá jeito. Desta vez, e ao contrário do que possas pensar, estamos aqui para defender os heróis dos vilões que lhes querem fazer mal. – Depois o idoso fez um sorriso cáustico. – E podes tratar-me por JC.

28

– Que conversa é essa? – interveio Sarah, a medo. *Matar-nos aos dois? Estão doidos?*

Rafael e Arturo continuavam a medir-se, como num duelo do velho Oeste, à espera de saberem quem era mais rápido a disparar. A bola estava do lado de Rafael e não lhe restava muito tempo para reagir. Os jornalistas estavam incrédulos. Sarah não conseguia crer que Rafael lhes fizesse mal. Seria o desfecho mais triste de sempre. Cuidar dela durante tantos meses para, no dia da esperança, terminar tudo assim? Seria uma tragédia grega de fraca qualidade.

Os dois padres. Rafael e Arturo. Tudo dependia deles agora.

– Pa... pa... parem – ouviu-se a voz trémula de John dizer, com o revólver Amtec de cinco balas apontado aos padres.

Não queria morrer naquela noite, naquele dia. A imagem da doutora Pratt M.D. veio-lhe à cabeça. As pernas cruzadas com meias acetinadas, o sorriso plácido.

Sarah ficou boquiaberta com a atitude do colega.

– O que estás a fazer, John? Guarda isso.

O que se passou depois aconteceu muito rapidamente. Arturo recuou um passo, atento ao revólver de John, e Rafael investiu na direcção do colega. Um pontapé forte nas partes baixas, primeiro, e um potente soco na cabeça, depois. Arturo caiu no chão de mármore, inconsciente. Em seguida, Rafael tirou-lhe a arma. Guardou o carregador no bolso do casaco e desmontou-a em segundos, deixando as peças espalharem-se no chão, e guardou a culatra e o cano para que ele não a pudesse voltar a montar.

John assistiu àquilo tudo atónito, sem se mexer, e continuou estático quando Rafael se acercou dele com uma expressão ameaçadora e imponente. Sem tirar a arma da mão do jornalista, abriu o tambor e fez as balas caírem no chão sem nunca tirar os olhos de John.

– Na próxima vez que apontar uma arma a alguém – disse com uma voz fria – certifique-se que tem coragem para disparar.

Debruçou-se sobre Arturo e tirou-lhe a chave do carro.

– Desculpa – balbuciou. – Não me deste outra alternativa.

Abriu a porta do apartamento e saiu.

– Vamos – disse para o jornalista.

Sarah olhou para John a sorrir.

– Não ouviste? Vamos.

Sarah seguiu-o. Desconhecia grande parte do que se estava a passar, mas de uma coisa estava segura, ele não cumprira uma ordem directa. John também saiu a correr, receoso que o padre que estava caído no chão, inconsciente, acordasse de repente e ainda quisesse cumprir o que lhe tinham ordenado. Pelo sim, pelo não, fechou a porta do apartamento. Sarah e o padre já iam um pouco mais abaixo nas escadas.

– Vais contar-me? – perguntou a jornalista.

– É uma longa história.

– Porque é que eles querem matar o John?

– Porque sabe de mais.

– E agora?

Saíram para a rua e percorreram os poucos metros que os distanciavam do carro. John apanhou-os. Rafael sentou-se ao volante e Sarah no outro lugar da frente. John enfiou-se no banco de trás, resignado.

– Quem era aquele homem que mataram? – perguntou Sarah enquanto o carro arrancava.

– Um relator – acabou por dizer Rafael, com os olhos postos na estrada vazia.

– Um relator? Vais obrigar-me a perguntar o que raio é um relator?

– É um historiador, um hagiógrafo, que investiga detalhadamente a vida dos candidatos a santos. Através do relatório deles é que o processo de canonização avança ou não.

– E que mal é que um relator pode fazer?

– Depende da perspectiva e do candidato.

Sarah não percebeu o que queria Rafael dizer com aquilo, e, embora lhe parecesse que ele tinha outros assuntos em mente, teria de insistir.

O padre pegou no telemóvel e fez uma chamada. O interlocutor atendeu ao fim de alguns instantes.

– Boa noite, Jacopo. – Fez uma pausa para ouvir o resmungo sonolento do historiador. – Chegou a hora. – Nova pausa para dar tempo à reacção do interlocutor. – Sim. Agora.

Sarah ficou alarmada ao ouvir as palavras que Rafael disse a Jacopo Sebastiani. Ela tivera ocasião de o conhecer meses antes.

– O que é que esse relator fez de mal, Rafael? – insistiu Sarah, preocupada, quando Rafael desligou a chamada.

Rafael não respondeu logo. Estava longe, a matutar, à procura de caminhos alternativos. Acabou por tirar o *post-it* amarelo do bolso e dá-lo a Sarah. A jornalista acendeu a luz interior do lado dela e leu-o. Ficou perplexa.

– O que é que… – Sarah olhou para o relógio. – Temos menos de sete horas.

– Eu sei.

Rafael fez inversão de marcha e acelerou pela rua abaixo o mais que pôde.

– Lá vamos nós outra vez – anunciou Sarah, segurando-se ao banco. – Não podemos ter um momento de paz?

O carro deixou para trás o corpo de Bertram a arrefecer no quarto andar do prédio da Via Tuscolana. Alguém trataria do corpo. Havia outros assuntos prementes para tratar e o relógio, inclemente, não parava.

– Para onde vamos? – perguntou Sarah a um Rafael concentrado na condução.

– Procurar respostas.

Sarah voltou a olhar para o papel e releu-o.

A filha da freira pode ter um pai beato. Anna P. e Rafael S. no Obelisco do Vaticano, às 8 horas, sozinhos ou o rapaz morre.

2.ª PARTE

VIRGO POTENS

Ainda vai necessitar muito de mim. Deus
tratará de mostrar-lhe isso, Excelência.
Frase da imã Pasqualina numa carta ao
monsenhor Eugenio Pacelli, da nunciatura
de Berlim, em Dezembro de 1929, quando
este se recusou a levá-la para Roma.

Levante-se e mostre o seu arrependimento à madre Pasqualina.
Ordem de Pio XII ao cardeal Tisserant,
no Palácio Apostólico, em 1955.

Castelo Gandolfo
6 de Outubro de 1958

*Tudo é como tem de ser, segundo a vontade de Deus Pai Todo-Poderoso,
Criador de todas as coisas visíveis e invisíveis, omnipresente, omnipotente,
escrevinhador de vidas certas por linhas tortas, amo de todos os destinos...
ámen.*

*Quis o Senhor do Universo chamar à Sua companhia eterna a alma do
Seu servo Eugenio, ao fim de oitenta e dois anos de vida, quase todos dedi-
cados a Ele na sua plenitude.*

*O chamamento ocorreu às três horas e cinquenta e dois minutos da ma-
drugada do dia 9 do décimo mês de 1958, na* villa *papal de Castelo Gandolfo, onde o Vigário de Cristo estava a passar férias desde 24 de Julho. Na
realidade, férias era um termo desacertado em toda a latitude para alguém
que trabalhava dezoito horas por dia, mesmo doente.*

*O seu último acto consciente, antes de entrar num estado comatoso irre-
versível, no final da tarde do dia 6 do mesmo mês, foi dar um beijo fraterno
na testa da madre Pasqualina – amiga, confidente, mãe, protectora, sem a
qual Eugénio não podia nem conseguia viver, provavam-no os mais de quarenta anos que passaram juntos – depois de esta o ter admoestado por ele
querer ir alimentar a Gretel, o seu bem-querido pintassilgo.*

*– Eu vou alimentá-la, Santidade – comunicou a madre, com autoridade.
– Os médicos ordenaram-lhe repouso absoluto. Ainda ontem caiu na cama
esgotado de cansaço. O corpo castiga aqueles que não têm juízo.*

Em Roma, Eugénio ordenara que a gaiola de Gretel se mantivesse aberta para ela poder voar livremente. Por vezes, de manhã, Pasqualina encontrava o Papa a fazer a barba e a falar para o pássaro canoro que, habitualmente, pousava no seu ombro. Quem imaginaria que o Papa se comportava como um petiz brincalhão?

Muitas línguas aleivosas pronunciaram-se sobre a relação deles – Eugenio e Pasqualina – sem entenderem, nem se esforçarem por fazê-lo, o que unia o pontífice à freira. Um descaramento, disseram uns nos corredores do Palácio Apostólico. Inadmissível, criticaram outros sem nunca darem a cara, ocultos pelos ciciamentos cobardes lançados ao ar. No fundo, tinham medo do poder que o amor puro de um homem dera a uma mulher num mundo misógino.

Depois do beijo, ela viu-o entrar no gabinete, trajado na sua imaculada sotaina branca que combinava, assustadoramente, com o descoramento do rosto.

– Há muito trabalho para fazer, madre – disse ele cheio de genica, fechando-se solitariamente no gabinete.

Pasqualina sabia que ele estava a mentir-lhe. Há dois dias ele estivera tão mal que lhe haviam dado a extrema-unção. Miserere mei, Deus, secundum magnam misericordiam tuam, era o que Santo Padre dizia a toda a hora. O fim estava próximo, cada vez mais próximo, e ele queria enganá-la da mesma maneira que enganava a morte há quatro anos, fazendo um esforço por parecer que estava de perfeita saúde. Não queria que ela sofresse, mas Pasqualina andava com o coração nas mãos desde que ele tivera o primeiro ataque, ali mesmo, naquela sala onde lhe beijara a testa e para onde fugiam dos incessantes problemas de Roma que, embora tão perto, parecia tão distante. Era um bálsamo para os dois, ainda que Eugenio não abrandasse o ritmo. O excesso de trabalho haveria de matá-lo. Foi por insistência dela que permaneceram na villa mais tempo do que o previsto. Eugenio não estava em condições de enfrentar as intrigas do palácio, os desmandos, as celeumas, as ininterruptas solicitações. Actores, políticos, diplomatas, todos queriam beijar o annulus piscatoris e tocar, nem que fosse ao de leve, a mão do santo homem que geria os destinos da Igreja há quase vinte anos. E depois, as birras insuportáveis das Eminências, das Excelências, das Reverências que se alimentavam da sua mente e do seu corpo como abutres esfaimados a rondarem o moribundo. Apenas o espírito se mantinha imune à ralação, esse pertencia-Lhe.

Pasqualina ouviu o matracar persistente da máquina de escrever durante alguns minutos, depois tudo cessou inesperadamente. Aflita, a madre entrou no gabinete de Eugenio e encontrou-o caído no chão, inanimado. O branco impoluto sobre o tapete carmesim. A idosa madre conseguiu reunir forças para içar o corpo sumido do Santo Padre até ao sofá encostado a uma das paredes.

– Santidade – chamou aflita. – Meu... meu amor – ouviu-se a si mesma dizer.

As lágrimas escorriam-lhe pelo rosto abaixo enquanto repetia o chamamento dando palmadinhas no rosto pálido do Papa, apelando ao Senhor que adiasse esta última viagem.

– Santidade, por favor, não me deixe – suplicou desesperada, batendo com mais força no rosto dele. – Que será de mim, Eugenio? Que será de nós?

Eugenio já estava na anteporta do céu, preparado para encontrar o Criador de todas as coisas e ser julgado pelos pecados e pelas virtuosidades. A suprema das justiças a quem ninguém é poupado, nem mesmo o Servo dos Servos de Deus.

Pasqualina sentiu-lhe a pulsação, um murmurejo distante, abafado, débil; a vida esvaía-se rapidamente do corpo do Santo Padre.

– Oh! Meu Deus! – evocou Pasqualina. – Na Tua infinita sabedoria, ilumina-me. – Os olhos estavam marejados de lágrimas de dor. Agarrou as mãos de Eugenio e levou-as ao peito. – Quis tanto contar-te... mas...

Eugenio não esboçava qualquer reacção. Pasqualina levantou-se e dirigiu-se ao telefone que estava em cima da imponente secretária onde o Santo Padre trabalhava. No meio dos papéis, encontrou-o. Discou o número do médico, um pateta, no seu entender, que não passava de um simples oftalmologista mas em quem Eugenio depositava uma confiança cega na resolução de todas as enfermidades. O seu nome estava no topo dos dezoito profissionais de saúde de prevenção para acudir ao Papa onde ele estivesse. Seria uma falsidade da sua parte passar ao segundo, sabendo que o doutor Galeazzi-Lisi estava, seguramente, disponível.

A chamada completou-se rapidamente. O médico estaria na villa dentro de quinze minutos e levaria consigo dois especialistas, os doutores Gasbarrini e Mingazzini, para melhor auscultarem o pontífice. Pasqualina sabia que o que o doutor dos olhos queria era não ser acusado de ineptidão agora que o fim estava próximo.

Precisava de chamar Robert e Augustin e o Francis e a marquesa e os príncipes, as pessoas mais chegadas. Não tardaria, a villa estaria repleta de almas maledicentes, vulturinas, prontas para rapinar os despojos. Tisserant, o diácono do Colégio, seria o primeiro, sem dúvida. Antes de o fazer, acercou--se de Eugenio. Estava tudo a acabar-se. Conseguia sentir a alma dele a deixar o corpo. Nada voltaria a ser igual. Tinha a certeza disso. Juntou os seus lábios aos dele por uns instantes, como naquela longínqua noite em Berlim. Estavam gélidos. Admirou aquele rosto nobre e sacrossanto enquanto lhe tocava delicadamente nos lábios.

– Vai, meu amor. Que Deus te aconchegue nos Seus braços – disse em voz baixa. – Nós as duas vamos ficar bem.

*

Roma
14 de Outubro de 1958

Cinco dias depois, o corpo de Eugenio Maria Giuseppe Giovanni Pacelli, o décimo segundo Papa a usar o nome Pio, foi a sepultar na cripta da Basílica de São Pedro, enterrando para a posteridade um pontificado que havia começado no dia do seu sexagésimo terceiro aniversário, a 2 de Março de 1939.

Nunca um último suspiro mudara tanta coisa em tão pouco tempo. Pio cultivara mais inimigos do que amigos ao longo dos anos. Afastara-se da hierarquia romana, despira de todo o poder o Colégio dos Cardeais. Rodeou-se de boches e de estrelas de Hollywood, acusavam os cardeais do Sacro Colégio enciumados pela perda de protagonismo junto do Papa. Porém, o poder daqueles em quem Pio confiava terminou com o seu sepultamento.

Ainda o corpo não esfriara e já os cardeais se atropelavam uns aos outros à procura daquele que sucederia a Pio como Bispo de Roma, Sumo Pontífice da Igreja Universal, Servo dos Servos de Deus.

Eugène Tisserant, deão do Sacro Colégio dos Cardeais, um francês com uma barba farta que descia rebelde pelo queixo, tomara as rédeas da situação mal entrara na villa papal, em Castelo Gandolfo, na noite do dia 6. Fizera-se acompanhar do seu séquito mais fiel e, como íntegro cumpridor do

164

protocolo, iniciou os rituais mal a morte foi confirmada pelos médicos, na madrugada do dia 9, no quarto descorado onde jazia o corpo do Sumo Pontífice.

Chamou o nome Eugénio três vezes. Não houve qualquer resposta.

– O Papa está morto – proclamou o francês com a sua voz troante.

Mandou que os sinos de San Sebastiano tocassem a finados. Ao longo da noite, os badalos dos sinos de todas as igrejas de Roma juntar-se-iam ao carpido de San Sebastiano no triste anúncio da morte do Papa. Depois, Tisserant retirou o annulus piscatoris *do dedo do Santo Padre e entoou o De Profundis.*

Mandou notificar os cardeais da má nova e, completamente transpirado pelo imenso calor que fazia nessa noite, ajoelhou-se aos pés da cama, junto de mais alguns prelados, dos três príncipes, sobrinhos do Papa, e das irmãs da Santa Cruz, onde se incluía Pasqualina, e rezou um rosário pela alma do Santo Padre.

– Vinde, Espírito Santo, enchei os corações dos vossos fiéis, e acendei neles o fogo do vosso amor. Enviai o Vosso Espírito, e tudo será criado, renovareis a face da terra – suplicou Tisserant.

Durante a hora que se seguiu, o francês comandou com fervor os mistérios do Rosário, sendo a sua voz a que mais ressaltava do coro que rezava.

– A marquesa? – perguntou Tisserant, com maus modos, à madre Pasqualina quando terminaram.

– Passou mal quando viu o irmão. Está num dos aposentos a repousar – respondeu a madre, cabisbaixa.

Tisserant debateu os procedimentos do embalsamento com o doutor Galeazzi-Lisi, que havia acordado, explicitamente, com o Papa, um novo procedimento, inovador, que não só conservava o corpo como também todos os órgãos internos.

– Sua Santidade queria manter-se como Deus o trouxe ao mundo – reiterou o médico. – Com este procedimento durará séculos.

– Não é verdade – intrometeu-se Pasqualina. – Nunca Sua Santidade tomou qualquer resolução a favor desse novo processo.

– Cale-se, mulher – ordenou Tisserant, aproximando a sua boca do ouvido dela. – Lembra-se quando lhe disse que os seus dias estavam contados?

Tisserant aprovou o inovador método de embalsamento que seria executado assim que fossem cumpridos os prazos de espera legais.

– Este calor não é nada bom – reclamou o médico.

Tisserant mandou fechar as janelas e ordenou às irmãs alemãs, que juntamente com Pasqualina cuidavam do Papa, que mantivessem o aposento o mais arejado possível.

Em seguida, já com os primeiros raios do sol matutino a iluminarem a villa, o cardeal francês instruiu o Colégio para que se elegesse um camerlengo, o chefe de estado interino da Igreja Católica Apostólica Romana em período de sede vacante, pois o Papa não o fizera desde que o cardeal Lorenzo Lauri falecera nos idos de 1941. Pio certificara-se de que seria o último Pontifex Maximus absoluto, imperial. Já quando o Secretário de Estado Luigi Maglione se finara, em 1944, o Papa encarregara-se pessoalmente da Secretaria de Estado, nomeando dois pró-secretários, os monsenhores Domenico Tardini e Giovanni Montini. Este último fora depois degredado para o arcebispado de Milão em 1953. Nunca tal se havia visto antes.

– Foi ideia daquela mulher – rugiu Tisserant numa reunião do inepto Colégio. – Ela ainda vai ser a nossa perdição. Escutem o que vos digo.

E como se não bastasse, Pio terminou com a hegemonia italiana no Colégio. Pela primeira vez na história da Igreja, havia mais cardeais estrangeiros que italianos. Os consistórios de 1946 e de 1953 criaram tantos desequilíbrios na composição do Colégio que o próximo conclave podia pela primeira vez não eleger um pontífice italiano, como era tradição. Tisserant não se opôs muito a isso, pois era francês e, não fossem os inimigos que a sua personalidade frontal cultivara ao longo dos anos, poderia muito bem ser o próximo Pontifex Maximus devido a essa alteração.

O cortejo fúnebre saiu de Castelo Gandolfo no dia 10 em direcção à Basílica de São Pedro onde o ataúde repousaria. Milhares de pessoas aguardavam ao longo da Via Ápia e por toda a cidade para verem passar aquele que os guiou em períodos tão conturbados.

Pasqualina, pela primeira vez em quarenta anos, vira-se privada de motorista. O Cadillac preto já não estava ao seu dispor.

– Lamento, madre – excusou-se Angelo Rotta, o motorista, cabisbaixo. – As minhas ordens são para levar os cardeais Tisserant e Roncalli.

– Não te preocupes, meu filho – tranquilizou-o Pasqualina, levando uma mão terna ao ombro dele.

Estava habituada a que Rotta a levasse para todo o lado. Era motorista dela e de Pio havia mais de vinte anos. Na viagem para Castelo Gandolfo, em Julho, Pio e ela pediram a Rotta que acelerasse o mais possível. O motorista sabia que o Papa era amante da velocidade e gostava que ele fizesse aquele percurso em menos de dezoito minutos. Quando não conseguia, o Papa e a madre exibiam uma expressão de decepção no rosto. Mal sabia Rotta que era uma forma de eles se divertirem. Na verdade, não estavam, minimamente, arreliados.

– Não te preocupes, Angelo – repetiu Pasqualina. – Procurarei quem me possa levar.

E encontrou. Uma boleia de um grupo de jardineiros ruidosos da villa trouxe-a até à entrada da cidade. O resto do caminho fê-lo a pé. Chegou à atulhada Praça de São Pedro ao início da noite, suada, estafada. Andar mais de três quilómetros a pé era um esforço considerável para uma mulher de 64 anos. Mas de outra forma nunca conseguiria lá chegar. Roma estava a rebentar pelas costuras.

Ela sabia que Tisserant não lhe arranjara nenhum lugar especial nas exéquias fúnebres. Só a família chegada, os cardeais e os dignitários estrangeiros teriam acesso privilegiado. Havia apenas um canto, bem atrás, longe da vista, reservado aos serviçais, na cerimónia fúnebre marcada para o dia 14. Seria melhor que nada. Pela praça seria muito difícil chegar ao palácio. Decidiu entrar pela Porta de Sant'Anna, ali bem perto. Passou pelo guarda, que lhe fez continência, e seguiu em direcção aos seus aposentos nos apartamentos papais.

Alguns minutos depois, Pasqualina percorria um dos longos corredores do rés-do-chão a caminho do elevador.

– Pasqualina. – Ouviu chamar.

Virou-se para trás. Era Spellman.

– Francis – saudou a madre.

O anafado cardeal americano, cinco anos mais velho que Pasqualina, deu-lhe um abraço forte e um beijo na face que aliviou o ar austero que ela envergava. Os olhos marejaram-se-lhe. Conheciam-se há décadas, desde umas férias memoráveis que os três passaram nos Alpes suíços em 1931.

– Oh! Meu bom amigo – disse, comovida.

– Não devia andar por aqui – advertiu o americano com uma voz suave. – O Colégio proibiu a sua entrada no palácio.

– O Colégio ou Tisserant?

– Tanto faz. Venha comigo – pediu-lhe o americano.

– Onde vamos?

– Para os meus aposentos. Lá ninguém nos vai incomodar.

Pasqualina parou e fitou o cardeal americano que também ficou a olhar para ela.

– Eu gostava de ver o Santo Padre, Francis – rogou, com as lágrimas a desprenderem-se dos olhos. – Pode levar-me até ele?

Spellman suspirou, resignado.

– O meu poder também acabou com a morte do nosso querido amigo, Pasqualina – explicou, desapontado. – Quem dita as regras agora é o Tisserant e o Masella, que foi eleito camerlengo ontem. Lamento, mas só poderá vê-lo no dia 14. – Abraçou-a. – Venha. Vamos à capela rezar pela alma dele.

Pasqualina estava muito abalada. Sabia que Tisserant se havia de vingar mas nunca pensou que nem sequer respeitasse um intervalo mínimo de luto. Queria ficar com o seu Santo Padre até ao último instante. Por ela, só alguns familiares é que teriam direito a prestar-lhe a última homenagem. Aliás, apenas a irmã, Elizabetta. Protegê-lo-ia do mundo na morte como o fizera a vida toda. Seria um momento íntimo. Mas não a deixaram.

Entraram na capela de Nicolau V, no segundo andar, pois à do Papa, nos apartamentos papais, que utilizavam sempre, já não podiam aceder. Sentia-se cansada física e psicologicamente. Os últimos meses haviam sido muito difíceis. Dormira pouco, pois queria estar sempre disponível para Pio caso ele necessitasse de alguma coisa durante a noite. Usava uma cadeira de baloiço onde aproveitava para tricotar meias e camisolas e dormitar, mas sempre disponível caso Eugenio necessitasse dela. Estava exausta. Soube-lhe bem sentar-se nos bancos da capela rodeada pelos frescos de Fra Angelico.

– Gostava de poder estar com ele – admitiu.

– Não é um cenário digno de um pontífice, Pasqualina.

– Porquê, Francis? – perguntou alvoroçada.

Spellman precipitara-se. Não queria que Pasqualina ficasse com aquela imagem. Falara de mais.

– Alguma coisa correu mal com o embalsamento. – Teve de contar, ela não o largaria enquanto não o fizesse. – O médico diz que foi do calor intenso mas, se quer saber a minha opinião, parece-me que foi um trabalho mal feito.

A imagem do corpo do homem que tanto amava a corromper-se fez Pasqualina desmanchar-se em lágrimas. Spellman tentou confortá-la.

– Já resolveram a situação – mentiu-lhe.

Decidiu omitir que até alguns guardas suíços de vigília ao catafalco se sentiram mal, e que tiveram de suspender o acesso dos fiéis à basílica por duas vezes para mitigarem a situação. Ela não aguentaria.

Permaneceram em silêncio durante alguns momentos. Um coro de orações desirmanadas erguia-se da praça e entrava pelo palácio adentro. Pasqualina sufocava num pranto descontrolado. Spellman também estava visivelmente perturbado. Não tinha mais para oferecer a não ser estender as suas mãos e juntá-las às dela. Por muito que se queira, ninguém pode sentir as dores dos outros.

– O que vai ser de nós? – lamentou-se Pasqualina.

Levantou-se de rompante e largou as mãos do cardeal.

– Preciso de ver a minha menina.

Spellman levantou-se também.

– Não, Pasqualina. Isso está fora de questão.

– O que vai ser dela sem mim? – questionou, desnorteada, afundando o rosto nas mãos.

– Vai correr tão bem como até agora. Têm tratado muito bem dela, Pasqualina. Eu vou assegurar-me que assim continuará a ser, esteja onde estiver – afiançou o prelado.

Pasqualina serenou. Ele tinha razão. Ela estava desorientada. Os acontecimentos precipitaram-se de tal forma que ela capitulava sob eles.

– Aconteça o que acontecer? – perguntou já mais recomposta.

– Aconteça o que acontecer.

Os dias seguintes custaram a passar. Pasqualina tentou descansar mas os minutos passavam lentos como se cada segundo se recusasse a avançar de livre vontade e tivesse de ser empurrado à força. O calor continuava a agredir impiedoso os hábitos dos servidores de Deus e corrompia mais rapidamente o corpo do Santo Padre.

O dia 14 chegou por fim e à madre Pasqualina, governanta de Pio XII, ficou reservado um lugar atrás de todos os serviçais, ocultos por uma das colunas grandes que suportavam a cúpula. Podia ouvir mais do que ver mas ela não se importou. Conseguiu vê-lo quando entrou, magnânimo, plácido. O seu Eugenio, alvo de todas as honras, amado pelos fiéis, como merecia. Aguentou-se sem chorar até o corpo ter sido colocado no triplo ataúde e levado para a cripta. Acabou. Eugenio tornara-se história.

Limpou as lágrimas e dirigiu-se para o exterior da basílica seguindo a multidão.

Um braço apoiou-se no seu ombro.

– Madre, por favor. – Ouviu atrás de si.

Era um jovem guarda que lhe entregou um bilhete e, sem proferir mais nenhuma palavra, lhe virou as costas. Em breve haveria de jurar fidelidade a outro Papa.

Afastou-se, a custo, da turba de Eminências, Excelências, Reverências e outros convidados que a empurravam para a saída, e encostou-se a uma das colunas da entrada, junto à Pietà *de Miguel Ângelo. Abriu o pequeno bilhete que trazia as armas do Colégio dos Cardeais na parte superior. Estava escrito à mão e em letra cursiva.*

Madre Pasqualina,

Serve esta nota para informá-la que terá de recolher os seus pertences até ao final do dia.

Está disponível uma gratificação de 170 000 liras, no Tesouro da Cúria, que deve ser levantada à saída.

A assinatura era a parte mais legível do bilhete. Lia-se Eugène Cardinal Tisserant. O cardeal francês queria que ela soubesse exactamente quem era o autor do texto.

Os nervos assomaram-lhe aos olhos mas controlou-se. Ali não. Não lhes daria esse prazer. Era hora de enfrentar os problemas e Pasqualina nunca foi mulher de procrastinar, não começaria agora.

Dirigiu-se ao Palácio Apostólico. Tantas vezes percorreu aqueles corredores como se fossem seus. Não conheceu todas as mais de oito mil divisões do Palácio, nem utilizou as mais de trezentas escadarias, embora tivesse subido e descido, vezes sem conta, por muitas delas, ao longo dos quase trinta anos que ali habitara.

Sabia muito bem onde queria ir. Entrou no gabinete do cardeal francês. Um assistente estava à porta.

– Boa tarde. Pode anunciar-me ao cardeal Tisserant?

O assistente, que revia um texto, nem se dignou levantar o olhar.

– Pode entrar. Sua Eminência está à sua espera.

A freira fechou os olhos, respirou fundo para se acalmar e entrou no faustoso gabinete. A secretária era maior que a de Pio, havia um cheiro a charuto no ar. Tisserant estava recostado num cadeirão que fazia lembrar um trono, tinha os pés em cima da mesa.

– Madre Pasqualina. Que bom vê-la – cumprimentou, com um sorriso aberto.

Ela sabia que a hipocrisia não era um dos defeitos do francês. Estava apenas a zombar dela.

– Eminência, recebi a nota do Colégio para que eu libere os meus aposentos ainda hoje – disse, controlando-se para se manter cordial. – Será que o Colégio podia dar-me mais algum tempo para me organizar e tomar algumas providências?

O cardeal tirou os pés de cima da secretária e inclinou-se para a frente. Entrançou as mãos em cima do tampo de mogno.

– Perfeitamente, madre Pasqualina. Tem até às oito da noite para abandonar a Santa Sé.

Não havia nada a fazer. Tisserant não cederia.

– Muito bem – aquiesceu a madre resignada. – Folgo em saber que o estalo que lhe dei em 1943 ainda lhe dói.

Relembrou a altura, quinze anos antes, em que Tisserant irrompeu pelo gabinete do Papa e disse "O cabrão do Mussolini foi preso." Pasqualina acercou-se dele e esbofeteou-o com toda a força de que foi capaz. Não eram modos nem palavras admissíveis na presença do Santo Padre, mesmo vindos de um cardeal tão intempestivo como Tisserant. Ninguém disse mais nada e o francês retirou-se quando se apercebeu que Pio estava do lado da freira.

Agora, não havia Pio para defendê-la. Restava apenas uma memória e essa não defendia ninguém. Virou as costas ao francês e avançou para a saída.

Tisserant fitou-a, frustrado. A alemã nunca se rebaixava.

– Aproveite e leve também o pássaro. Já não precisamos de si nem dele.

O conteúdo dos últimos vinte anos de uma vida dedicada a um homem cabia em duas pequenas malas. Não se censurava. Fez sempre o que quis. Nunca ninguém a obrigou. Nem mesmo o pai, George, quando a proibiu de ingressar no convento e entregar-se a Deus, aos quinze anos, a conseguiu impedir. Arrastou as malas pela Praça de São Pedro, juntamente com a gaiola de Gretel.

171

Requisitou um táxi no largo fronteiro à Praça de São Pedro. Olhou para a imensa basílica onde tantas vezes estivera e contemplou o terceiro andar do palácio onde fora tão feliz a servir Eugenio.

– Fica bem, querida – disse em voz alta. – Hei-de voltar para ver como estás, minha querida filha.

Ninguém prendeu o olhar na freira que, atabalhoadamente, enfiava as malas e a gaiola dentro do veículo. Ninguém apareceu para se despedir, nem um adeus, um obrigado, um até sempre, nada foi dito à idosa freira que até há poucos dias fora a mulher mais poderosa que alguma vez residiu no Vaticano.

Faltavam sete minutos para as oito da noite.

29

Gennaro Cavalcanti não era um polícia qualquer. Se ainda tivesse algum amigo, ele diria que o inspector era um homem insuportável e talvez não andasse muito longe da verdade. Para se conhecer um pouco este homem da Polizia di Stato era preciso saber que Gennaro nunca se esquecia de nada.

Havia outros factores que faziam com que fosse apenas inspector. Cedo se viu que não havia de progredir na carreira mais do que aquilo. Outras forças se levantavam e o impediam de voar mais alto. É que Gennaro acreditava que a lei era para ser cumprida por todos, sem excepção. Tolice. No seu ramo, isso era um pensamento imperdoável.

Gennaro tornara-se uma estrela quando o célebre caso *Mani Polite* o catapultou para as parangonas dos periódicos. Nesse tempo, as detenções eram quase diárias e não olhavam a credo, profissão ou berço, ou assim se pensava. Gennaro não tinha receio de nada... nem de ninguém. A obstinação de quem pensava que não tinha nada a perder. Gennaro ignorava, na época, que não era só Deus quem escrevia os tortuosos destinos dos humanos... os poderosos também.

A primeira mulher deixou-o nessa altura e levou os filhos com ela. Dois miúdos que ainda não tinham 5 anos, à época, e mal o viam, se é que alguma vez souberam quem era aquele homem que chegava a casa de madrugada, quando chegava, e saía antes da aurora. Os telefonemas anónimos que os ameaçavam a todas as horas do dia e da noite contribuíram para o fim do primeiro casamento. O inspector não se deixou abater, não recuou um milímetro na sua forma de agir, nem censurou a esposa por querer o melhor para ela e para os filhos. Gennaro tinha um descomunal espírito de sacrifício.

Manteve-se alguns anos solteiro depois disso. Esse descomprometimento relacional proporcionava-lhe alguma independência. Os telefonemas anónimos nunca pararam, especialmente à noite, mas Gennaro tinha uma missão e não seriam minudências que o fariam recuar.

O inspector Gennaro era responsável pelo departamento de crimes violentos, o que fazia com que a patente de *inspector* fosse um pouco desacertada e o termo *responsável* errado de todo. Este romano, nascido no dia de Ano Novo de 1950, era antes um agente que detestava o trabalho de secretária, relatórios, teorias e cafés e bolinhos no conforto dos gabinetes; preferia estar no terreno e ir, de facto, aos locais do crime.

Gennaro Cavalcanti não tinha só qualidades, se é que algumas das suas características se podiam definir assim. Com a idade, e depois de ver partir mais duas senhoras Cavalcanti que, juntamente com a primeira, lhe levaram quase metade do salário, apercebeu-se de um fetiche que sempre sentira, ainda que em estado latente, mas que nunca se evidenciara tanto como depois dos 50 anos. Tinha um fetiche por mulheres casadas ou, no mínimo, com algum nível de compromisso com alguém que não ele.

Era como se todos os alarmes disparassem assim que via uma aliança de casamento, um anel de compromisso, ou um simples gesto, um beijo, uma carícia no rosto, as mãos dadas. O desejo de conquistar, de possuir essas mulheres, tocadas pelo amor por outras pessoas, tornava-se irrefreável.

Não era tanto o factor cama que o cativava. Se fosse, o que mais havia era exemplares do sexo feminino disponíveis à procura de amor. Não, isso não lhe interessava minimamente. Com 62 anos, não procurava assentar, bastavam-lhe as três senhoras Cavalcanti que tivera. Ansiava por aventuras com mulheres comprometidas que tivessem muito a perder. Essa conquista, essa sedução, é que o aliciava a devassar o sétimo mandamento.

Gennaro estava a envelhecer bem. Algumas rugas conferiam-lhe um ar maduro, o cabelo grisalho ajudava, mas era sobretudo a voz de barítono que provocava nelas um segundo olhar, aquela curiosidade fugaz tantas vezes comprometedora.

Nessa noite, Gennaro indemnizara-se de dez anos de promoções prometidas que nunca se realizaram. A cama onde estava deitado, de barriga para cima, era a de um hotel, e a senhora, que o usava para umas horas de prazer sexual, chamava-se Marcella e era a dilecta esposa do seu chefe, Amadeo.

De cada vez que ela cavalgava em cima dele, Gennaro lembrava-se do chefe, anafado, transpirado, com a respiração arquejante, a confidenciar-lhe, nessa tarde, que a sua senhora estava num congresso em Milão. Gennaro sorriu, enquanto lhe apertava os seios descaídos e a ouvia gemer.

– Está a gostar do congresso, senhora doutora? – provocou Gennaro com um olhar corrosivo.

Marcella balbuciou um sim entrecortado pelos gemidos da dor e do prazer simultâneos e um sorriso que ela julgava cúmplice do dele. Estava longe de imaginar que o Gennaro por quem ela caíra em tentação não existia. O colega do marido, em estatuto inferior, era certo, que, pela primeira vez em dez ou quinze anos, nem sabia contabilizar, reparou nela, viu mais que o *bibelot* em que se transformara para o esposo e para os filhos. Escutou-a sem julgamentos e ela desejou senti-lo dentro de si. Mais do que uma vontade tornou-se uma necessidade.

Enquanto Marcella sentia Gennaro, a sua mente falou, falou, falou muito. Já não eram lamentos, nem protestos, nem constatações de quem se viu relegada para um papel secundário, mas interjeições, gemidos de luxúria bem-vindos. Disse o nome de Deus em vão por quatro ou cinco vezes, Jesus também foi mencionado, até Sua mãe, Nossa Senhora, foi evocada uma vez. Gemeu muitas outras coisas e outros tantos vitupérios que decerto não combinavam com as evocações divinas.

Gennaro não falou muito. Não por alguma razão especial ou mesmo por estar com quem estava. Não costumava falar durante o acto, fosse com quem fosse. Achava que não havia necessidade, que não era a ocasião propícia. Ou então era mesmo verdade que um homem só conseguia fazer uma coisa de cada vez. Por outro lado, para ele a caça tinha terminado no momento em que a esposa do Amadeo, o cabrão do seu chefe, se tinha despido e metido na cama com ele. Para ele o importante era a conquista, a sedução.

E enquanto Marcella o usava, ele pensava no caso que tinha entre mãos. Afinal, sempre conseguia fazer mais que uma coisa ao mesmo tempo.

O duplo assassinato na Basílica de Sant'Andrea. Aquilo fora obra de profissionais, e era uma história muito mal contada. Tanto que, no que tocava à Igreja, a expressão que sempre utilizava era *culpados até prova em contrário*. Estivera na basílica ao início da noite e tinha dúvidas, muitas dúvidas.

Ouviu o telemóvel vibrar em cima da mesa-de-cabeceira e esticou o braço para pegar nele.

– Não atendas, por favor – pediu Marcella com um sorriso tímido e o corpo suado.

A esposa de Amadeo tinha genica, Gennaro era testemunha disso.

– Gostavas de ligar para a polícia e que ninguém te atendesse? – argumentou Gennaro, premindo o botão para atender a chamada e levando um dedo à boca a pedir silêncio. Depois sorriu. – Boa noite, chefe.

A senhora ficou enrubescida e parou imediatamente o que estava a fazer. Sentia-se como uma miúda atrevida, apanhada numa qualquer malfeitoria. Deu uma risada em surdina quando Gennaro lhe piscou o olho.

– São três e meia da manhã – protestou o inspector. – Estou neste momento com a tua mulher em cima de mim.

Marcella não acreditava no que acabara de ouvir. Ele seria louco? Deixou-se ficar quieta e muda, atenta ao resto da conversa, visivelmente preocupada.

– A única coisa de jeito que esses gajos sabem fazer é *ossobuco*. Como a tua mulher está fora e estás sozinho na cama, achaste que era uma boa ideia chatear-me a cabeça a esta hora.

Gennaro continuava deitado, de barriga para cima, e, ao escutar as palavras de Amadeo, puxou-se para cima, arrastando a senhora consigo de forma a ficar com as costas encostadas à cabeceira da cama. A esposa ficou quase colada ao rosto de Gennaro. Tentou não respirar, precisava de encobrir a sua presença.

– A investigação é minha – disse o inspector, com irritação. – Liberto os corpos quando me apetecer. Não são os papa-hóstias que me vão dizer o que tenho de fazer. – Escutou a reacção do chefe e perdeu a cabeça. – Não me lixes, Amadeo.

A senhora viu Gennaro perder a paciência e ficou pasmada. Nunca o ouvira falar daquele modo. O facto, de somenos importância, de ele estar a falar com o seu marido, que a imaginava a dormir o sono dos justos em Milão, excitava-a ainda mais. Não sabia explicar porquê; talvez estivesse a sentir o doce travo da vingança e, finalmente, se sentisse visível e importante. Queria voltar a movimentar-se em cima de Gennaro mas o inspector parecia cada vez mais irritado. Decidiu arriscar, com um sorriso maroto nos lábios, devagar, de início, para ver a reacção dele. Gennaro segurava o telemóvel só com uma mão e começou a massajar-lhe um seio com a outra, apesar de continuar irritado com a conversa ao telemóvel. Talvez esta fosse também a sua forma de se vingar dele. Aos poucos, retomaram o ritmo, limitando o ruído ao mínimo roçagar das peles dos corpos. A senhora queria gritar, mostrar que estava ali, mas achou melhor não fazê-lo e manter o marido na ignorância... por agora.

– Qual é a pressa? – continuou Gennaro, a berrar para o aparelho. – Um deles ainda nem sequer está identificado. O cabrão do Comte não contou a história como deve ser, Amadeo. Podemos jogar com os...

Nesse momento foi interrompido pelo chefe que lhe deve ter dado alguma ordem directa, sem hipótese de discussão, um puxar de galões de quem podia para quem cumpria. A senhora tentava que a sua respiração não se descontrolasse, encadeando movimentos rápidos com outros mais lentos. A esposa do chefe era bastante vigorosa. Água em ponto de ebulição.

– O chefe quer, o chefe tem – respondeu Gennaro secamente. – Amanhã de manhã trato disso.

E desligou sem dizer mais nada. A senhora aproveitou esse momento para deixar sair o prazer que tinha contido durante aqueles últimos minutos com um vagido mais intenso que se deve ter ouvido nos quartos ao lado. Gennaro mostrou-se mais presente, queria, mais do que nunca, deixar a sua marca. Pegou em Marcella com ambas as mãos, levantou-se, sustentando o peso dela, e encostou-a à parede, enquanto a esposa do Amadeo sorria.

– Tenho de pedir ao meu marido que te ligue mais vezes – disse ela num tom provocatório.

– O teu marido é um banana – ripostou Gennaro. – Devia ser padre e não polícia.

O telemóvel voltou a dar sinal de vida, vibrando e tocando em cima da cama, enquanto a luz do mostrador acendia e apagava.

Marcella sorriu.

– Atende. Pode ser ele outra vez – atirou ela com uma expressão rebelde como se tivesse feito ou dito alguma asneira e esperasse castigo.

Gennaro pousou-a e pegou no aparelho. Fez um trejeito de estupefacção quando olhou para a identificação do chamador.

– Cavalcanti. O que é que se passa?

Gennaro escutou com atenção. A senhora acercou-se dele com nova dose provocadora mas ele fez um sinal com a mão para que parasse.

– Outro? O que é que estes gajos andam a fazer? – Escutou o interlocutor. – Entendo. Já identificaram o cadáver de Sant'Andrea? – Esperou pela resposta enquanto consultava o relógio de pulso. – Investiguem quem deu o alerta de Sant'Andrea e deste. Uma vez é lapso, duas é deliberado. Estarei lá dentro de vinte minutos.

Atirou o telemóvel para cima da cama e tornou a abraçar Marcella. Pegou nela novamente. A sessão de prazer teria de ser abreviada sem, no entanto, colocar em causa a qualidade que era seu apanágio. Os gemidos voltaram com mais vigor, as interjeições e as evocações divinas também. Esperava-o mais um cadáver e uma noite sem dormir. Pensou no idiota do chefe e sorriu.

– Já te vou mostrar quem manda – disse em voz alta, com confiança.

Marcella sorriu e beijou-o. Não se apercebeu que ele não estava a falar para ela.

30

Duválio suava enquanto usava o azorrague para massacrar as costas nuas e rasgar a carne. Era merecido. Os piores castigos não eram suficientes. Os lanhos dolorosos que o faziam agonizar não bastavam para atenuar o sofrimento da alma que era mais excruciante que a dor física. Nenhuma tortura que infligisse a si mesmo seria mais pesada que a culpa que sentia. Não havia cura para os males da alma, Duválio sabia-o. Nem o perdão Dele, no alto dos céus, era suficiente para limpar a mácula que ele próprio fizera abater sobre si. Como fora imprudente.

– Meu Deus, aceita a minha penitência – suplicava ele, entre lágrimas, enquanto supliciava as costas com violência.

Estava dentro de um gabinete espaçoso, repleto de armários que ocupavam metade das paredes e uma grande mesa de trabalho, rodeada de pesadas cadeiras de madeira, no centro. Em cima, acumulavam-se livros e documentos dos mais variados teores. Uns mais antigos, outros recentes, numa aparente organização desorganizada. Duválio estava completamente nu a flagelar-se em frente a uma imagem da cruz de Cristo. Mais do que as palavras Dele, a sacra instituição explorava a Sua morte e o sofrimento. A cruz, sempre a cruz a pesar nas costas dos comuns mortais. Não precisava de ver o Cristo gravado nela, sabia que Ele estava lá, omnipresente e omnipotente, testemunha das suas falhas, dos seus pecados e das suas tentações.

O sangue caía na alcatifa e confundia-se com o carmesim do tecido. As investidas continuavam a rasgar-lhe as costas numa cadência veemente e insistente. Por Bertram, por Domenico, por Gumpel, pelo Santo Padre, Bento XVI, pelo Venerável Santo Padre Pio XII, por Pasqualina, por Piccolo... Uma vergastada violenta por sua mãe, dona Santinha, que não o tinha criado para aquilo. Era um homem íntegro, recto, nascido em Porto Alegre e palmilhava os verdes anos da sua terceira década de existência. Era um moleque, diria dona Santinha. Era um cafajeste, diria ele.

– *Intéllige clamórem meum*
Inténde voci oratiónis mea
Rex meus et Deus meu
Quóniam ad te orábio Dómine

Cessou os açoites e arrastou uma cadeira para o lado. O sangue pingava em fio para a alcatifa que escondia o fluido da vida. Pousou o azorrague e pegou no cinto que estava nas calças largadas à toa no chão. Subiu para a cadeira e, com esforço, o suor a acumular-se na testa e no rosto, passou o cinto pelo grande lustre que pendia do tecto. Prendeu-o e depois sopesou-o. Aguentaria. Desceu da cadeira e voltou a ajoelhar-se. Persignou-se e evocou Deus. Pensou novamente na família, em Porto Alegre, nas Igrejas das Dores e da Conceição, onde acordou para Deus, no calor, no churrasco de boi, o samba, a mãe, dona Santinha. As lágrimas escorriam pelo rosto e misturavam-se com o suor. Limpou os olhos com a mão. Sentiu o desespero, a culpa, as mortes, a responsabilidade. Não tinha intenção. Quando se apercebeu já era tarde. Estava apenas a fazer o seu trabalho como lhe haviam ordenado, nunca quis prejudicar ninguém. As estranhas linhas tortuosas da vida haviam originado um emaranhado incontrolável. Merecia aquele destino. Era um homem morto de qualquer maneira. Deus julgá-lo-ia como entendesse. Dona Santinha perceberia que ele tinha sido enganado. Era o mais importante para ele. Ela criara um bom homem. A culpa não fora dela. A mãe não o orientara para o seminário, com tanto sacrifício, para que ele fugisse às suas responsabilidades. Não fora destacado para Roma para fugir às suas obrigações. Era importante fazer as pazes consigo. Só o conseguiria na presença do Bom Deus.

Subiu novamente para a cadeira e passou o cinto pelo pescoço. Respirou fundo, olhou para o tecto e desequilibrou a cadeira. Levou as mãos ao pescoço em desespero. A falta de ar, a sufocação, o curso da morte inexorável.

A fivela estava bem presa. Sentiu o couro esticar com o seu peso. O lustre tilintava à medida que ele se contorcia violentamente, ameaçando ceder a qualquer momento, embora ele soubesse que tal não aconteceria. Estava bem fixado ao tecto.

Sentiu-se desfalecer à medida que asfixiava. Deus estava quase a aco-lhê-lo nos seus braços e a fazer com ele o que entendesse. Pedir-lhe-ia cle-mência. Pensou em Bertram, o bom Bertram, e também se Domenico estaria lá à espera dele. Uma imagem da mãe, dona Santinha, inundou-lhe a mente sôfrega por ar.

Desculpa, mãe, ainda conseguiu balbuciar mentalmente.

A porta do gabinete abriu-se naquele momento com violência. Viu um homem, talvez fossem dois ou três, ou mais, ou só um truque da sua mente moribunda que já não conseguia discernir a realidade. Sentiu-se cair com violência no chão, desamparado; as costas castigaram-no com uma dor lancinante, o cinto desapertou-se e o oxigénio voltou a alimentar os pul-mões sôfregos.

– Onde pensavas que ias, Duválio? – perguntou o homem que o arran-cara da morte, em português.

– Eu... eu... – balbuciou, ao mesmo tempo que recuperava o fôlego e a consciência, tentando entender o que se passava. Morrera ou não? – Eles vão matar-me.

Abriu os olhos e contou três pessoas. Um homem franzino, uma mulher, e um outro homem, o que o agarrara, que reconheceu.

– Eu trato de te recambiar para junto de Deus – disse Rafael, levan-tando-o sem modos. – Mas antes temos de conversar.

31

Um homem é os problemas que cria e fomenta. Há uma necessidade inata de andar enredado numa teia problemática que apimenta o ambiente e tempera o protesto. Qual seria o interesse de viver num mundo sem traições, apunhalamentos, enganos e roubos? Quem, no seu perfeito juízo, gostaria de viver numa casa em que pudesse dormir tranquilo, de porta aberta?

A alcatifa silenciava os passos vigorosos de Giorgio, o belo, enquanto caminhava em direcção ao Secretariado. Mais uma noite em branco, em nome de Deus, a tentar desensarilhar o novelo de problemas que teimava em enrolar-se mais e mais, enredando-se em si próprio. Consultou o relógio. Passavam poucos minutos das três da manhã. Utilizou a *Scala Nobile* e continuou o caminho, afoito, determinado. Abriu as duas portas que davam acesso à antecâmara do gabinete do Secretário, no segundo andar.

– Que se passa, Excelência? – perguntou um noviço, estremunhado.

– O Secretário de Estado?

– Retirou-se para os seus aposentos. Pediu para não ser incomodado. Eu também já estava a preparar-me para ir dormir.

– Vai acordá-lo – ordenou o secretário pontifício.

O noviço nem sabia como reagir àquela ordem que, seguramente, seria mais certo tratar-se de um pedido veemente. Jamais se vira um simples secretário, mesmo este que tinha como funções auxiliar o Santo Padre, irromper no Secretariado com ordens.

– Não posso, Excelência. Ele deu-me instruções muito explícitas.

Giorgio contornou o jovem padre administrativo e em passos rápidos alcançou a porta do sagrado gabinete, centro político do Estado Pontifício, nacional e internacionalmente.

– O que está a fazer, Excelência? Não pode entrar aí!

Giorgio abriu a porta e entrou sem dar ouvidos ao jovem que já suava de arreliação e medo. Este viu o secretário do Santo Padre sentar-se no grande sofá de couro do gabinete e cruzar uma perna.

– Ou vais chamá-lo... ou vou eu – declarou Giorgio, peremptoriamente. – Escolhe.

O rapaz ponderou por alguns instantes, fitando a expressão fria do alemão e virou-lhe as costas. Era mau de mais acordar o Secretário, mas inconcebível seria o alemão fazê-lo. Um escândalo inadmissível.

– Não saio daqui sem falar com ele. Certifica-te que avisas sua Eminência disso – advertiu Giorgio, elevando a voz para se fazer ouvir pelo rapaz que já tinha deixado o aposento.

O secretário papal teve pena do rapaz. Com as devidas distâncias, o jovem ocupava um cargo similar ao seu. Era assistente do número dois do Vaticano, enquanto Giorgio assistia o número um, com mais alguns privilégios, era certo. Tarcisio nunca tivera a assessorá-lo homens maduros. Era estranho, agora que pensava nisso. Preferia os mais jovens, porventura por ser mais fácil intimidá-los. Ao contrário dos mais velhos, os jovens ficavam com medo e não com raiva.

Levantou-se do sofá e avançou para a enorme secretária de mogno. Pegou no auscultador do telefone e levou-o à orelha enquanto com a outra mão premiu três algarismos. Passaram alguns segundos até alguém atender do outro lado da linha.

– Tomasini, boa noite. Venha ter comigo ao gabinete do Secretariado – pediu Giorgio passando uma mão pelo rosto afadigado. – Agora.

Deixou o homem da espionagem responder e desligou o telefone. Voltou a premir alguns números e levou o aparelho ao ouvido.

– Como é que estão as coisas? – Aguardou o relato do interlocutor. – Atingimos o ponto de não retorno. Às oito horas ver-se-á o que acontece. – Escutou o que lhe disse a voz. – Vou para lá daqui a pouco. Mantém-me ao corrente.

Pousou o aparelho, regressou ao sofá e esperou. Não lhe restava fazer mais nada.

O jovem padre chegou instantes depois, afogueado. Não acreditava que o Secretário de Estado estivesse a dormir, as noites acicatavam toda a alta hierarquia naqueles tempos, mas era certo que não era fácil atentar contra o temperamento hostil de Tarcisio.

– O Cardeal Secretário de Estado pediu para aguardar.

Giorgio baixou a cabeça numa vénia ligeira e conivente.

O Secretário levou algum tempo a chegar e não apareceu sozinho. O intendente Comte acompanhava o arrastar das pernas cansadas do piemontês que não estava nada contente com aquela intromissão inconveniente. Contornou a secretária e sentou-se no cadeirão. Comte ficou de pé junto à porta.

– A que devo a honra? – inquiriu Tarcisio, com menosprezo.

Tarcisio não morria de amores pelo alemão. Os olhares, os sorrisos podiam enganar toda gente, excepto a ele. Era um oportunista. Conseguira cair nas boas graças do Santo Padre, muito antes de ele o ser, quando era o Deão do Colégio, o Prefeito da Congregação para a Doutrina da Fé, o *Panzerkardinal*, como os outros chamavam ao Papa Bento. O monsenhorado chegou pouco depois e não se admiraria se Bento o fizesse cardeal antes de partir para os braços do Pai. Seria uma profanidade. Se dependesse dele isso jamais aconteceria. Infelizmente, não dependia.

– Chegaram aos ouvidos do Santo Padre zumbidos de rumores deveras perturbantes.

O piemontês mirou-o com um olhar apreensivo. Uma estranha escolha de palavras, aquela do secretário papal.

– Zumbidos? Foi isso que disse?

– Zumbidos de rumores.

– Por favor, aclare o que quer dizer com *zumbidos de rumores* – solicitou com uma cortesia fora do normal, uma expressão a roçar a troça e que não podia deixar de se notar quando pronunciou as palavras *zumbidos de rumores*.

– Ao que parece, saiu deste gabinete uma ordem para tratar de um certo jornalista americano – atirou o alemão, de supetão.

Tarcisio despiu o tom sarcástico e envergou uma postura séria.

– Não estou a ver o que isso possa interessar ao Santo Padre.

– Ao Santo Padre interessa tudo o que se faz ou manda fazer no seu palácio e em seu nome.

– Não seja petulante, Giorgio.

Giorgio levantou-se nesse momento e acercou-se da secretária. Se não estivessem na sala dois diplomatas, poder-se-ia arrolar uma certa pose intimidadora por parte do alemão.

Nesse momento ouviu-se uma leve batida na porta que revelou o chefe da Santa Aliança. Girolamo afastou-se para o deixar passar.

– Tomasini? O que é que estás aqui a fazer? – perguntou o intendente, com rispidez.

Tarcisio também estava espantado com a presença dele.

– Fui eu que tomei a liberdade de o chamar – comunicou Giorgio. – O Santo Padre gostaria que os senhores tivessem conhecimento do seu desagrado no caso de os *zumbidos de rumores* – disse as palavras a fitar o piemontês – serem verdadeiros, o que ele acredita que não sejam, como é óbvio.

Depois fincou as mãos no tampo da secretária numa atitude ainda mais provocatória.

– O Santo Padre gostaria também que lhe fosse entregue um relatório bastante detalhado sobre esse jornalista americano até amanhã ao meio--dia.

Tarcisio não respondeu e dissimulou o asco que estava a sentir pela insolência daquele imberbe alemão, mas permaneceu mudo.

Giorgio desviou o olhar para Guillermo.

– A *moeda de troca* já está connosco?

Guillermo fez um gesto negativo com a cabeça.

– Devo ter mais informações dentro de minutos.

– Já devia estar cá – advertiu Girolamo que depois se virou para o secretário do Papa. – Preciso de falar consigo, Excelência.

– Avise-me assim que a *moeda de troca* esteja com os nossos homens – pediu o alemão a Guillermo, e depois fitou o intendente. – Procure-me no gabinete do Santo Padre.

Girolamo anuiu. Assim faria.

– Mais alguma coisa? – quis saber o Secretário de Estado com uma nota de sobranceria na voz.

Giorgio tirou as mãos da secretária e dirigiu-se à porta do gabinete.

– Boa noite, meus senhores.

Guillermo fechou a porta assim que o alemão saiu e avançou para o centro do gabinete.

– Vais encostá-lo à parede? – perguntou Tarcisio para Girolamo com um ar cúmplice.

O intendente não respondeu.

– Esse monsenhor não é o que parece. Esconde-se muito bem por trás do Santo Padre mas não me engana. Ele anda a tramar alguma – disse para o homem da espionagem. – E o nosso assunto, Tomasini? Está resolvido?

– Não – limitou-se a dizer Guillermo. – Mataram o Bertram e querem a mulher e o Rafael na Praça de São Pedro às oito da manhã.

– Como é que soubeste disso? – quis saber o intendente.

– O Arturo ligou-me da Via Tuscolana.

– Quem fez isso? – Tarcisio abriu bem os olhos e respirou fundo, transtornado.

– Os mesmos que mataram o Luka e o Domenico. Duas balas na cabeça – explicou Guillermo.

– Vou para lá antes que avisem o Cavalcanti – disse o intendente.

– Fazes bem – concordou Tarcisio.

– Não te canses. O Cavalcanti já foi avisado.

– O quê? Como é que isso aconteceu?

– Do mesmo modo que em Sant'Andrea. Alguém ligou para o serviço de emergência.

– Manda para lá o Davide – sugeriu o Cardeal Secretário de Estado.

– O Davide está noutro serviço – respondeu Girolamo, pensativo. – É a segunda vez que avisam a Polizia di Stato. Não pode ser coincidência.

– Seguramente não é – atalhou Guillermo. – Alguém está interessado em que nós fiquemos para trás.

– Acham melhor convocar o Federico? – perguntou o Cardeal.

– Faça isso, Eminência – respondeu o intendente. – Com o Cavalcanti ao barulho vamos precisar de minorar os danos perante a opinião pública. Eu vou falar com o secretário do Papa. – Olhou para Guillermo. – É melhor ires tu à Via Tuscolana.

– Eu? Tu é que és o intendente da Gendarmaria. Eu não existo, lembras-te?

– Precisamos lá de alguém. Se o Comte não pode e tem os homens ocupados, vais tu, Tomasini. Está atento a tudo e não contes nada ao inspector – ordenou o Cardeal.

Guillermo suspirou de impaciência e depois lembrou-se onde estava e quem tinha à sua frente e recompôs-se.

O Secretário levantou-se e aproximou-se da janela. Estava escuro no exterior. Uma penumbra enigmática que encobria o desconhecido não deixava entrever nada, e havia apenas um candeeiro que a combatia debilmente com uma luz que se apagava a espaços.

– E quanto ao jornalista?

– O Rafael manietou o Arturo, como era previsível.

– Típico – murmurou Girolamo que nunca perdia uma oportunidade para criticar o colega da espionagem.

O piemontês virou-se para Guillermo com uma expressão decidida.

– Temos de conseguir aquele dossiê. Apanha-os e resolve o assunto de uma vez. Já temos problemas que cheguem. – Levantou um dedo. – Se falhares entrego o caso ao Comte.

Girolamo deixou Guillermo sair e envergou uma expressão cúmplice para com o Cardeal Secretário de Estado.

– Eu sei para onde o Rafael e o jornalista foram, Eminência – afiançou Girolamo por entre murmúrios cúmplices. – O Davide já está a caminho da morada.

Guillermo saiu para o corredor e desceu para o edifício administrativo onde funcionava a Santa Aliança, junto ao Pátio de São Dâmaso. Era uma questão de tempo. Rafael não tinha como escapar, e os problemas daquele dia ficariam resolvidos. Nada era para sempre. Porcaria de vida. Sentiu a camisa apertar-lhe a garganta e impedir a respiração. Era dos nervos. Tirou o cabeção branco e desapertou o botão de cima da camisa. Sentiu o telemóvel vibrar no bolso. Atendeu.

– Tomasini – apresentou-se. Escutou o que lhe diziam e sentiu a crispação invadir-lhe o rosto, acompanhada pelo enrubescimento.

Acabou por desligar depois de ouvir a informação, deu um murro na porta antes de entrar no edifício e acabou por sorrir cinicamente. Não sabia se havia de ficar irritado ou aliviado.

– És um grande sacana, Rafael. O maior de todos.

32

– Senta-te aqui – ordenou Rafael, arrastando com uma mão a pesada cadeira que estava caída e servira, de certa forma, de cúmplice ao acto hediondo que Duválio desejava perpetrar contra si mesmo, enquanto segurava o inerte padre brasileiro com a outra.

Pegou na camisa negra que estava no chão e deu-lha para que se vestisse. A falta de reacção do brasileiro irritou-o tanto que o sentou de forma bruta e deu-lhe um estalo na cara.

– Reage, pá.

– Então, Rafael? – balbuciou Sarah, incomodada com aquela atitude grosseira.

Duválio transpirava por todos os poros e mantinha os olhos fechados. Não queria pensar, não queria ver nada nem ninguém. Rafael não tinha o direito de impedir a sua vontade de morrer. Não tinha.

John Scott ficou à porta e olhava para aquele cenário sem saber como o classificar. Quem era aquela gente? E por que razão pareciam tão disfuncionais?

– Devias ter-me deixado morrer – acabou por dizer Duválio.

– E perder a história tão bonita que tens para nos contar? – continuou Rafael num tom irritado, atirando-lhe as calças para que as vestisse.

– Quem é ele? – perguntou Sarah na tentativa subliminar de distrair um pouco Rafael e contrabalançar a acidez que este manifestava para com o homem que estava, visivelmente, atormentado.

Rafael dissera que iam procurar respostas. Rapidamente os conduziu para os lados de São Pedro. Por momentos o americano pensou que os ia levar para a *toca do lobo*, a expressão que Sarah utilizava para se referir ao Vaticano, mas depois ele acabou por estacionar numa rua secundária e levou-os para aquele edifício, no número 10 da Piazza Papa Pio XII, o Palácio das Congregações. Mesmo a tempo, pelos vistos.

– Ele chama-se Duválio. É brasileiro. Faz parte do Colégio dos Relatores – anunciou Rafael com uma nota de cinismo na voz, aninhado, com uma mão a segurar o peito do relator para ele não cair da cadeira, sem nunca desviar o olhar férreo dele.

– E… e… o… que faz esse colé… colégio? – inquiriu John Scott.

– Queres explicar, Duválio? – questionou Rafael, acrescentando rancor ao cinismo. – Não? – Envergou um tom professoral. – O Colégio dos Relatores é um órgão que integra a Congregação para a Causa dos Santos. É composto por um oficial curial, o relator, que orienta inúmeros colaboradores. Podem ser historiadores, hagiógrafos, teólogos, filósofos que se dedicam a pesquisar a vida e obra dos *Servus Dei*. São eles que conduzem os longos processos de canonização, nos seus vários estádios. Lêem documentos, livros, consultam outros historiadores ou qualquer outra fonte fidedigna da época estudada, entrevistam familiares, amigos e qualquer outra pessoa que, por qualquer razão, tenha privado com o candidato. Não é, Duválio? – berrou para o brasileiro.

– Pára com isso, Rafael – disse Sarah numa voz firme, e aproximou-se do padre que estava sentado. – Não vês que ele está a sofrer?

Rafael levantou-se e recuou uns metros.

– Quer água? – perguntou a jornalista com uma voz terna, em português.

Duválio estava intimidado e não respondeu. Ela olhou para Rafael.

– Vai buscar um copo de água.

– Isto não é, propriamente, um bar – reagiu o padre.

– De certeza que deve haver água – insistiu Sarah num tom ríspido. – Desenrasca-te.

Procurou lenços dentro da sua mala e encontrou-os depois de ter tirado um molho de chaves, o telemóvel e um cilindro de batom. Tirou alguns do invólucro de plástico e limpou o suor do rosto de Duválio. O homem continuava sem reagir, mas sabiam-lhe bem os gestos confortantes da mulher.

– Obrigado – agradeceu por fim, um pouco mais calmo.

Rafael regressou ao gabinete, pouco depois, com um copo de água e entregou-o a Sarah.

– Beba um pouco.

O brasileiro levou o copo à boca com as duas mãos que, mesmo assim, tremiam como se estivessem acometidas por uma doença ou pelo inclemente frio da rua. Bebeu o líquido todo do copo de uma só vez e arfou no fim. O coração latejava menos e, aos poucos, a respiração retomava os níveis normais. Sarah fitava-o com preocupação. Ele devolveu-lhe o olhar e esboçou um ténue sorriso tímido.

– O Bertram? – perguntou instantes depois, praticamente certo de qual seria a resposta.

Rafael fez um trejeito negativo com a cabeça que sentenciou o nome proferido pelo brasileiro.

– Não adianta nada ter-me arrancado da morte. Eu sou o próximo, não vê?

– Quem são eles? – perguntou Rafael.

– Não sei. Quando percebi que alguma coisa não estava bem… – não conseguiu continuar.

Sarah e John assistiam àquela conversa de surdos sem perceber nada. A única coisa que conseguiram entender, no fundo, era que alguma coisa não estava bem. Mas o que seria que o relator sabia de tão grave que o fizesse ter tanto medo ao ponto de se tentar matar?

– Quem é que estavam a investigar? – intrometeu-se a jornalista.

Duválio baixou o olhar. Não se sentia confortável a falar sobre aqueles assuntos na presença de desconhecidos.

– Podes falar à vontade – incitou Rafael. – Quem é o candidato que os colaboradores do padre Gumpel andam a investigar?

O brasileiro respirou fundo e olhou para Sarah. Era preferível falar para ela do que para o intratável padre Rafael.

– Estávamos, já há longos anos, a elaborar a *Positio* do Papa Pio XII.

– Isso é o quê?

– A *Positio Super Virtutibus* é o documento que os relatores elaboram sobre o *Servus Dei*, o Servo de Deus, o candidato à canonização. É elaborado com base em testemunhos, documentos, muitas consultas; é um trabalho que pode levar muitas décadas, como é o caso do Santo Padre Pio XII.

A *Positio* é depois apresentada à Congregação da Causa dos Santos que, por sua vez, recomendará, ou não, ao Santo Padre que o candidato seja declarado Venerável. Esse é apenas o segundo estádio da canonização. Se o Papa declarar o *Servus Dei* como *Venerabile* teremos de aguardar por um milagre para a postulação avançar para *Beatus*, que é o terceiro estádio do processo.

Sarah puxou uma cadeira e sentou-se. Uma náusea perpassou-lhe pela garganta. Talvez fosse cansaço. Já não estava habituada a ficar acordada até tão tarde e o corpo, ainda fraco, ressentia-se disso. As emoções e as sensações tinham-na enfraquecido nas últimas horas. Uma ligeira tontura também a incomodava.

– O processo do Papa Pacelli nunca foi pacífico – prosseguiu o brasileiro.

– Pudera – interrompeu John. – A... a po... po... posição dele... dele... na Se... Segunda Guerra Mun... Mun... Mundial foi... foi mais que... que de... de... deplo... rável.

– Tolice – refutou Rafael, com maus modos. Estava farto de ouvir aquelas balelas proferidas por pessoas ignorantes.

– As pessoas tendem a repetir o que ouvem as outras dizer e tanto repetem que se torna verdade. Nunca ninguém se dá ao trabalho de ir investigar e verificar se é mesmo verdade – argumentou Duválio.

– Aposto que também pensa que o Einstein era tão mau a matemática que chumbou quando era criança – acrescentou Rafael, visivelmente irritado.

– Então porque é que não nos explicam a versão factual? – pediu Sarah, cada vez mais interessada no tema.

Duválio ajeitou-se na cadeira e pigarreou. Talvez fosse melhor ir buscar mais água e Sarah pegou no copo que o relator segurava nas mãos e entregou-o a Rafael para que ele tratasse disso. Fê-lo sem pronunciar uma única palavra e, provavelmente por isso, o padre lançou-lhe um olhar enfurecido. Desde quando o haviam contratado como empregado de mesa?

– O nome de baptismo do Santo Padre Pio XII era Eugenio Pacelli – começou Duválio num discurso pausado mas claro. – Apesar de conotada com a *Nobreza Negra* – os aristocratas que alinharam ao lado do Papa Pio *Nono* aquando da reunificação de Itália em 1870, pela casa de Saboia, e, em sinal de protesto, mantiveram as portas dos seus palácios fechadas e trajavam de negro – a família de Pacelli não pertencia a essa esfera.

Sim, os Pacelli eram uma família respeitável e fervorosos apoiantes da causa papal, mas as suas origens eram muito modestas. Os seus antepassados eram rurais e remontavam a uma aldeia perto de Viterbo. O prestígio dos Pacelli não foi conquistado pelo sangue azul mas com muita dedicação e devoção. O avô de Eugenio, Marcantonio, foi estudar lei canónica para Roma em 1819. Tornou-se no braço direito de Pio *Nono* e, devido às relações privilegiadas com a aristocracia romana e italiana, foi confundido com eles. Os Pacelli transformaram-se nos melhores advogados canónicos do Vaticano.

Rafael chegou nesse momento com o copo de água e entregou-o a Duválio, contrariado. Arrastou outra cadeira e sentou-se, desinteressado do relato. Provavelmente Duválio não diria nada que ele já não soubesse.

O relator bebeu um gole de água para humedecer os lábios antes de continuar.

– Os Pacelli eram brilhantes advogados canónicos. O jovem Eugenio vivia com os pais, o avô e os irmãos num apartamento na rua Degli Orsini. Cedo se mostrou aberto ao mundo da Igreja. Com 8 anos, começou a ajudar na Chiesa Nuova, como acólito, nas celebrações eucarísticas de um primo. E, como muitos rapazes destinados à vida eclesiástica, a sua brincadeira favorita era justamente a celebração eucarística que fazia no seu quarto, imaginando as vestes do clérigo que ainda lhe estavam vedadas em tão tenra idade. Quando tinha 10 anos, chegou a celebrar uma missa completa na casa de uma tia que estava doente e não podia ir à igreja. E incluía tudo. Os quatro ritos: os iniciais, da palavra, sacramentais e finais. E, no rito da palavra, incluiu a Primeira Leitura, o Salmo Responsorial, a Segunda Leitura, a Aclamação ao Evangelho, a Proclamação do Evangelho, a Homilia, a Profissão de Fé e a Oração da Comunidade. Não faltou nada. A mãe apoiava e estimulava este sentido ascético do filho. Era um rapaz obstinado, solitário, muito independente. Estava sempre no seu mundo. Trazia em todos os momentos um livro consigo e era comum vê-lo a ler mesmo durante as refeições. Apesar disso, não era indiferente ao que o rodeava. Tinha um grande amigo. Chamava-se Guido Mendes e era judeu. Tornou-se, mais tarde, num médico reputado. Pacelli frequentava a casa dos Mendes. Foi o primeiro Papa, depois de Pedro, a frequentar Sabats judaicos quando era criança.

– Há necessidade de recuar tanto? – reclamou Rafael, farto daquela lengalenga.

Sarah lançou-lhe um olhar reprovador. Ela estava interessada na história. Se ele não quisesse ouvir tinha bom remédio.

– Continue, padre.

– Em 1901 foi integrado na equipa do cardeal Pietro Gasparri como *apprendista*, na Sagrada Congregação dos Assuntos Eclesiásticos Extraordinários. Na altura, Pietro Gasparri ainda não era cardeal mas, juntamente com Pacelli, foi um dos arquitectos do Código de Direito Canónico que começou a ser compilado em 1904 e levou cerca de treze anos a concluir. No entanto, tudo podia ter sido diferente. Mais ou menos por essa altura, um primo de Pacelli, Ernesto, pediu-lhe ajuda com a sua filha Maria Teresa. Ela estava alojada no convento da Assunção desde os 5 anos e quando atingira os 13 entrara numa depressão profunda e num silêncio sepulcral. Pacelli começou a visitá-la todas as terças-feiras à tarde. Os encontros levavam entre duas a quatro horas. Maria Teresa voltou, aos poucos, a sorrir, a falar, os olhos resplendeciam e ansiavam pelas tardes de terça-feira. Aqueles encontros duraram cerca de cinco anos. Foi o pai de Maria Teresa, Ernesto, que terminou com as visitas que havia começado, pois suspeitava que ambos mantinham uma relação em segredo. Era certo que se amavam, ainda que Maria Teresa tenha garantido perante os postuladores da beatificação que nunca nada tinha acontecido... nem sequer um beijo. Eram duas almas unidas por Deus. Fosse como fosse, a interrupção abrupta das visitas semanais a Maria Teresa foram vexatórias para Eugenio e deixaram-no desalentado. O seu estômago, já de si muito delicado, não aguentava comida nem líquidos e vomitava tudo. Foi a mãe quem o ajudou a passar por essa fase complicada. A mãe e o trabalho.

– Não precisas de contar a *Positio* toda – tornou a interromper Rafael, batendo com um dedo no mostrador do relógio de pulso a pedir que se despachasse.

– Pára de interromper – interpôs-se Sarah, irritada.

– Ele ainda está em 1901. Só vai chegar a 1939 às oito da manhã – argumentou Rafael.

– Tudo bem. Eu abrevio. No mesmo ano em que se publicou o Código de Direito Canónico, em 1917, ele foi nomeado núncio da Baviera. Começou a sua jornada alemã que durou até 1929. Em 1925 mudou-se de

Munique para Berlim. Diziam os diplomatas dos outros países e mesmo os alemães que a nunciatura de Berlim era a mais bem informada de toda a Alemanha. Nos finais de 1929, foi chamado a Roma e assumiu a Secretaria de Estado em 1930.

– Essa história está muito bonita mas não estás a esquecer-te de ninguém? – confrontou Rafael.

John Scott e Sarah, curiosos, desviaram o olhar para Rafael que continuava fixo em Duválio. O relator mirou-o de soslaio e ignorou-o.

– Em 1933 assinou-se a célebre *Reichkonkordat*, o tratado que vinculava o Estado Cidade do Vaticano e a Alemanha de Hitler – prosseguiu Duválio. – Havia quem criticasse Pio XI, o Papa da altura, e o seu Secretário de Estado, Eugenio Pacelli, pelo documento. Todo ele foi arquitectado por Pacelli. Talvez tivessem alguma razão. A concordata obrigava ao desmantelamento do partido do centro, que era uma organização católica. A concordata previa que a Igreja e os seus padres não podiam intervir nem interferir na vida política. Hitler nunca recuou naquele ponto. Só o desmantelamento daquele partido permitiria ao partido nazi obter a maioria necessária que veio a acontecer. Mas é necessário compreender que estamos a falar do pai do código de direito canónico, cujos membros da família tinham alcançado prestígio como homens de direito. Era um homem da lei, um advogado. Obviamente que cria nela, mas também estava ciente que Hitler não a ia cumprir.

– Se sabia, porque assinou? – perguntou Sarah.

– Porque ele precisava de um documento legal como base para poder protestar – esclareceu o relator. – A maioria das pessoas pode não compreender isso mas qualquer homem de direito o entende. A verdade é que até 1938 o Secretário de Estado do Vaticano, Eugenio Pacelli, emitira cinquenta e cinco protestos ao governo alemão, por violações flagrantes à concordata assinada em 1933. Chegou a mencionar a ideologia da raça. A concordata condenava as perseguições em relação ao credo e à raça. A opinião pública não tinha conhecimento destes protestos. Nunca teve. Pacelli sempre preferiu as vias legais à comunicação social. Soube-se, nos julgamentos de Nuremberga, que Hitler achava muita graça aos protestos e até tinha um lugar especial na sua secretária onde os empilhava à medida que chegavam, e que fazia piadas sobre eles. Mal foi eleito Papa, a sua primeira medida foi contactar Hitler.

– Finalmente, 1939 – gracejou Rafael, embora ninguém tivesse achado piada.

Duválio bebeu mais um pouco de água. Estava a ficar muito cansado mas ia continuar. Se pudesse mudar duas mentes em relação ao pensamento negativo que se generalizara sobre o Santo Padre Pio XII já se podia considerar um afortunado.

– Estava a esquecer-me de um dado importante que aconteceu ainda antes de o cardeal Pacelli ter sido eleito Papa – referiu o relator, recuando um pouco. – A *Mit Brennender Sorge.*

– A qu... quê? – perguntou o americano.

– A encíclica *Mit Brennender Sorge* – repetiu Rafael. – Quer dizer *Com Profunda Preocupação.* Foi uma crítica aberta ao nacional-socialismo e onde Pio XI chegou a insultar Adolf Hitler. Foi escrita em 1937.

– É interessante notar que é um dos dois únicos documentos oficiais do Vaticano não escritos em latim. O primeiro também foi de Pio XI que era, de facto, um portento – acrescentou Duválio.

– Em que língua foi escrito o primeiro? – quis saber Sarah.

– Italiano – respondeu Rafael. – Chamava-se *Non Abbiamo Bisogno. Não precisamos disso.* Era uma crítica muito forte ao fascismo de Mussolini. Foi o fim do interlúdio pacífico entre o ditador italiano e o Papa, que tinha começado com o Tratado de Latrão, em 1929. Mussolini ficou irado e depois disso a relação deles foi sempre de ódio.

– Em 1929 também se odiavam. Mas Pio XI precisava de terminar de vez com a Questão Romana.

– Mais um Pacelli envolvido – disse Rafael.

– Esperem um pouco – requereu Sarah. – Não estou a perceber. Tratado de Latrão? Questão Romana? O que é isso?

– Eu explico, senão nunca mais saímos daqui – atalhou Rafael. – Quando a Casa de Saboia, liderada por Vittorio Emanuele II, reunificou toda a Itália, o que aconteceu em 1870, incluiu os Estados Pontifícios que eram compostos por toda a Lácio, a Umbria, as Marcas e a Romanha, praticamente todo o centro da península. O Papa Pio *Nono* não aceitou e refugiou-se no Vaticano, declarando-se prisioneiro do governo italiano. Apesar de o parlamento italiano ter aprovado a lei das garantias, em 1871, conferindo ao Vaticano liberdade de culto e soberania sobre o seu território, as quatro basílicas papais e Castelo Gandolfo, Pio *Nono* não aceitou qualquer negociação e nunca mais saiu do Vaticano. Isso ficou conhecido por Questão

Romana. Durou cinco pontificados e terminou a 11 de Fevereiro de 1929, com o Tratado de Latrão que conferia total soberania ao Estado Cidade do Vaticano e mais alguns territórios, e ainda oferecia uma avultada quantia financeira como indemnização pela perda dos Estados Pontifícios. De um lado estava Benito Mussolini e do outro o Papa Pio XI e o seu Secretário de Estado, Pietro Gasparri. Mas há uma coisa que a opinião pública não sabia. O próprio Benito Mussolini, que se vangloriou por ter posto fim à Questão Romana, foi usado e manipulado sem ter dado conta. Quem elaborou o texto do Tratado, e foi crucial nas negociações, foi um eminente advogado de direito canónico chamado Francesco Pacelli que era irmão de Eugenio. A Santa Sé precisava urgentemente de resolver a Questão porque estava completamente falida. Tinham sido cinquenta e nove anos a gastar dinheiro e a fonte estava a poucos passos de secar completamente.

– Não é necessário contar esses pormenores – contestou Duválio.

– Para o bem e para o mal, Duválio. Para o bem e para o mal – Rafael prosseguiu. – Ninguém contestava a soberania do Vaticano. Nem os Saboia o fizeram. Pio XI necessitava da indemnização para manter o Estado solvente. E Mussolini caiu como um patinho. Até pagou a construção do caminho-de-ferro do Vaticano. Com a Questão Romana ultrapassada, o Estado solvente e rodeado das pessoas certas para que a insolvência não voltasse a acontecer, Pio XI pôs fim ao interlúdio em 1931 com a encíclica *Non Abbiamo Bisogno* que é um ataque brutal ao fascismo mas, especialmente, a Benito Mussolini.

Rafael fez uma pausa, ciente do que iria revelar a seguir:

– Os dois homens odiavam-se ao ponto de, dentro dos corredores do Vaticano, se acreditar que Mussolini mandou matar Pio XI.

33

O tempo estava a seu favor. Era o que dizia o temporizador que recuava implacavelmente. O pior de tudo era a espera, uma vez que não era homem de procrastinar o que podia fazer no imediato. O tempo era muito relativo. Lento para aqueles que esperavam, rápido para aqueles que tinham medo, longo para aqueles que sofriam, curto para aqueles que celebravam.

Passara ao próximo da lista. O cliente fora explícito. Seguir a ordem de eliminação, aconteça o que acontecer. Aquele era o seguinte. Depois do alemão, na Via Tuscolana, dera um salto à morada que lhe conhecia, mas sem sucesso. O pior de tudo era a espera e decidiu não esperar muito. Dirigiu-se ao Palácio das Congregações. Se não estava em casa, só havia outro local em toda a Roma onde ele podia estar. Era ali, no palácio. A rotina deles era muito previsível e ele conhecia-as bem. Não o contrataram pelos seus belos olhos. A sua competência precedia-o nestes meios obscuros.

O Francês estava dentro do carro a calçar as luvas quando os viu. Eram três. Sorriu. Os caminhos entrelaçavam-se misteriosamente, como que tecidos por um tear invisível. Era uma oportunidade que não podia perder. *Audaces fortuna iuvat.* Não podia levar a arma grande. Teria de se servir da pequena. Era uma Glock modificada por ele mesmo. Enroscou-lhe o duplo silenciador e verificou as munições. Eram dezasseis. Mais do que suficiente. Só precisava de seis e não era homem para gastar mais do que necessitava.

Enviou uma mensagem com a nova informação para o cliente. Ele haveria de gostar da boa nova.

Havia câmaras na entrada e um segurança da Gendarmaria Vaticana. Três câmaras até ao elevador e depois nada mais. Para o Vaticano, o importante era quem entrava e quem saía. Isso era meticulosamente registado. O que se fazia no silêncio dos gabinetes não devia nunca ser testemunhado. Naquele edifício lidava-se com assuntos sensíveis. Era necessário muito cuidado.

O Francês não queria saber de nada disso. Sabia muito bem onde tinha de ir e em quanto tempo. Exactamente cento e oitenta segundos, nem mais um. O telemóvel informou-o da chegada de uma mensagem. Seguramente era o cliente a responder. Sorriu ao ler a resposta com instruções. Olhou para o temporizador e pegou num *post-it* cor-de-rosa. Rabiscou alguma coisa, aproveitando os dois lados do papel. Enfiou um carapuço preto para encobrir o rosto e saiu do carro.

A sorte protege os audazes.

34

Aquela revelação de Rafael deixou os jornalistas ainda mais perplexos. Não era novidade que um Papa fosse eliminado, Sarah sabia-o muito bem, talvez melhor que ninguém, mas não conseguia evitar um sentimento de assombro.

– E... e... o Mu... Musso... Mussolini ti... nha... tinha acesso ao Papa? – perguntou John Scott.

Rafael fez que sim com a cabeça.

– O médico de Pio XI, Francesco Petacci, era pai da amante de Mussolini. Isto, por si só, não significa que ele o tenha assassinado, mas da fama nunca se livrou.

– De que é que Pio XI morreu?

– Insuficiência cardíaca. Teve três ataques cardíacos. Morreu um dia antes do décimo aniversário da assinatura do Tratado de Latrão. Isso também contribuiu para atribuir as culpas ao doutor Petacci – acrescentou Rafael.

– São apenas conjecturas – arguiu Duválio. – Aqui lidamos apenas com factos. Estávamos a falar da encíclica *Mit Brennender Sorge*, de 1937, que só por si é digna de um filme de aventuras.

– Porquê?

– Como dissemos, a encíclica foi escrita directamente em alemão porque era endereçada ao povo germânico. Foi enviada por correio diplomático, em segredo, e nem sequer houve qualquer anúncio sobre a sua elaboração para não ser sujeita a inspecção pelos agentes da Gestapo. Algumas tipografias alemãs ofereceram os seus serviços em segredo. Foram impressas cerca de trezentas mil cópias e mesmo assim foi insuficiente. Distribuiu-se por todas as igrejas católicas germânicas e foi lida em todas elas no Domingo de Ramos de 1937, altura em que mais pessoas iam à missa. Os nazis responderam no dia seguinte. Invadiram todas as dioceses, apreenderam todas as cópias da encíclica mas não se ficaram por aí. Perseguiram os católicos e prenderam mais de mil pessoas. Fecharam e selaram as tipografias que colaboraram na impressão da encíclica. Encararam-na como um ataque directo ao regime nazi. Proibiram a circulação dos jornais católicos e denegriram a imagem dos clérigos, julgando mesmo alguns. Foi uma perseguição sem precedentes à Igreja Católica e a Pio XI.

– Esqueceram-se de um pormenor – adiu Rafael. – Quem redigiu a encíclica não foi Pio XI mas Eugenio Pacelli. Foi ele quem escreveu *Somos todos semitas*. Dizem que Pacelli nunca se insurgiu contra Hitler e, no entanto, refere-se a ele como *um profeta louco com uma arrogância repulsiva*.

– E depois temos a Operação Pontífice e Rabat, se dúvidas houvesse que, para Hitler, Pio XII era um inimigo e nunca um aliado – argumentou Duválio.

Sarah sentia-se atacada por duas frentes informativas. A do relator e a de Rafael. Ambos com informações pertinentes.

– E que operações foram essas?

Duválio olhou para Rafael como que a conceder-lhe a explicação.

– O Rafael é o mais indicado para falar disso. Tudo o que envolva militares é com ele.

Cansado de estar sentado, Rafael levantou-se.

– Essas duas operações foram lançadas por Hitler, a Pontífice em 1940 e a Rabat em 1943, e ambas tinham o mesmo objectivo… eliminar o Papa. A primeira caiu por terra por ordem do próprio Hitler que vira mais contras do que prós em eliminar Pio XII naquela altura. Aliás, foi sempre um tema muito sensível para todos os seus generais e assessores. Nunca nenhum considerou que a eliminação física do Papa trouxesse algum benefício à causa nazi. A segunda foi bem diferente. O ditador deu ordens ao General Karl Wolff, comandante supremo das SS em Itália, para raptar e matar o Papa Pio XII. Mussolini caíra em desgraça, os alemães tinham invadido a península e estavam instalados na capital. O general Wolff e o embaixador alemão para a Santa Sé, Ernst von Weizsäcker, não viam a operação com bons olhos. Com a desculpa da progressão dos aliados e dos ataques aéreos, o general conseguiu enganar Hitler e desculpar o atraso na conclusão da operação. Os tanques e um cordão com cerca de setecentos homens rodearam o pequeno Estado mas nunca nenhum soldado se atreveu a passar a linha de fronteira sem autorização pontifícia.

Os olhares dos três seguiam Rafael enquanto ele andava de um lado para o outro, dentro da sala do colégio.

– O general Wolff, um militar muito experimentado, explicara ao mundo que aquele cerco era para proteger o Papa e não para atacá-lo – continuou Rafael. – A verdade era que o cerco serviria para capturar o Papa, caso não pudesse enganar Hitler durante mais tempo. A operação Rabat não previa que o Papa fosse eliminado no Vaticano. Seria raptado e depois transferido para o Liechtenstein, local onde seria assassinado. Por essa razão, Pio XII emitiu uma ordem verbal. Ele não queria que, caso Hitler invadisse o Vaticano, encontrasse provas documentais do que quer que fosse sobre as suas decisões durante a guerra. Essa ordem previa que caso o Sumo Pontífice fosse raptado, renunciaria automaticamente ao cargo. Os soldados alemães ficariam então na posse do cardeal Pacelli e não do Papa Pio XII que deixaria de existir. Os cardeais deviam procurar refúgio em Portugal, um país neutro, instalar a Igreja neste território e eleger um novo Papa. Alguns cardeais partiram mesmo para Portugal por prevenção.

– Como é que ele sabia que podia ser raptado ou morto? – quis saber Sarah, totalmente embrenhada no relato.

– Primeiro, porque suspeitava que esse pudesse ser o seu destino – continuou Rafael. – Segundo, porque o embaixador Weizsäcker e o próprio general Wolff o tinham informado dos objectivos de Hitler e da operação Rabat e das suas intenções em não seguir as ordens alemãs. Mas Pio XII não lhes facilitou o trabalho. Por essa altura, finais de 1943, mandara falsificar certificados de baptismo para os judeus romanos, uma das comunidades mais antigas do mundo, que estavam a ser perseguidos pelas forças nazis. No Vaticano, refugiaram-se cerca de quatro mil. Nas igrejas e mosteiros de todo o país foram vários milhares. Isto chegou aos ouvidos de Hitler. Weizsäcker e Wolff estavam a ficar sem desculpas. A operação Rabat tinha de avançar.

– E porque não avançou?

– Porque os aliados tomaram Roma. Foi por pouco.

– Mas... mas... porque é... é... que... que Pio XII nun... nunca se... se insur... insurgiu abertamente con... contra o nazis... nazismo?

– Porque o pressionaram a não fazê-lo – respondeu Duválio. – Podem consultar as correspondências do Vaticano entre 1939 e 1945. Estão acessíveis a qualquer pessoa. Foram os próprios padres, em toda a Europa, que apelaram ao Papa para que não denunciasse o nazismo, pois seriam eles a pagar. Ele teve o documento de denúncia escrito e pronto para ser lido na rádio Vaticano. Por essa altura, um bispo holandês denunciou o nazismo. As tropas de Hitler mataram o bispo e mais quarenta mil católicos na Holanda. No seguimento do sucedido, queimou o papel onde escrevera a denúncia. Não queria, caso fosse raptado ou morto, que nenhum documento que comprometesse os católicos e judeus fosse encontrado, pois as represálias seriam, a exemplo da Holanda, terríveis. Montini, o futuro Papa Paulo VI, seu assessor, ouviu-o dizer enquanto queimava o papel: *Se um bispo denuncia o nazismo e matam quarenta mil pessoas, quantas não matarão se for um Papa a dizê-lo?*

– Vendo as coisas dessa perspectiva, talvez ele tenha agido bem – disse Sarah.

– Claro que agiu bem – afirmou Rafael. – Sem esquecer que salvou centenas de milhares de judeus e refugiados. Mais que qualquer outra organização não-governamental ou particular.

– Mais do que o Schindler e o Aristides Sousa Mendes? – perguntou Sarah.

– Quem foi o Aristides Sousa Mendes? – devolveu Rafael.

– Um diplomata português – explicou Duválio. – Cônsul de Bordéus. Emitiu mais de trinta mil vistos a judeus, contra as ordens recebidas do governo de Lisboa. Acabou exonerado. Morreu na miséria. Justificou os seus actos com uma expressão que ficou famosa. *Se milhares de judeus sofrem por um cristão, certamente um cristão pode sofrer por muitos judeus.* É um dos Justos entre as nações do Yad Vashem. – Virou-se para Sarah. – Provavelmente, o Aristides Sousa Mendes está nos lugares cimeiros, mas estima-se que o Papa tenha salvado cerca de oitocentos mil judeus.

– Oitocentos mil? – disse John Scott, espantado.

– Estas histórias nunca eram reveladas – referiu o relator. – Parecia que alguém havia orquestrado um plano para que Pio XII fosse visto como um demónio, adorador de nazis.

– Então qual foi o problema? – prosseguiu Sarah. – Qual é a dúvida em beatificar o Papa Pacelli?

Duválio trocou um olhar comprometido com Rafael. Pelos vistos havia dúvidas.

– A nossa investigação levou-nos, inevitavelmente, a um nome que se torna incontornável sempre que se fala do Papa Pacelli – respondeu Duválio.

– Quem?

John Scott e Sarah estavam avidamente à espera da resposta. O mistério é, sem sombra de dúvidas, o melhor combustível para despertar o interesse de um jornalista.

– A tal pessoa que ele se esqueceu de inserir no relato – censurou Rafael.

– Não se pode falar do Papa Pacelli sem mencionar a madre Pasqualina – concluiu Duválio, cabisbaixo.

– Quem foi essa Pasqualina?

– Governanta, confidente, assistente do Papa durante mais de quarenta anos. A influência dela foi tão grande que até afectou o Papa Pio XI. Foi ele quem quis que ela fosse ajudar Pacelli na Secretaria de Estado. Aliás, foi uma ordem. A encíclica de denúncia a Mussolini, em 1931, a *Non Abbiamo Bisogno*, foi ideia dela – foi a vez de Rafael explicar. Depois puxou novamente a cadeira e colocou-se de frente para Duválio, inclinando-se na direcção dele com um ar ameaçador. – E agora chegámos à parte mais importante, não é Duválio?

Gotas de suor voltaram a formar-se na testa do relator, a respiração alterada, novamente audível.

– Pois.

– Eu vou facilitar-te a vida – prosseguiu o italiano. – Como tiveste conhecimento da existência delas?

O brasileiro levantou a cabeça espantado. Não estava à espera daquilo. *Elas?*

– Elas? – perguntou em tom evasivo. Queria perceber até que ponto Rafael não estaria apenas a atirar para o ar.

– Sim. A Anna e a Mandi. Como é que soubeste? – insistiu.

Duválio ficou ainda mais nervoso. Ele sabia. Como podia saber?

– Mas…

– Mas nada, Duválio. Desembucha.

35

Para Jacopo Sebastiani a noite servia para dormir e qualquer alteração a este ritual fisiológico era, seguramente, uma imbecil anormalidade, excepto se se tratasse de um caso de força maior, o que era o caso e fazia com que, ironia das ironias, fosse ele a imbecil anormalidade desta noite.

Acordou Norma logo que Rafael desligou. Não foi tarefa fácil. O sono pesado da sua esposa seria motivo mais que suficiente para tornar Hércules num menino franzino, sem força nenhuma. Estava nervoso. O tom preocupado de Rafael deixara-o alterado e o pedido que lhe fizera no carro era um acrescento para que se despachassem, assim Norma o permitisse. As coisas tinham-se descontrolado, quase de certeza, e era necessário reequilibrar a balança, não fosse o diabo tecê-las e vencer Deus desta vez, mesmo que ele não acreditasse nem num nem noutro.

Acordada a senhora, ao fim de uns intermináveis quinze minutos prepararam uma pequena mala para os dois e em seguida vestiram-se.

– O que é que se passa, Jacopo? – perguntou Norma enquanto preparava um pequeno-almoço para os dois na apertada cozinha.

– O Rafael ligou. É melhor despacharmo-nos e fazer o que ele disse – respondeu, evasivo. Não lhe tinha mencionado nada sobre o que se estava a passar, nem da viagem a Veneza, muito menos do rapto de Niklas.

Norma envolveu duas sandes numa película transparente, pegou numa garrafa de água de litro que estava no frigorífico e saiu da cozinha.

– Estou pronta.

Norma conhecia Rafael muito bem, ou melhor, tão bem quanto ele deixava. Ultimamente não se viam com tanta regularidade, mas gostava muito dele. De certa forma, imaginava-o como o filho que não haviam tido. Insistira várias vezes com o casmurro do marido para que o fossem visitar ou, pelo menos, que o trouxesse a casa para jantar, mas o evasivo Jacopo respondera sempre com um dúbio *um dia destes*, expressão que entre os povos latinos significa *nunca*. Se Rafael ligara a meio da noite e lhes pedira que saíssem de Roma por uns dias, a sua vontade seria cumprida.

– Espero que não seja nada de grave – proferiu Norma, para si própria, já sentada dentro do carro. – Para onde vamos?

– Torano.

– Torano? O que vamos fazer a Torano?

– Logo verás. Descansa um pouco. Não tarda estaremos lá. Sem trânsito é num instante.

– Já sabes que não consigo dormir nas viagens de carro, não sei porque insistes – disse Norma, elevando o tom de voz.

– Pronto. Vai começar. Santa paciência.

– Paciência preciso eu para te aturar – prosseguiu Norma, irritada, enquanto Jacopo percorria as ruas que os levavam para fora de Roma. – Tantos anos e viste-me a dormir no carro alguma vez? Não sabes porque só te interessas pelos teus assuntos. Que te importa se estou bem ou não? Nem sabes que quando estou nervosa começo a falar muito, pois não?

– Presumo que estejas nervosa todos os malditos segundos da tua vida – atirou Jacopo, atento à estrada.

Norma lançou-lhe um olhar furioso, com a testa franzida.

– O senhor meu pai é que tinha razão, Jacopo Sebastiani.

A menção ao defunto pai de Norma era uma carta que tinha sempre um efeito nocivo em Jacopo. Nunca se tinham dado bem e, mesmo morto há mais de vinte anos, o historiador continuava a odiá-lo… de morte, se tal era possível.

– Deixa-me conduzir sossegado, Norma. Por favor.

Ninguém disse mais nada durante uns minutos, poucos, os suficientes para apanharem a autoestrada que os afastava para longe de Roma.

– Vais ter um péssimo casamento – murmurou ela, imitando a voz do defunto pai, enquanto se dirigiam pela A24 para oriente, a 80 km por hora, já que Jacopo não era dado a grandes velocidades. – O filho do almirante Cassutto está no exército, há-de ir longe e gosta de ti. O que é que esse tal Jacopo te pode dar, aulas de história?

O historiador respirou fundo. Ouvira aquela gesta vezes sem conta. Antes de ser proferida pela boca de Norma, fora-o pelo velho sogro, esse pacóvio de Frascati, que se julgava acima dos outros.

– O filho do almirante Cassuto não ficou tetraplégico? – perguntou Jacopo, que já sabia a resposta. – Agora estavas a mudar fraldas e a dar-lhe de comer na boca. Rica vida o teu pai desejava para ti – acrescentou em tom de provocação.

Norma demorou algum tempo a responder. Não que não tivesse a resposta já preparada, era difícil apanhá-la desprevenida, talvez mesmo impossível, mas porque sabia que a espera irritava o marido. Não costumavam estar acordados àquela hora mas, pelos vistos, nem de madrugada se poupavam a discussões. Era assim há mais de trinta anos.

– Já era viúva, meu menino. E estaria a receber uma pensão choruda do estado. O que é que tu recebes por trabalhar para a Santa Madre Igreja? Telefonemas a meio da noite. – Persignou-se no fim. Não se importava de brincar com a Igreja, mas o temor a Deus era mais forte e não queria ser castigada por Ele por não saber calar as provocações.

A viagem continuou nesse tom quase até ao seu destino, sendo interrompida por duas vezes. A primeira porque Jacopo sentiu uma súbita e improtelável vontade de ir à casa de banho, e a segunda porque entendeu que Norma o afrontara na sua honra de uma forma tão gravosa que se recusara a continuar a viagem enquanto ela não emitisse um sonoro e sincero pedido de desculpas. Norma não era mulher de pedir desculpa a vivalma, muito menos a Jacopo Sebastiani, e manteve-se muda e calada, parados na berma da autoestrada, no escuro da madrugada campesina, junto à saída de Valle del Salto, onde não se via uma única luz que indiciasse presença humana. Apenas dois casmurros dentro de um carro parado, e o ronco do motor à espera de ordem para arrancar. Ao fim de dez minutos, ou um quarto de hora, segundo a versão de cada um dos membros do casal, Jacopo arrancou novamente, sem o almejado pedido de desculpas, mas decidido a não pronunciar nem mais uma palavra o resto da viagem e, já agora, da sua vida em comunhão com aquela mulher intratável. Seria essa a sua vitória. O desprezo total. Ela haveria de ver. Norma não suportava o silêncio.

– Queres comer alguma coisa? – perguntou ela quando já tinham percorrido mais um par de quilómetros.

– Quero.

Comeram o pequeno-almoço que Norma preparara e beberam a água. Pouco depois deixaram a autoestrada e entraram numa estrada nacional, saíram para outra secundária, cheia de buracos que Jacopo não conseguia evitar, apesar dos protestos de Norma.

– Cala-te, mulher – berrou ele fora de si. – Já não te posso ouvir.

O fim do trajecto, para mal dos pecados de Jacopo, era numa estrada de terra batida, cheia de altos e baixos que os fazia andar aos tropeções dentro do carro, apesar de levarem os cintos apertados.

Chegaram ao destino ainda Jacopo estava afogueado da fúria que o assaltara. Aquela mulher tirava-o do sério. Norma estava amuada porque o marido lhe gritara insensivelmente.

– De quem é esta casa? – perguntou Norma antes de abrir a porta do carro.

– Já vais saber.

Os tons de voz haviam retornado à normalidade. Acercaram-se da porta da entrada. Era uma casa térrea estranha. Norma nunca tinha visto uma construção daquele género. Parecia uma casa de betão, com ângulos rectos. O sensor de movimento fez acender uma luz sobre eles. Uma câmara na ombreira da porta estava apontada na direcção do casal.

– Que raio de sítio é este? – quis saber Norma, entre a curiosidade e a apreensão.

Jacopo não respondeu. Uma voz metálica saindo de um intercomunicador que estava ao lado da porta irrompeu o ar frio.

– Que desejam?

– Chamo-me Jacopo Sebastiani. Venho por ordem do padre Rafael Santini – explicou Jacopo para a máquina.

– Um momento, por favor.

Instantes depois a porta abriu-se com um estalido eléctrico e recuou para o interior alguns centímetros. O casal entrou, Jacopo à frente, Norma a segui-lo, colada a ele o mais que conseguia. Sentia um frio na barriga que só podia ser nervos. Entraram para um átrio muito sóbrio, de mármore branco, com um cubículo preto do lado esquerdo, onde estava um homem de uniforme, na casa dos 30 anos, com cinco monitores à sua frente, cada um a projectar quatro imagens diferentes.

– Boa noite, doutor Sebastiani – cumprimentou o homem, com um sorriso, quando saiu do cubículo. – Boa noite, minha senhora.

Pegou na mala que eles traziam e conduziu-os ao interior da casa. Entraram para um corredor estreito com cerca de três metros. Ao fundo, outra porta.

– Aguardem um momento, por favor. Essa porta só abre depois de esta fechar – explicou o segurança.

Assim que a primeira porta se fechou, sentiu-se o estalido da tranca a fechar-se automaticamente e depois a outra escancarou-se. Seguiram os três, com o segurança à frente.

– Fizeram boa viagem?

O casal Sebastiani entreolhou-se com esgares comprometidos.

– Fizemos. A esta hora não há trânsito – respondeu Jacopo.

– A governanta está a dormir, mas se necessitarem dos serviços dela posso chamá-la.

– Deixe-a descansar. Não vamos necessitar de nada – asseverou Jacopo.

Seguiram por um corredor comprido que descia para um patamar inferior. Afinal não era uma casa térrea; estava sim construída sobre um declive, ou assim parecia. Jacopo reparou numa luz vermelha que piscava a intervalos por cima de algumas portas.

– O que é aquilo? – quis saber o historiador.

– É o sinal de chamada na porta de entrada. Como a casa é muito grande serve para nos avisar, se não estiver ninguém na recepção. Foi a chegada dos senhores que o accionou. Quando regressar à recepção desligo-o.

Norma deu um puxão no casaco do marido e sussurrou-lhe ao ouvido.

– Que lugar é este?

Jacopo levou um dedo aos lábios para lhe pedir silêncio. Quando estivessem sozinhos explicaria… ou não.

O jovem segurança conduziu-os até uma porta, esta maior que as que haviam visto. Abriu-a e apresentou-lhes os aposentos deles. Eram espaçosos, com casa de banho, quarto de vestir e até um pequeno escritório privado. Pousou a mala em cima de um estrado próprio para esse efeito e desejou-lhes boa noite.

– A que horas acorda a senhora? – perguntou Jacopo.

– Às seis e meia – informou o jovem. – Tenham uma boa noite – repetiu.

O jovem segurança saiu e fechou a porta atrás de si. Norma sentiu um calafrio pela espinha abaixo que a fez arrepiar-se. Talvez fosse impressão sua, mas sentia-se observada por todos os ângulos.

– Que senhora é essa? – quis saber Norma, com a curiosidade aguçada ao máximo.

– Raios, mulher. Que coscuvilheira – resmungou Jacopo, visivelmente irritado.

– Mas, afinal, para onde raio me trouxeste? – insistiu Norma. Pelo menos queria saber isso. – Onde estamos?

Jacopo sentou-se na beira da cama e fitou-a depois de respirar fundo. Estava a raciocinar. Norma conhecia-o muito bem. Reflectia na quantidade de informação que lhe daria.

– Numa casa segura.

Norma lançou-lhe um olhar inquisitivo. Era suposto que ela soubesse o que significava a expressão "uma casa segura"? Não o eram todas?

– É uma casa oculta, que ninguém conhece, para onde só vem quem necessita de estar protegido, em segurança.

Norma ficou realmente preocupada pela primeira vez e sentou-se ao lado do marido.

– Estamos em perigo por alguma razão? Diz-me a verdade, Jacopo.

O historiador colocou-lhe uma mão tímida no ombro e depois abraçou-a.

– Está tudo bem, Norma. Está tudo bem. Mas há outras pessoas que não têm tanta sorte.

– Quem? O Rafael está bem? – Foi a primeira preocupação dela.

– Está bem, não te preocupes – respondeu ele, sem ter a certeza do que dizia.

– E que senhora é essa por quem perguntaste ao rapaz?

– Não sei, Norma. Só sei que o Rafael quer que a ajudemos.

– Tu não me mintas, Jacopo Sebastiani.

O historiador soltou o abraço e levantou-se.

– Vais começar? Nem numa casa desconhecida me respeitas.

Norma lançou-lhe outro olhar colérico. Era hábito fazê-lo ao longo do dia. Muitas vezes, mais do que se conseguia lembrar. Este dia tinha começado mais cedo.

– Viúva, Jacopo Sebastiani. E com uma pensão choruda. Era como eu podia estar agora.

Jacopo saiu do quarto e fechou a porta. Queria batê-la com a maior força que pudesse mas achou por bem não o fazer para não acordar as outras pessoas que dormiam naquela casa, quem quer que elas fossem. Encostou-se à parede e fechou os olhos. Às vezes provocava a esposa propositadamente para que pudesse ter estas explosões, aparentemente irracionais, que mais não eram do que uma farsa. Não lhe queria contar, não podia. A senhora contaria se assim o entendesse. Não tinha o direito de fazê-lo. Quanto menos pessoas soubessem melhor. Um favor. Um raio de um favor às seis e meia da manhã quando a senhora acordasse. Deixou-se deslizar pela parede abaixo até ficar sentado no chão de mármore frio e suspirou. Ia fazer um favor a um amigo. Mais nada.

– Espero que corra tudo como planeaste, Rafael.

36

Sarah e John Scott estavam completamente a leste do que se estava a passar no gabinete do terceiro piso do Palácio das Congregações. Desconheciam os nomes que Rafael mencionara. Anna e Mandi. Mais dúvidas, mais questões.

– Como é que tiveste conhecimento? – repetiu Rafael, inclinando-se ainda mais para a frente na cadeira, com uma postura intimidatória.

– Ao contrário do que se possa pensar, o trabalho que este colégio faz é muito sério.

– Ninguém pensa o contrário – asseverou Rafael.

Duválio levantou-se de repente e dirigiu-se a um dos armários. Sentiu uma ligeira dor de cabeça e cambaleou. Sarah fez menção de ajudá-lo mas o brasileiro acabou por reequilibrar-se. Pegou numa chave que estava em cima da mesa grande e abriu uma das gavetas de madeira escura. Procurou no interior, passando alguns dossiês castanhos, e retirou um deles. Regressou trôpego à cadeira e entregou-o a Rafael.

– O que é isto?

– Um teste de ADN.

Rafael analisou as folhas que estavam no interior do dossiê. Três sujeitos que, segundo os dados recolhidos, eram parentes. Os nomes dos sujeitos eram G.P., Anna P. e M. A análise tinha a data de 2002.

– Quem é que vos enviou isto? – perguntou Rafael.

– Estava nos arquivos – respondeu Duválio, comprometido.

– Isto estava nos arquivos? – repetiu Rafael, surpreso.

Duválio anuiu.

– Troca-me isto por miúdos – pediu Rafael, embora soubesse perfeitamente do que se tratava.

– O que aí indica é que o G.P. é pai de Anna P., que por sua vez é mãe de M. – explicou Duválio. – Com certeza estás mais dentro deste assunto que eu.

– Validaram esta informação?

– Está tudo explicado no catálogo do arquivo.

– Estás a brincar, certo? – duvidou Rafael. – O que é que está explicado?

– Quem mandou fazer a análise e por que razão. Foi um tal Ivan. Nunca o encontrámos.

– E então foram investigar.

Duválio anuiu.

– Relemos tudo novamente para ver se nos tinha escapado alguma coisa. Mais de cem anos de informação recolhida para a *Positio* de Pio XII. É uma quantidade monumental de informação. Caixas e caixas. Revimos as entrevistas às centenas de testemunhas, as notícias de jornais, os diários, os livros, os documentos, tudo, tudo, tudo. Procurámos elementos novos que nos permitissem chegar a alguma conclusão. Passámos a pente fino todo o trabalho do padre Gumpel e dos que o precederam. Sempre no maior secretismo, obviamente.

– E não encontraram nada – interrompeu Rafael, certo do que estava a dizer.

– Não. Pareces muito seguro disso – atirou Duválio.

São muitos anos, rapaz, pensou Rafael.

– E depois?

– Acabámos por descartar o teste de ADN. Tudo apontava para charlatanice ou um mau trabalho arquivístico. O padre Gumpel ordenou que parássemos com o trabalho e obrigou-nos ao dever de *Totalis Secretum*, um procedimento normal nestes casos… – Duválio entregou a Rafael uma encadernação pequena, bastante velha e usada. – Até que encontrei isto.

Rafael pegou nela. Parecia um caderno de apontamentos de capa dura, bastante robusto e de boa qualidade.

– O que é isto?

– Um diário.

Rafael folheou-o. Estava escrito em alemão e tinha entradas desde 1960. A letra era bonita, segura, ligeiramente inclinada para a direita. Reconheceu-a imediatamente. Só não percebia como é que aquele caderno tinha ido ali parar.

– Isto era da Pasqualina.

– Correcto – confirmou Duválio com um aceno de cabeça. – Não havia nada sobre isso nos diários do Santo Padre. Até encontrar esse livro, nem sequer fazíamos ideia que a madre Pasqualina escrevera um. É claro que era perfeitamente natural que ela o tivesse feito e que nós não tínhamos, obrigatoriamente, que saber da sua existência. Já o tinhas visto?

Rafael fez um gesto negativo. Continuava a folheá-lo ao acaso. Alguém fizera marcações no livro. Pedaços de cartão pequenos marcavam várias páginas. Sempre que apanhava um passava os olhos rápidos pelo texto, na busca de algo que chamasse a atenção. Nunca sentira a necessidade de escrever um diário. Pensava que era uma perda de tempo. De que servia deixar as perspectivas, uns dos outros, impressas no papel à mercê da posteridade? Era um perigo. E este exemplo era a prova disso mesmo. Deixar a vida por escrito não fazia bem a ninguém. No quarto ou quinto cartão encontrou o que não desejava ler. Alguém sublinhara o texto para que não se perdesse a informação.

Fui ver a minha menina. Sei que não devia, mas não aguentei. Nada mais me resta do tempo que passei com Eugenio. Até as memórias estou a perder. Preciso de recorrer a retratos para me lembrar do rosto dele, outrora tão bem gravado na minha mente. O toque, o sorriso, o olhar divino e ascético, tudo isso se vai perdendo diariamente, uma parte, um pouco, até não restar nada. Esqueci o cheiro dele. Precisava de vê-la. A minha Anna... a nossa. Tem as feições dele. O nariz e os olhos são cópias perfeitas. Que loucura cometemos naquela noite em Berlim. Que loucura. Nunca ninguém poderá saber. A minha querida Anna. A nossa menina. Sorriu-me e isso bastou-me. Está uma mulher, mas para mim será sempre uma menina. Só Deus Pai saberá, e a Ele responderei pelos meus actos quando for chamada à Sua presença. O Papa Roncalli aceitou receber-me...

O texto continuava mas Rafael preferiu ir ver a data de entrada daquele relato. 25 de Setembro de 1960. Trigésimo aniversário de Anna.

Pasqualina era uma mulher muito pragmática. Nunca a conheceu, apesar da sua longevidade. Viveu oitenta e nove anos. Por ela passaram nove Papas e serviu três. Todos, sem excepção, a respeitavam. O seu sacrifício, em nome da Santa Madre Igreja, foi descomunal.

– Onde o encontraste?

– No arquivo – tornou a responder Duválio.

– Não queres dar outra resposta?

– Foi no arquivo – repetiu Duválio, engolindo em seco.

– Confirmaram a autenticidade do diário? – perguntou Rafael, que sabia que era verdadeiro.

– Claro. Foi mais difícil do que, inicialmente, prevíamos, para alguém que viveu tanto tempo no Palácio Apostólico. Em quase trinta anos pouca gente privou com ela. Muitos nunca a viram sequer. Por fim, encontrámos um conjunto de notas escritas por ela, a mando do cardeal Spellman, quando estava no departamento de comunicação. A análise paleográfica não deixou margem para dúvidas. Era a letra de Pasqualina.

– Piccolo diz-te alguma coisa? – perguntou Rafael, de rompante.

Duválio franziu o sobrolho, incomodado, e ajeitou-se na cadeira.

– Não.

– E *Fondazione Donato per la lotta dei bambini con leucemia?*

– Por... Por... por que... que ra... razão está a... a... per... perguntar i... isso? – perguntou John Scott, agarrando-se ao dossiê castanho.

Rafael ignorou a pergunta e continuou a fitar Duválio com uma expressão séria. Ele sabia que havia muitas maneiras de responder para além das palavras.

– E o *Fondo Giulietta per i bambini non protetti* diz-te alguma coisa?

Duválio engoliu em seco. Estava novamente com sede.

– Não. Nunca ouvi falar.

– O... o... que... que tem i... isso a... a... a ver? – insistiu John Scott, que não estava a perceber a ligação.

– Então autenticaram o diário e verificaram que pertencia mesmo a Pasqualina. E depois? – inquiriu Rafael sem dar ouvidos ao jornalista.

– Mas quem é essa Pasqualina? Porque tinha tanta influência em Pio XII? – perguntou Sarah, intrigada.

Os dois homens do Vaticano entreolharam-se com ar suspeito. Rafael não queria contar a história. Preferia ouvir a versão de Duválio. Seguramente, tinham um dossiê bastante completo sobre ela.

– Conta-lhes tu – sugeriu. – Gostas mais de contar histórias.

Duválio bebeu o que restava da água.

– Pasqualina nasceu em Agosto de 1894, na pequena vila de Ebersberg, na Baviera, a pouco mais de quarenta quilómetros de Munique. O seu nome de baptismo era Josefina.

As suas origens eram muito pobres e cedo teve de trabalhar na pequena quinta dos pais, juntamente com os seus seis irmãos e cinco irmãs. Com 7 anos, era tão madura e autoritária para os irmãos que eles começaram a chamar-lhe *madre superiora*. É interessante como a vida se encarrega de brincar com as pequenas ironias. Foi com essa idade que sugeriu aos pais ajudar no campo, uma ideia irreverente para o seu tempo. O campo era para os homens, a casa para as mulheres. O certo é que com embirrações, altercações e interlocuções acabou por levar a sua vontade adiante e foi trabalhar com o pai e os irmãos para o campo. Levantava-se às cinco da manhã, sem que ninguém a acordasse, e não se recusava a fazer nenhum dos trabalhos dos rapazes. A sua única distracção era a *Oktoberfest*, em Munique. Aí dançava, dançava e esquecia-se da vida.

Aos 15 anos, Josefina tomou a decisão que mudou para sempre a sua vida e, por consequência, a de Eugenio Pacelli. Queria servir a Jesus Cristo e entrar para um convento. Os pais recusaram liminarmente esta aspiração da miúda e ela não encontrou maneira de transformar a oposição veemente em apoio. Como eles não cederam, ela deixou a casa a coberto da noite, sem um adeus nem uma satisfação. Foi o padre da aldeia quem a ajudou e, com o seu patrocínio, entrou para a Ordem das Irmãs da Santa Cruz, em Altötting, nos arredores de Munique.

A vida no convento era extremamente rígida. Muito mais que aquela que Josefina levava no campo. Levantava-se diariamente às quatro e meia da manhã. Rezava, depois tinha as tarefas de limpeza, rezava, ajudava na cozinha, rezava. A sinalética usada pelas freiras também era severa. Um estalar de dedos era para levantar, dois para dar meia volta. Mão erguida com os dedos indicador e médio levantados significava que a freira necessitava de um garfo. Naquele mundo silencioso todos os gestos tinham um significado e ela tinha que os decorar todos. Ela gostava das regras. O mundo não podia viver sem elas. Contudo, havia uma que a perturbava. O apito da madre superiora. Quando o silvo estridente se fazia ouvir, todas tinham de parar imediatamente o que estavam a fazer naquele momento. Isto implicava deixar uma palavra a meio se estivessem a escrever ou uma sílaba por dizer se estivessem a falar, ou mesmo engolir a comida sem a mastigar se estivessem a comer. No convento, a palavra de ordem era obediência. E Josefina tornou-se mestre a obedecer. "Observar tudo, não dizer nada." Quando fez os votos perpétuos adoptou o nome de Pasqualina por se referir a Páscoa, a ressurreição de Cristo, a quem ela desejava dedicar a vida.

Foi colocada na casa retiro Stella Maris, em Rorschach, nos Alpes Suíços. Foi aí que num dia de neve de 1917, quando ainda não tinha completado 23 anos, a colocaram ao serviço de um prelado recém-chegado, com enorme poder em Roma. Estava com problemas de saúde. Era frio e taciturno. Tinha 41 anos e já era arcebispo. Chamava-se Eugenio Pacelli.

O diplomata andava havia três anos em negociações de paz, como enviado de Bento XV, para buscar uma solução alternativa para a guerra que tinha eclodido na Europa. O insucesso, as más refeições, o excesso de trabalho, a frustração haviam-no atirado para a enfermidade. Foi uma ordem explícita de Bento XV que o levou ao retiro de Stella Maris. Durante dois meses Pasqualina dedicou-se de corpo e alma à recuperação de Eugenio, apesar do seu mau feitio e frieza. Ela fê-lo pensar que ele era o seu único paciente. Mas não era verdade. Continuava a tratar de todos os outros que chegavam. Vivia para trabalhar. Dormia muito pouco. A todas as horas ia ver como estava Pacelli e dar-lhe os medicamentos. Também o censurava assim que o apanhava a tentar voltar ao trabalho. Nunca ninguém o afrontara, pois era difícil esquecer o poder que ele detinha. Só Pasqualina o fizera. E se no início ficou pasmado, depois achou graça.

Aos poucos, Pacelli recuperou completamente e acabou por se ir embora, sem um adeus nem um obrigado. Pasqualina soube que ele tinha partido quando foi ao quarto dele e não o encontrou. Não restava nenhum sinal dos dois meses que o prelado lá passara. Ficou sentida. Pasqualina estava longe de imaginar o efeito que tinha tido nele. Três meses mais tarde, ele regressou ao retiro e disse à madre superiora que fora colocado na nunciatura de Munique e necessitava de uma governanta para tratar da casa. Gostara muito do trabalho daquela irmã que cuidara dele. Em Dezembro de 1917, Pasqualina partiu para se juntar ao séquito de Pacelli em Munique. Nunca mais se separaram.

– Sabes que isso não é bem verdade – interrompeu Rafael.

– Sei?

– Quando o Pacelli regressou a Roma, em Dezembro de 1929, ela não foi com ele.

– Pois. Isso é verdade – concordou Duválio. – Há quem diga que ela foi contra a vontade dele, três semanas depois, e que ficou na casa da irmã de Pacelli, já que não tinha outro sítio onde ficar, mas isso é completamente falso.

– Então quando é que ela foi? – quis saber Sarah, curiosa.

– Um ano depois – redarguiu Rafael. – Primeiro foi trabalhar às ordens do monsenhor Francis Spellman, de quem Pacelli era grande amigo e que depois se tornou num dos melhores amigos de Pasqualina no Vaticano. Há cartas entre Pasqualina e Pacelli, no início do ano de 1930, em que ela lhe pede para ir servi-lo em Roma.

– Há? – perguntou Duválio, admirado.

Rafael fez que sim com a cabeça.

– Não as encontraste no arquivo? – questionou o espião com uma expressão cínica.

– Não tivemos acesso a esses documentos.

– Nem tinham que ter – limitou-se a dizer Rafael, secamente. – As respostas de Pacelli foram sempre secas. As de Pasqualina começaram a tornar-se amargas até que deixou de o pedir. Houve um longo silêncio de Pasqualina, que continuava na nunciatura em Berlim. Depois, em Fevereiro de 1930, ausentou-se para parte incerta.

Era a vez de Duválio escutar Rafael, boquiaberto. Desconhecia tudo o que ele confidenciava.

– Pacelli e Spellman foram para os Alpes em Julho de 1930, exactamente para o retiro onde Eugenio conhecera Pasqualina, treze anos antes – continuou Rafael. – As férias no retiro de Rorschach eram um hábito que ele e Pasqualina mantiveram desde que se conheceram. Mas, desta vez, ela não estava lá. Não foi por falta de convite. Pacelli escreveu-lhe imensas vezes a convidá-la. Nunca obteve resposta. Ele ficou tão preocupado que pediu ao amigo norte-americano, Spellman, que a procurasse. Não teve qualquer sucesso. Pasqualina só lhe respondeu em Novembro, e em Dezembro Pacelli nem olhou para trás. Pediu ao amigo que a fosse buscar. Marcaram encontro no retiro Stella Maris, em Rorschach, na Suíça. O jovem monsenhor

americano conduziu toda a noite e chegaram ao Vaticano pela manhã. Spellman levou-a imediatamente para os aposentos dos serviçais, nas traseiras
do rés-do-chão do Palácio Apostólico. Iria cozinhar, limpar, fazer todos
os trabalhos que fossem necessários. Ela não se importava. Queria era
estar perto de Eugenio. Mesmo assim, Pacelli e Pasqualina não se viram
logo. A primeira vez que se cruzaram nos corredores sagrados aconteceu
já em 1931, quatro meses depois de ela lá estar. Entretanto, Spellman
reparou na mente brilhante de Pasqualina e sugeriu a Pacelli que ela desse
uma ajuda no departamento de comunicação. Não deixaria de ajudar na
cozinha, nem nos afazeres de limpeza. Seria uma acumulação de deveres.
Depois foi o próprio Pio XI que tratou do assunto.

– Pio XI? – interrompeu Sarah. – Não estás a confundir com Pio XII?

– Não. Pio XII foi o nome que Eugenio Pacelli adoptou quando foi eleito
Papa em 1939. Estamos em 1931, na viragem para 1932. Pasqualina fez
uma revisão a um dos discursos do Papa que continha alguns erros de
conteúdo graves. Sugeriu a Pacelli que lhe transmitisse esses erros. Mas o
Secretário de Estado não estava no Vaticano e Spellman também não.

Pasqualina foi chamada à presença do anafado e autoritário Pio XI, agastado com os erros que ela encontrara no seu discurso. Agradeceu-lhe as
correcções e perguntou-lhe que outros trabalhos é que a freira executava
no palácio. Pasqualina disse a verdade. Pio XI anunciou que ia repreender
o cardeal Pacelli por ter uma mente tão brilhante a descascar batatas na
cozinha. No dia seguinte partilhava uma secretária no andar inferior do
Secretariado. Seria uma das assessoras do cardeal Pacelli, por ordem do
Santo Padre. O seu colega de secretária não achou graça nenhuma. Era um
insonso monocórdico que se chamava Giovanni Montini.

– Depois de 1932, nunca mais se separaram – concluiu Rafael.

– Eram tão unidos que Pasqualina foi a única mulher em dois mil anos
a ter presenciado um conclave – acrescentou o relator.

– Co... como? – perguntou John Scott, admirado.

– Os cardeais podiam levar aios ou ajudantes para os conclaves. Foi Paulo
VI quem acabou com esse costume. O cardeal Pacelli decidiu levar a irmã
Pasqualina. Foi um escândalo, escusado será dizer, mas ela portou-se muito
bem. – explicou Duválio. Pacelli foi eleito na primeira votação. Acabou
por fazer como o cardeal Camilo Laurentis fez em 1922, no conclave que
elegeu Achile Ratti, que escolheu o nome de Pio XI. Recusou a eleição e

pediu que fizessem outra votação e não o incluíssem. Saiu da capela a correr. Pasqualina foi atrás dele e alguns guardas suíços também. Ele tremia com grande intensidade. Lamentava-se. Não parava de pronunciar a expressão *Miserere Mei*. Dizia que não era digno de assumir o lugar. Mas Pasqualina deu-lhe a mão e disse-lhe que Deus lhe daria a força para suportar o fardo. Não podia dizer que não a um pedido do Altíssimo. Cristo escolhera-o e não lhe cabia a ele decidir o contrário. Entraram de mãos dadas na Capela Sistina. A segunda votação já tinha começado conforme o seu pedido. O resultado foi diferente de 1922. O Colégio voltou a eleger Pacelli por unanimidade, no dia do seu sexagésimo terceiro aniversário.

– OK. Validaram o diário. O que aconteceu a seguir? – perguntou Rafael, continuando um interrogatório que parecia não ter fim.

– O colégio reuniu-se para deliberar o que faria em relação à *Positio*.

– Como assim? – perguntou Sarah.

– A *Positio* é que dá ao Santo Padre todos os elementos para uma recomendação positiva ou negativa à beatificação.

– Essa reunião foi quando? – quis saber Rafael.

– Há duas semanas – respondeu Duválio, com a respiração a alterar-se novamente. – Estávamos todos visivelmente transtornados. O Domenico esfregava as mãos, o Bertram pouco falava, o padre Gumpel… O peso da decisão era evidente. A recomendação foi negativa. A existência delas colocava tudo a perder.

– Mas quem são elas? Podem explicar? – interrompeu Sarah, de repente. Pelo desenrolar da conversa percebera, ou julgara ter percebido, que se tratava da tal Anna e da M. Mas quem eram elas?

Os dois homens olharam para ela. Rafael cogitou durante alguns segundos.

– Já percebi quem é a Anna. Mas quem é a M.?

– A M. é…

– Não é ninguém que os senhores jornalistas devam conhecer – ouviu-se uma voz masculina dizer. – Vocês tendem a querer informar o mundo – acrescentou cinicamente.

– Davide – pronunciou Rafael num tom frio.

O colega da Gendarmaria Vaticana estava acompanhado de outros dois homens, mais novos do que eles, todos com armas empunhadas. Um era Arturo.

– Eu sabia que te íamos encontrar aqui – disse o jovem agente da Santa Aliança.

– Agora dás-te com gendarmes? – provocou Rafael.

– Foram os únicos dispostos a dar-me boleia depois do que fizeste na Tuscolana – respondeu, ressabiado.

– Não vais fazer nada parvo, pois não, Rafael? – advertiu Davide, avançando na sua direcção lentamente, com a Beretta bem apontada à cabeça.

Os outros dois também concentravam as suas atenções no padre espião, como se ele fosse a única fonte de ameaça no gabinete. A sua fama precedia-o. Arturo sabia-o por experiência empírica.

John Scott estava encostado à parede. Se pudesse, ter-se-ia fundido com ela para desaparecer. Sarah assistia à cena com o coração aos pulos. Nunca vira aqueles homens, à excepção de Arturo.

– Convém que tu não faças nada parvo – declarou Rafael, secamente.

– E o que seria parvo, neste caso? As ordens são claras e para cumprir.

– Eu sei quais são as ordens, mas partem de pressupostos errados.

– Dá-me a tua arma – ordenou Davide.

A tensão entre os três homens e Rafael era evidente. Todos se mediam, calculando as probabilidades da vida e da morte. A vantagem de Davide era evidente, mas um gesto mal-entendido podia causar um acidente desnecessário. Rafael levantou a parte de trás do casaco lentamente, para revelar a Beretta enterrada entre o cós das calças e as costas. Davide aproximou-se, pé ante pé. Não queria aproximar-se demasiado. Rafael podia ser muito perigoso num confronto físico. Quando sentiu que bastava esticar o braço, fê-lo e removeu a arma com um gesto brusco. Entregou-a a Arturo que a guardou. Davide recuou imediatamente dois passos para uma distância mais segura. Rafael sorriu.

– Tenho muita pena, Rafael – confessou o colega.

– É de facto uma pena. Desejo-vos boa sorte a tentar encontrá-la.

Davide sorriu cinicamente.

– Já deste a morada da mulher ao tonto do Tomasini.

Rafael abriu ainda mais o sorriso sardónico.

– Dei? – ripostou o padre. – Será que dei mesmo?

– Tu sabes onde está a Anna? – perguntou Duválio, incrédulo.

Davide ficou a pensar nas palavras de Rafael. Pegou no telemóvel e reparou que tinha três chamadas não atendidas. Colocara-o em silêncio para

não interferir com a operação. Fora Girolamo Comte quem ligara. Ligar-
-lhe-ia mais tarde. E tinha também uma chamada do chefe da Santa Aliança.
Devolveu a chamada. Rafael continuava a sorrir como se o estivesse a gozar
e isso estava a irritá-lo. Ninguém atendeu do outro lado.

– Não acredito no que estás a dizer – acabou por dizer.

– Claro que acreditas. Porque achas que ainda não disparaste?

Nesse preciso momento, a luz do mostrador do telemóvel de Davide li-
gou-se. Era Guillermo. O agente atendeu.

– Davide – apresentou-se. – Sim. Está aqui à minha frente. – Uma curta
pausa. – Sim. Estão os três. – Escutou as instruções e depois desligou o aparelho. – És mesmo um imbecil, Tomasini. Espera até o Comte saber disto.

Davide fitou Rafael com desdém e acercou-se dele ameaçadoramente.

– Um descampado? Deste a morada de um descampado? Só mesmo um
palerma como o Tomasini é que podia cair nessa. O Comte vai tratar-te
da saúde.

Deu mais um passo em frente e bateu-lhe com a coronha da arma na
nuca com tanta violência que o fez cair pesadamente no chão, inanimado.

– Sempre foste um sacana, Rafael – praguejou Davide.

37

– Só podes estar a brincar com a minha cara – vociferou Gennaro Cavalcanti.

– Porque dizes isso? – escusou-se Guillermo, envergando uma expressão ingénua.

– Larga isso, pá – disse apontando para o telemóvel. – Estás preocupado se o marido já chegou a casa? Olha para esta merda!

Gennaro apontou para o corpo de Bertram que já estava em cima de uma maca, dentro de um saco para cadáveres, fechado até ao peito, deixando ver apenas o rosto branco acinzentado e as marcas da morte na testa.

– Quando é que me dás os outros dois? – atirou Guillermo, prevendo o efeito desta pergunta.

Gennaro rosnou de impaciência.

– Mais um padre morto, e depois de pousares a merda do telemóvel é essa a primeira pergunta que fazes?

O apartamento de Bertram na Via Tuscolana estava cheio de pessoas, certamente muitas mais do que o padre recebera em casa desde que ali morava. Paramédicos, o delegado do Instituto de Medicina Legal, agentes do departamento forense da Polizia di Stato que, com luvas e máquinas fotográficas, inspeccionavam o apartamento. Pelas janelas, entravam os reflexos azuis e vermelhos dos sinais luminosos dos carros da polícia e da ambulância que estavam estacionados em baixo, na rua. Alguns moradores haviam saído para o exterior para ver o que se passava, outros tentavam descortiná-lo a uma distância segura, das janelas ou varandas dos seus apartamentos. Pelo sim, pelo não, Gennaro mandara instalar um perímetro de segurança, para afastar os olhares curiosos. Perguntaram ao jovem agente fardado, que assegurava que ninguém não autorizado invadia o perímetro, qual o motivo do aparato. A resposta espalhou-se rapidamente pelas redondezas, elevando-se às varandas e janelas dos andares cimeiros. *Omicidio*. A pergunta seguinte versava sobre a identidade da vítima mas essa não fora respondida por não ser do conhecimento do prestável agente.

Não se sabia precisar muito bem quando chegaram os repórteres ávidos por saber quem tinha sido assassinado barbaramente na tranquilidade do lar, na Via Tuscolana. Em poucos minutos, os gravadores, as câmaras, os microfones, os telemóveis e, no caso dos revivalistas da velha guarda jornalística, os blocos de notas começaram a registar as palavras *padre* e *Vaticano* e *Santa Sé* e os murmúrios depressa passaram a intrigas e a conspirações.

Lá em cima, Gennaro Cavalcanti fitava o preocupado Guillermo Tomasini com olhos de raiva.

– Não vais ver nenhum dos teus corpos antes de isto estar muito bem resolvido. Podes ligar ao Comte e dizer-lhe isso.

– Não foi isso que o Amadeo lhe disse.

– O que ele combinou com o vosso amigo Amadeo foi há um cadáver atrás. Três é diferente de dois.

– Já identificaram o que ficou com a cabeça desfeita? – atirou Guillermo na tentativa de mudar de assunto.

Gennaro fez que não com a cabeça.

– E vocês não deram pela falta de nenhum papa-hóstias?

Guillermo não dignou aquela pergunta com uma resposta. Gennaro pegou num dos braços do homem da Igreja e puxou-o para um canto menos movimentado do apartamento de Bertram.

– Ficaste irritado por termos chegado primeiro? Não é costume, pois não? – perguntou Gennaro com uma expressão de sacana estampada no rosto. – Ainda por cima, duas vezes seguidas.

– O que queres dizer com isso, Cavalcanti?

– Achas que sou algum idiota? Estás habituado a chegar às cenas do crime primeiro, quando o corpo ainda está quente, o cabrão do Girolamo faz o que bem entende, retira o que lhe apetece e depois chama-nos, quando chama.

– És doente, Cavalcanti.

– Desta vez, uma chamada traiu-vos. Tu e o Comte têm uma toupeira na vossa equipa.

Guillermo odiava Gennaro. Felizmente, raros eram os momentos em que tinha de lidar com ele. A verdade é que seria mau sinal se fossem muitos. Muito mau. Esse papel era o de Girolamo. No início, antes de Guillermo chefiar o serviço de espionagem que Gennaro ignorava, tratavam-se com cortesia. A maior parte das mortes que ocorriam na Santa Sé, ou em território que beneficiasse do mesmo estatuto de extraterritorialidade, eram suicídios. O Vaticano estava entre os Estados com a taxa mais alta *per capita*. Um suicídio não requeria grande esforço, apenas formalidades burocráticas. Ainda que, nessas alturas, Guillermo tivesse detectado em Cavalcanti uma propensão para imaginar um pouco mais do que realmente acontecera, com alguma razão, ou toda, em alguns casos, nunca houve motivos para quezílias nem nada que abalasse a relação cordata.

O verniz estalara em Maio de 1998 quando o comandante da Guarda Suíça e esposa foram assassinados a tiro e um cabo se suicidara *sem pistola*, como costumava dizer Cavalcanti, entre a ironia e a hipocrisia. O grande culpado fora o sacana do Girolamo que, juntamente com Guillermo, dificultou a investigação ao máximo ou, melhor explicado, não facilitou em nada o trabalho de Cavalcanti. Até o expulsaram do apartamento do comandante da Guarda Suíça onde o crime ocorrera. O resultado das investigações tornado público pelo assessor de imprensa do Vaticano, Navarro-Valls, na mesma noite do crime, foi que o cabo Cédric Tornay perdeu a cabeça por lhe ter sido recusada uma medalha de mérito e decidiu ir ao apartamento do novo comandante da Guarda, Alois Estermann, nomeado nesse mesmo dia, e matou-o a ele e à esposa, suicidando-se em seguida. A verdade sobre o que acontecera naquele apartamento fora muito diferente.

– Quem é o gajo? – perguntou Cavalcanti intempestivamente, enquanto a maca era levada por dois paramédicos, com o corpo dentro do saco já completamente fechado, a caminho de uma mesa de autópsias para que os preceitos científicos confirmassem o que se via a olho nu.

– Adolf Bertram. Um padre alemão – informou Guillermo. – Amanhã faço chegar-te tudo sobre ele e o trabalho que fazia para o Santo Padre.

– Desta vez, não cortes as partes picantes – atirou o inspector que não perdia uma oportunidade para provocar. – Em que é que ele estava a trabalhar?

– Nada de mais – adiantou Guillermo. – A fazer pesquisa para a *Positio* de um candidato qualquer à canonização. Ele trabalhava na Congregação para a Causa dos Santos.

Gennaro observou a divisão. Estavam no *hall* de entrada do apartamento. Não havia uma pinga de sangue em lado nenhum. Não havia qualquer vestígio dos tiros nem dos invólucros. Um trabalho limpo.

– O que é que te parece? – perguntou Guillermo.

– Se não estiveres a gozar com a minha cara, parece-me que estamos perante o trabalho de um profissional. Mas isso tu percebeste assim que aqui entraste. No entanto, há uma coisa que me intriga.

– O quê? – perguntou Guillermo fingindo-se interessado.

– O corpo estava coberto com um lençol. Um profissional não espeta dois tiros à queima-roupa para depois o tapar com um lençol. É demasiado cristão.

– E o que é que sugeres?

– Diz-me tu.

Guillermo ignorou-o e deu uma vista de olhos ao apartamento. Não convinha mencionar a visita que os seus homens e os jornalistas haviam feito naquela noite. Gennaro vigiava-o com um olhar perscrutador. Estava cada dia mais insuportável. Odiava ter de lidar com ele. Quantas vezes iria pensar nisso nessa noite? Precisava de falar com Davide com urgência. Ligara-lhe há pouco tempo sem sucesso. O seu telemóvel soou nesse preciso momento. Era Davide. Raios. Que *timing*. Decidiu não atender, não era o momento propício. Carregou no botão que silenciava o aparelho e tornou a guardá-lo.

– Não atendes? – perguntou Gennaro descaradamente, sem pinta de vergonha. – Queres privacidade?

Guillermo ficou encavacado. Cavalcanti não o ia largar tão cedo. A sugestão de privacidade era, obviamente, troça. Decidiu voltar a pegar no telemóvel e atender mas Davide já tinha desligado. Carregou no botão para devolver a chamada. Levou o aparelho ao ouvido e deu dois passos para se afastar de Cavalcanti mas este aproximou-se, simulando estar a ver uma agenda que pertencia ao defunto Bertram. Sacana. Davide atendeu assim que ouviu o primeiro toque.

– Ele está contigo? – Pausa. – E os jornalistas? – Nova pausa. – Esperem por mim. Não o deixes sair daí. Não lhe faças nada. A morada que ele deu era de um descampado. Faz o que for preciso para o reteres.

Ignorou o insulto de Davide e desligou. Trataria disso mais tarde. Os homens de Comte precisavam de um correctivo. Preferiu concentrar-se nas boas notícias. Rafael estava sob controlo, pelo menos por agora.

– Problemas? – perguntou Cavalcanti por trás dele.

– Nada de especial.

– Se precisares de falar podes contar comigo – ironizou o outro, colocando uma mão em cima do ombro de Guillermo.

Um agente chamou por Cavalcanti, que virou as costas ao homem do Vaticano mas não deixou de ouvir um murmúrio insultuoso, repleto de raiva. O inspector sorriu de satisfação.

– Que temos? – perguntou ao agente. – Já temos a identificação de quem fez as chamadas de emergência?

Cochicharam durante uns minutos até Cavalcanti ter sido interrompido pelo seu próprio telemóvel. Escutou durante breves segundos e depois atirou-o, cheio de raiva, contra uma das paredes do *hall*, desmontando-se em várias peças. Pararam todos uns segundos e logo voltaram aos seus afazeres. Eram normais estes repentes no inspector.

– Apanha-me isso, se faz favor – pediu ao agente em voz contida. Tentava acalmar-se rapidamente.

– Será que ainda funciona?

– Funciona. É de guerra.

Deixou o agente e aproximou-se novamente do homem do Vaticano.

– Más notícias? – perguntou o outro.

– Recebemos um novo alerta na central.

Guillermo engoliu em seco.

– O que aconteceu?

– Anda. Hoje passas a noite comigo – comunicou o homem da polícia italiana. – E prepara-te que vai ser longa.

– Mas o que aconteceu? – insistiu Guillermo.

– Um massacre. Um raio de um massacre.

38

Abriu os olhos e não viu nada. Escuro. Breu. Tornou a fechá-los e a abri-los novamente. Nada. Trevas. Depois, apercebeu-se de uma nesga de luz, muito ténue, um fio fino que provinha daquilo que parecia uma janela. Levantou-se, a custo, com as pernas a baquearem, e dirigiu-se para a fonte de luz escassa, pé ante pé, lentamente. Mesmo assim, o pé direito embateu em algo mole e tropeçou. Praguejou mentalmente e levou a mão à nuca. Doía. Massajou-a por uns instantes. Não sabia dizer se simplesmente começara a doer ou se já doía antes e só se dera conta naquele momento. Sentia também uma ligeira tontura e náuseas. Levantou-se com esforço, novamente, e caminhou para a janela com passadas prudentes e cautelosas. Abriu-a e afastou as portadas com um toque brusco para deixar passar a luz dos candeeiros que iluminavam a praça, lá fora. O ar frio inundou a divisão e a luz artificial conquistou algum espaço, escasso, às sombras.

Tropeçara num corpo que estava estendido no chão e a sensação foi estranha. Não era a primeira vez que via um cadáver. Não seria a última. Já não sentia nada mas desta vez... *Sarah*, pensou. *Onde está a Sarah?* Procurou um interruptor e encontrou-o, do outro lado do corpo, na parede oposta, colado à parede, a meia altura. Passou por cima dele; era um homem, de barriga para baixo, não respirava. Estava morto. Acendeu a luz e analisou a cena. Cinco corpos estavam espalhados no gabinete. Sentiu os nervos invadirem-lhe o corpo. Nada conveniente. Tentou identificar as vítimas. Aquele em quem tropeçara fora Davide, o colega da Gendarmaria Vaticana. Virou-o de barriga para cima e viu o buraco na testa, quase sem sangramento. Morte instantânea. Nem se apercebera do que lhe acontecera. Identificou os outros dois colegas, mais jovens, que acompanhavam Davide. Um era Arturo, não se lembrava do nome do outro, se é que alguma vez o soubera. Faltavam dois e engoliu em seco com a respiração a acelerar. *Calma. Calma.* Chamou a si toda a frieza que conseguiu e identificou-os. Um era o malogrado Duválio, o relator, que se manteve preso à cadeira, inclinado para trás, mas fora, como era sua vontade, ao encontro do Criador. Por estranho que pudesse parecer, aos olhos de Deus, segundo a Igreja Católica, era melhor ter partido nestas circunstâncias funestas, enviado por outrem, do que por *motu proprio*, o maior dos pecados que se podia cometer.

E havia o outro corpo, o do jornalista norte-americano John Scott. Coitado. A vida interrompida num ápice, assim Deus o permitisse e algum homem quisesse que assim fosse. Olhou em redor, à procura. Não encontrou mais ninguém. *Sarah. Onde está a Sarah?*

Abriu a porta do gabinete e saiu, deixando a luz dispersar pelo corredor escuro. Nada. Ninguém. Por um lado sentia alívio por não a ter visto entre as vítimas, por outro a apreensão adensava-se dentro de si. Aquilo era um trabalho impecável de um atirador profissional implacável. Cinco tiros. Cinco corpos. Nem mais um. Não havia vestígios de disparos falhados nem invólucros perdidos. Precisava de pensar e agir rapidamente. Não tinha muito tempo.

Havia uma pergunta que o afrontava como uma lâmina afiada cravada no peito. Cinco mortos espalhados pela sala dos relatores do Palácio das Congregações. Cinco. Mas porque não seis ou sete? Porque é que ele e Sarah teriam sido poupados? Sentiu um arrepio na espinha. No caso de Sarah ter tido o mesmo fim noutro local, porque não ele? A resposta estava mesmo à frente dos seus olhos, num *post-it* cor-de-rosa, colado num pequeno espelho ao lado de um crucifixo com Cristo resignado ao sofrimento, a cabeça tombada para o lado direito, à espera do Pai ou da morte, ou dos dois. Descolou-o do vidro e gelou ao lê-lo. Estava ciente que havia dois lados, dois reversos da mesma moeda, mas imaginava que estivesse uns passos à frente. Estava enganado.

Quem escreve estas vidas só pode querer o mal de todos, cogitou para si mesmo, revoltado.

Guardou o *post-it* no bolso da camisa, pegou na sua Beretta que Arturo guardara e saiu para o corredor. Havia ainda muita história para contar, muitas palavras para escrever, para bem ou mal de todos. Percorrera aquele corredor muitas vezes, e conhecia bem o local, o que lhe permitiu seguir às apalpadelas. Cegou com o clarão forte de duas lanternas que se acenderam naquele momento e tentou escudar a luz com as mãos.

– Pare, imediatamente – ouviu-se uma voz forte ordenar. – Deite-se no chão.

Rafael resistiu. Deu dois passos atrás para avaliar as opções de fuga. A janela aberta do gabinete era uma hipótese mas não estava em condições físicas para tal. De momento, não tinha como fugir.

– Deite-se no chão, de barriga para baixo, ou vai deitar-se a mal com um tiro no bucho – insistiu a voz.

Rafael obedeceu. Um recuo estratégico. Logo se veria o que fazer a seguir. Um homem de cabelo grisalho apareceu-lhe à frente e exibiu-lhe um distintivo dourado.

– Inspector Gennaro Cavalcanti. Polizia di Stato.

39

Sarah não sabia dizer há quanto tempo tinha sido levada. O capuz que lhe fora enfiado na cabeça, ainda dentro do gabinete, depois de ter assistido a uma cena traumatizante, não lhe foi retirado até ao término do percurso. Se lhe pedissem para descrever a cena não saberia. Estava a olhar para Rafael, caído no chão, desmaiado da pancada que o tal Davide lhe dera na cabeça e a deixara tão aflita, quando viu o homem mais velho tombar à sua frente. Levantou os olhos para tentar perceber o que se estava a passar mas já os outros dois que acompanhavam Davide também tinham caído, com um buraco na testa cada um. Nem sequer ouvira os disparos da arma.

Depois parou tudo. Era um homem de cabeça coberta. Duválio e John Scott fitavam-no em choque e... Ele acercou-se dela, olhos compassivos, como se estivesse a dizer-lhe que tinha muita pena que ela tivesse assistido àquilo. Não pronunciou uma palavra, apenas lhe tapou a cabeça com o capuz e não viu mais nada. Só escuridão. Indicou-lhe o caminho agarrando-a com uma mão terna e saíram do gabinete. Ouviu ruídos antes de sair do gabinete mas não conseguiu entender. Estava em pânico mas depois passou-lhe... ou não. Não sabia. Não compreendia o que se estava a passar. Temeu por Rafael, por John, pelo relator. Ouviu quando ele desligou o interruptor do gabinete e fechou a porta. Não se ouviu mais nada a não ser os passos deles a fazer ranger o soalho. A mão terna guiou-a até ao carro onde seguiam e depois dera por si a pensar quando tinham começado os problemas e quem os criara.

O primeiro culpado foi o padrinho, Valdemar Firenzi, que há seis anos a arrastara para onde ela nunca sonhara ir, e a envolveu numa teia de problemas com a CIA, a Santa Sé e uma loja maçónica proscrita que a levara ao segundo culpado, talvez primeiro também, JC, o espião que tudo via e sabia como um ser omnipotente, ou talvez não, caso contrário já a teria tirado daquele carro. Rafael também era culpado, de uma maneira ou de outra. Há pouco mais de seis meses tivera uma arma apontada à nuca e, nesta noite, tudo voltava a acontecer.

Ninguém falou durante toda a viagem, nem mesmo durante a transferência para outra viatura que lhe pareceu ser uma carrinha. O assento era mais duro e andava aos solavancos fazendo com que tudo se tornasse desconfortável. Estava com medo mas aprendera a controlar-se. Antes de Firenzi e JC e Rafael, nunca constatara como uma pessoa pode sujeitar outra a provações tão odiosas, muitas vezes letais. Sabia que existiam mas era sempre algo que aparecia nas notícias, ou que ela própria escreveria para informar o público, algo longínquo, quase um universo paralelo que não a afectava minimamente. Estava apenas no papel ou numa imagem. Não feria. As coisas mudaram e ela percebeu que a maioria das pessoas não passa de peões nas mãos de alguns poderosos apenas preocupados com o seu bem-estar e com a conquista de mais poder.

O homem que conduzia era um profissional. Ceifara três vidas humanas, a sangue frio, antes que elas pudessem reagir. Provavelmente, matara também o tal Bertram na Via Tuscolana. Como estaria Rafael? E John? E o pobre relator? Que lhes acontecera? Porque não os matara a todos?

As palmas das mãos estavam suadas por causa dos nervos e sentia arrepios frios ou de calor intenso, alternada ou simultaneamente, não sabia dizer. Tentava acalmar-se. Já não era a primeira vez que passava por uma situação semelhante mas o desconhecido era sempre obscuro e carecia de conforto para a alma e para o corpo. Às vezes sentia tremores e não conseguia controlá-los por muito que tentasse. *Isto vai passar,* tentava convencer-se. *Isto vai passar.*

A certa altura a carrinha abrandou e entrou num caminho com piso em mau estado. Andaram aos solavancos durante tempo que não soubera precisar, até que pararam. Ouviu o ronco do motor desligar e uma série de estalidos de arrefecimento. Estava alerta a todos os sons. A porta do condutor abriu-se e Sarah sentiu um aperto no peito e um calafrio. Os tremores atacaram com mais vigor e tentou sustê-los, sem sucesso. O pânico impregnava-se nas veias e alastrava-se ao corpo inteiro. Deu um salto de susto quando sentiu a porta lateral deslizar. Uma mão terna puxou-a para fora do carro, com a delicadeza possível dadas as circunstâncias, e encaminhou-a sem qualquer imposição exagerada. Apetecia-lhe tirar o capuz mas as mãos estavam presas atrás das costas com uma abraçadeira de plástico. Não conseguia escutar a respiração do seu raptor, nem sequer os seus passos. Apenas a mão meiga que a guiava pelos ombros e o latir do coração nos ouvidos e no peito.

Foi conduzida às cegas, desceu alguns degraus desajeitadamente, sempre com uma mão a guiá-la sem nunca pronunciar uma palavra. Cheirava a humidade. Estava a descer para o subsolo e sentiu-se ainda mais nervosa. Para onde estaria a ser levada? Pouco depois parou e sentiu as mãos soltarem-se. Silêncio total. Hesitou durante uns instantes a tentar escutar alguma coisa, um ruído, um sussurro. De início não conseguiu escutar nada mas depois sentiu-o muito fraco, frágil, depois mais forte: a respiração de alguém. Seria do raptor? Levou as mãos à cabeça e arrancou o capuz.

Levou algum tempo a habituar-se à luz diminuta. Devia ser uma cave, mas mais parecia uma cela. Era estreita e tinha uma cama encostada a uma das paredes. No lado oposto, uma sanita. A porta fechou-se nesse momento. Olhou em redor e viu-o pela primeira vez, sentado na beira da cama, a fitá-la timidamente, o medo exasperado impresso na face e os braços a envolvê-lo num abraço apudorado. Tinha a roupa preta dobrada, em cima de uma cadeira aos pés da cama, e vestia apenas roupa interior.

– Quem... quem... é a senhora? – perguntou a medo, mal conseguindo olhá-la nos olhos.

Sarah também tinha o coração acelerado e os nervos à flor da pele. Nem uma pista, uma palavra, uma satisfação. Não fazia ideia onde estava, aquele lugar encerrava fora de si todas as respostas e não deixava entender nada por dentro. Do coração de Roma para uma cela em nenhures.

Naquele momento, ouviu-se um raspar na parte de baixo da porta. Foi uma portinhola que se abriu e deixou entrar um tabuleiro com comida quente, água e bolachas. Havia uma boa notícia, aparentemente quem quer que estivesse por detrás daquilo, pelo menos para já, não pretendia que passassem fome.

Pensou novamente em Rafael e onde estaria e só depois reflectiu na pergunta do jovem que permanecia sentado, na beira da cama, a fitá-la com um esgar de pânico e curiosidade. Que raio estava a acontecer?

– O meu nome é Sarah – acabou por responder. Ainda esteve para inventar um nome mas acabou por decidir que seria disparatado.

– E o que está aqui a fazer, Sarah?

A jornalista aproximou-se do jovem e sentou-se ao lado dele, exibindo um sorriso tímido.

– Não faço ideia – confessou. – E tu como te chamas?

O jovem não sabia se haveria de dizer ou não. Por outro lado, dificilmente estaria ali sem que fosse conhecida a sua identificação. Há mais de vinte e quatro horas que não falava com ninguém. Não havia qualquer resposta para as suas perguntas. Também era certo que nunca se atrevera a fazê-las. A portinhola abaixo da porta abrira-se quatro vezes desde que ali entrara para deixar comida e água. De todas as vezes não perguntara nada. Tinha vontade de fazê-lo mas o pânico travava-lhe todos os movimentos do corpo.

– O... o meu nome é... Niklas.

40

Não mostrou o *post-it* a ninguém até Gennaro o mandar revistar. O falcão romano não deixava pontas soltas, especialmente quando se tratava de agentes do Vaticano.

– É mesmo necessário? – protestou Guillermo que não via com bons olhos semelhante humilhação.

– Agora ainda mais – asseverou Gennaro, guardando o distintivo no bolso.

Estavam no corredor, já de luzes acesas, enquanto uma parafernália de agentes se acotovelava no interior do gabinete a processar a hedionda cena do crime.

Um agente fez a revista a Rafael que não resultou em nada de muito implicativo. Dinheiro em notas, cerca de seiscentos euros, um cartão de crédito preto sem qualquer identificação, apenas os dezasseis algarismos, gravados em relevo dourado, que permitiam fazer as transacções, uma Beretta com cabo de madeira, ilegal no Estado italiano.

– Não estamos em Itália – informou Rafael.

– Este edifício beneficia do estatuto de extraterritorialidade – atestou Guillermo, que lançava um olhar desconfiado a Rafael. – Tecnicamente, estás a cometer uma ilegalidade, Cavalcanti.

A extraterritorialidade significava que aquele edifício, no coração de Itália, era independente de Itália e beneficiava do mesmo estatuto do Estado Cidade do Vaticano.

– De qualquer forma, vamos ficar com ela – informou Gennaro com uma expressão sardónica. – Para nossa segurança... Tecnicamente.

O agente recolheu-a. Tirou o carregador de munições para verificar o seu estado. Não fora usada. A revista prosseguiu.

– A sério, Cavalcanti – protestou Guillermo com veemência. – Isto é indecente e ridículo. Não podes fazer isto. O Comte vai-te crucificar.

Gennaro Cavalcanti olhou em redor para as dezenas de técnicos forenses e paramédicos que se apressavam num caos ordenado a analisar a cena do crime, a mesma que o inspector chamara de massacre.

– Achas ridículo? Olha à tua volta. – Fez um gesto com a mão a mostrar os cinco cadáveres com um tiro certeiro na testa. – Já viste quanto dinheiro estão os cidadãos italianos a gastar hoje convosco? Cinco mortos nesta sala e um lá em baixo na portaria.

– Não me lixes, Cavalcanti. Morre gente todos os dias.

– Ah, para ti isso não é importante. Sabes quantas horas de trabalho isto vai custar a cada contribuinte italiano? E nada disto é nosso.

– Então porque não se vão embora? – sugeriu Guillermo.

Cavalcanti fitou-o com uma expressão fulminante.

– Cospes para o ar porque não pagas impostos, meu sacana. – Apontou para Rafael. – Ele é a única pessoa que sobreviveu a isto. Logo, é o principal suspeito.

O agente estendeu a Beretta, já dentro de um saco de provas, a Cavalcanti.

– Não parece ter sido usada recentemente, inspector – indicou o subalterno depois de uma análise superficial. – Mas teremos a certeza depois de analisada.

Cavalcanti ficou na posse da prova e fitou Guillermo com uma postura provocatória. Assistiu à conclusão da revista. Um lenço feminino.

– Gostaria de ficar com ele – pediu Rafael.

– Logo se verá – respondeu Cavalcanti.

O *post-it* foi encontrado a seguir. Um papel cor-de-rosa, quadrangular, com rabiscos em italiano. O agente entregou o pequeno bilhete a Gennaro Cavalcanti, depois de o ter colocado dentro de outro saco de provas para posterior análise laboratorial, como fizera com o lenço de Sarah. O inspector leu-o, curioso. Enquanto juntava as palavras fazia pausas para fitar Rafael e Guillermo.

Até quando vamos andar ao jogo do gato e do rato? Levamos a mulher para o estimularmos a proceder da forma mais correcta, no caso de o rapaz não ser suficiente, o que duvidamos, padre Rafael. Temos mais uma surpresa esta noite.

– Isto não é o procedimento normal, Cavalcanti – atacou Guillermo numa última tentativa de protesto que, seguramente, sairia gorada. – Devias deixar os meus homens processar a cena do crime primeiro.

Cavalcanti sorriu, sarcasticamente.

– Estes que estão aqui mortos? Não me parecem em condições de investigar o que quer que seja. – Denotava-se algum prazer na voz do inspector italiano. Depois empregou um tom sério. – Quem são eles?

Guillermo mostrou-se apreensivo.

– A sério, Tomasini? Não sabes quem são? Raios te partam. Vens falar-me de indecência? Tem vergonha, meu facínora.

O homem do Vaticano engoliu em seco e baixou a cabeça.

– São três agentes da Gendarmaria Vaticana, um relator e um jornalista americano – disse Rafael com uma voz arrastada devido à moedeira que ainda sentia na nuca.

A revista terminou e o agente deixou Rafael em paz.

– Trata das identificações – ordenou Gennaro Cavalcanti, enquanto colocava uma mão no ombro de Rafael. – Venha sentar-se.

Encaminharam-se para o interior do gabinete de onde já tinham sido retirados três corpos. Restavam ainda John Scott e Duválio. As malogradas vítimas das atitudes dos homens em nome de Deus, em breve seriam levadas dali, tal como os outros, dentro dos sacos fechados.

Gennaro Cavalcanti arrastou uma cadeira que estava na sala e bateu com a mão no assento.

– Sente-se aqui, padre. – Era mais uma ordem que um pedido.

Rafael viu um dos agentes tirar o dossiê castanho das mãos do jornalista americano. Este apertara-o contra o peito até ao fim, como uma garantia de vida que nunca foi. Um trabalho muito bem feito. O terceiro nos últimos dias, sempre pelo mesmo autor, sem erros.

– O que é que se passou aqui? – lançou Cavalcanti, de rajada.

– Ei, não há procedimentos legais a ter em conta? – contrapôs Guillermo irritado. – Vais interrogá-lo assim? Ele tem direito a um advogado, sabes?

– Isto é apenas uma conversa entre amigos. Não é, padre…? Relembre--me o seu nome.

– Rafael.

– Não é, padre Rafael? – completou o inspector.

Rafael anuiu com a cabeça.

– Porque é que não ligas ao tal advogado enquanto eu converso com o teu homem? Ou chama o Comte. Isto vai ser rápido – sugeriu o romano. – Pode começar por nos dizer o que veio aqui fazer.

Guillermo não arredou pé. Em todo o caso, telefonou para Comte, mantendo-se atento a tudo o que era dito. Toda a situação era surreal, nunca tinha passado por tal descontrolo. Não podia deixar que Rafael revelasse a Gennaro mais do que lhe era permitido. Pisavam areias movediças que podiam engoli-los a todos a qualquer momento.

– Vim encontrar-me com o relator – acabou por dizer Rafael. As preocupações dele eram outras, precisava de despachar aquilo depressa e só tinha uma hipótese.

– O tal Duválio, correcto? – perguntou Cavalcanti, olhando para o seu bloco de notas preto que tinha na mão.

– Exacto.

Rafael perdeu algum tempo a explicar o que era um relator, o que fazia o colégio, sem entrar em pormenores sobre o candidato à santidade católica que agitava o habitual marasmo daquela congregação.

– Não faziam nada de importante, portanto – atirou Cavalcanti em jeito de provocação. – E o que é que tinha para falar com este relator que não podia esperar por horas mais apropriadas, como por exemplo, amanhã durante o dia?

Guillermo tentou chamar a atenção de Rafael. Obviamente que os seus homens estavam mais que preparados para lidar com este género de situações, porém, convinha não esquecer que este fiel operacional da Santa Aliança tinha razões para duvidar a quem devia lealdade.

– O jornalista tinha um assunto para falar com o relator acerca de um candidato americano à beatificação e o voo de regresso dele aos Estados Unidos era logo pela manhã. Só podia ser hoje e não foi possível ser a horas mais convenientes – mentiu descaradamente o padre Rafael. Sabia que Cavalcanti tentaria confirmar todas aquelas informações mas, entretanto, ficaria também irritado e era isso que Rafael pretendia.

– Ena, tão prestáveis que vocês são. Ao ponto de abrirem portas de madrugada só para ajudar um jornalista – declarou Cavalcanti mais para si mesmo do que para os dois homens do Vaticano. – Faz-me lembrar a vossa simpatia para comigo em 1998.

– Apenas cumpro ordens – afirmou Rafael, com uma voz segura e confiante.

– Fingindo que acredito nisso, como se chamava o tal candidato a beato?

Rafael não tardou dois segundos a responder.

– O arcebispo Fulton Sheen.

Cavalcanti rabiscou o nome no seu bloco de notas.

– Continuando a fingir que acredito nessa historieta, há uma coisa que me chama a atenção...

Rafael sabia muito bem que o inspector era um falcão da velha guarda, arguto, matreiro, que, dificilmente, seria enganado, a não ser que quisesse. Guillermo e ele aguardavam que Cavalcanti lhes dissesse o que o inquietava.

– O azorrague e aquele cinto pendurado no lustre – disse, apontando para o enorme candeeiro, pejado de cristais, que pendia do tecto. Guillermo reparou nele pela primeira vez. Rafael olhou também para a fita de couro preta com espanto.

– Que tem? – perguntou.

– Porque é que está ali? Alguém cometeu algum crime?

– Só reparei nele agora – mentiu Rafael.

Gennaro sorriu.

– E não lhe pareceu estranho o relator ter despido as calças?

Rafael tentou disfarçar o desconforto. Nada lhe escapava. Estava a perder o confronto. Precisava de reagir rápido mas o agente que o revistou acercou-se de Cavalcanti.

– Está um monte de jornalistas lá fora, inspector.

– A Raffaella que trate disso.

– E qual é a nossa versão? – pergunta o agente.

– A verdade – afirmou Cavalcanti, sem tirar os olhos de Rafael. – Toda a verdade, sem omitir nada.

– Não – balbuciou Guillermo com uma nota de desespero na voz.

– Não? – inquiriu Cavalcanti, impávido e sereno e com uma nota de ironia na voz. – Não podemos dizer que assassinaram dois relatores, quatro agentes da Gendarmaria Vaticana, um padre há trinta horas e um indivíduo ainda por identificar? Ah! Já me esquecia. E um jornalista do *The New York Times* que estava no local errado, à hora errada, para fazer uma entrevista às quatro da manhã que vocês autorizaram. Não podemos dizer isso?

Guillermo arrastou uma cadeira e sentou-se de frente para Cavalcanti.

– O que é que pretendes? Diz de uma vez.

– Que deixes de fazer de mim parvo. Quero a verdade. Deita tudo cá para fora.

Guillermo sentia-se encostado à parede, completamente imerso em terreno hostil sem expectativas de fuga. Gennaro Cavalcanti, inspector da Polizia di Stato, era um grande sacana.

Tinha de lhe dar qualquer coisa para o distrair.

– Muito bem – assentiu finalmente o homem do Vaticano.

Cavalcanti levantou a mão para o agente.

– Diz à Raffaella que não há comentários. Pela porta do cavalo que faça chegar a esses lacraus um boato sobre um pretenso ataque terrorista ou um crime passional. Mais nada, entendido?

O agente anuiu com a cabeça e antes de atender ao ordenado segredou algo ao ouvido do inspector.

Cavalcanti fitou os dois homens. O tempo urgia. Não estava para levar com mais lérias criadas pela imaginação fértil dos representantes da Igreja. Eram todos uns aldrabões… ou quase todos. Talvez apenas um escapasse.

– Vocês são uns mentirosos de merda. O senhor é o único suspeito, padre Rafael, o único sobrevivente, não restou mais ninguém… até prova em contrário.

– Olha o respeito, Cavalcanti – protestou Guillermo. A situação estava a precipitar-se novamente a olhos vistos.

– Tens razão – acatou o inspector. Olhou em volta e chamou até si um agente. – Leva-o – ordenou, referindo-se a Rafael.

– Cavalcanti – insurgiu-se Guillermo.

– Tens toda a razão, Tomasini. É melhor seguir as vias legais – disse o outro.

– Mas…

O agente algemou Rafael e encaminhou-o para o exterior.

– O Amadeo vai saber disto, Cavalcanti – advertiu Guillermo. – E o Santo Padre também.

Gennaro Cavalcanti levantou-se da cadeira e sorriu.

– Espero bem que sim, Tomasini. Espero bem que sim.

41

– Lucarelli?

– Monsenhor Stephano Lucarelli.

– E quem é?

– Esperava que vossa Excelência Reverendíssima me explicasse. Afinal, a ordem partiu deste gabinete e está assinada por si.

Giorgio, o belo, levantou-se da cadeira e fitou o homem que estava sentado à sua frente. De que raio estava Comte a acusá-lo? O sujeito parecia cansado. Não era, de todo, normal que um encontro destes ocorresse de madrugada, mas aquela noite estava a ser muito diferente das outras.

– Explica-te, Girolamo – pediu Giorgio.

– Chegou uma ordem ao retiro das irmãs da Santa Cruz, em Trento. Foi por telefone, e a prioresa garantiu que quem falou se apresentou com o nome de vossa Excelência Reverendíssima. Reservou todo o terceiro andar para esse tal Stephano Lucarelli.

Giorgio virou-lhe as costas e deambulou pelo seu gabinete. Na verdade era o do Papa, pois ele tinha apenas uma pequena sala, ali perto, que dividia com mais três colegas. O seu trabalho era feito ao lado do Santo Padre, a todas as horas que ele necessitasse, o resto era feito em silêncio, como neste caso, sem o conhecimento do herdeiro de Pedro. Poupá-lo-ia a tudo o que pudesse. O Papa Bento já tinha muito com que se preocupar, todos os dias, a todas as horas, a vida inteira.

– Continua.

– Tudo foi cumprido conforme o *pedido* de vossa Excelência Reverendíssima – continuou o inspector enfatizando o substantivo. – O monsenhor ficou quatro noites, deixou o retiro entre a madrugada e a alvorada do quinto dia, ou seja ontem de manhã, terça-feira. Não há testemunhos. Gostou tanto do trabalho da freira que o serviu que *pediu* a Vossa Excelência para a trazer com ele. Pedido que Vossa Excelência Reverendíssima concedeu, obviamente. – Notava-se alguma ironia na voz. – A ordem seguiu do seu email.

– Do meu?

Girolamo anuiu com a cabeça.

Giorgio contornou a secretária e regressou ao seu lugar ou, melhor dizendo, ao lugar do Santo Padre, que ele apenas ocupava por conveniência. Ligou o monitor do computador, usou o rato e dedilhou um conjunto de comandos no teclado para obter acesso à conta de email. Procurou entre as mensagens enviadas e encontrou, na manhã do dia anterior, às nove e vinte e sete, o pedido, em benefício do monsenhor Stephano Lucarelli, dos serviços da irmã Bernarda, de 23 anos. Assinava o documento electrónico a Excelência Reverendíssima Giorgio em nome da vontade do Santo Padre.

– Como é que isto é possível? Como é que acederam à minha conta de email e enviaram esta mensagem? E de onde? Quem é a irmã Bernarda? – perguntou Giorgio, perplexo.

Girolamo pegou num bloco de notas pequeno e folheou-o à procura da resposta.

– Uma freira da ordem de Santa Cruz. Fez os votos perpétuos há um mês. Oriunda de uma família suíça. O pai trabalha na banca de investimento. O nome de baptismo dela é Mia Gustaffsen.

– E o que descobriste sobre esse Lucarelli?

Girolamo fechou o bloco de notas e voltou a guardá-lo no bolso de dentro do casaco preto.

– Nada. Tanto quanto sei não existe ninguém com esse nome.

Giorgio franziu o sobrolho.

– Não há nenhum padre com esse nome?

– Nem nenhum padre, nem nenhum leigo. Não existe ninguém com esse nome.

Giorgio respirou fundo e levou as mãos à cabeça. Mirou o relógio. Eram quatro e meia da manhã. As últimas noites estavam a ser muito difíceis. O que dormia não era suficiente para recuperar dos dias com tantos afazeres. Nesta noite ainda não fora ao quarto nem para um breve momento de descanso.

– Para que é que ele levou a freira?

O homem da Gendarmaria encolheu os ombros. Não sabia. Este episódio tinha contornos muito estranhos. Para além disso, o envolvimento do nome do secretário pessoal do Papa em toda esta história não era agradável nem desejável.

– Isto não pode sair desta sala, Comte.

– Bem sei... A não ser que já tenha saído.

Giorgio levantou a cabeça, espantado. Que quereria o polícia dizer com aquilo?

– As paredes têm ouvidos e estas até enviam emails – explicou Girolamo.

O secretário do Papa olhou em redor para as paredes, os armários, os frescos, as tapeçarias, os objectos decorativos, uma arca enorme com motivos renascentistas, mandada fazer pelo Papa Júlio II, que se dizia ter os originais do Pentateuco no seu interior mas que nunca ninguém se dignara verificar. Será que estavam a ser escutados?

Girolamo sorriu.

– Descanse, Excelência Reverendíssima. Eu já verifiquei os apartamentos papais. Estão limpos.

Giorgio sentiu-se um idiota mas disfarçou com altivez.

– Tens a certeza?

– Absoluta. Podemos falar à vontade.

Giorgio já tinha delineado uma lista de suspeitos onde Tarcisio, o Cardeal Secretário de Estado, figurava no topo, seguido por Giovanni Angelo e Dominique François, todos com agenda própria e muito interessados no mal-estar do Papa quer fisicamente quer aos olhos dos fiéis, o Tomasini e, a fechar, o próprio Comte. O Papa Bento, sabia-se, já não era uma figura benquista pelos fiéis por natureza, não porque fosse pior que João Paulo II, mas porque não era João Paulo II. Nunca teria o carisma do Papa polaco, tão-pouco reinaria tantos anos e, não fossem as primeiras razões suficientes, não tinha a personalidade de Wojtyla. Era diferente em tudo, talvez fosse isso, a imagem intransponível que deu a esta Igreja

Católica Apostólica Romana a sua longevidade. Giorgio conhecia bem os meandros daquele palácio. Conhecia as motivações e, em parte, as agendas escondidas. Eram três, só naquele palácio, sem contar com os outros edifícios em território Vaticano, os que ambicionavam ocupar o trono de Bento. E para dois deles, o limite de idade estava quase a chegar. Se Bento não morresse antes de eles completarem os 80 anos de idade, nunca seriam Papas. Seria isso motivo suficiente para matar? O tempo di-lo-ia.

– Alguma teoria? – perguntou Giorgio, voltando a baixar a cabeça. Já não conseguia pensar.

– Porque não vai descansar um pouco e depois voltamos a falar, Excelência? – sugeriu Girolamo com uma ponta de sarcasmo.

Giorgio recusou com um gesto veemente com a cabeça. Não podia. Havia muita coisa em jogo.

– Será que a freira foi levada pelas mesmas pessoas que levaram o padre Niklas? – inquiriu Giorgio. Precisavam de chegar a algum lado.

– E não fizeram um pedido de resgate? Não creio. Acima de tudo porque nós não sabemos quem ela é.

– Pois. Mas necessitamos de saber. Faz um levantamento de tudo o que conseguires sobre ela. Alguma coisa deve haver.

O polícia levantou-se.

– Com certeza, Excelência.

– Precisamos de algum fio condutor nesta história.

– E se não existir?

Giorgio mirou Girolamo. Apesar de não confiar nele precisava dos seus serviços. Tinha um olhar clínico sobre os acontecimentos e uma mente mordaz, justamente o que necessitava. O Vaticano era um verdadeiro ninho de víboras onde prevalecia, literalmente, a vontade do mais forte. O Papa andava cansado, frágil, a desvanecer-se a cada dia que passava, restando somente a memória do seu vigor, daquele que outrora fora chamado de *Panzerkardinal*. Pior que esse declínio, próprio da idade e do fardo do cargo, era a alienação consentida do Santo Padre, uma conformação consciente que custava a Giorgio assistir.

– Como assim?

– E se os dois acontecimentos não tiverem nada a ver um com o outro? Se forem dois assuntos separados? Se o caso da irmã Bernarda e do tal Lucarelli não tiver nada que ver com o rapto do Niklas e da *moeda de troca*?

Giorgio cogitou sobre as palavras de Girolamo. Claro que ele podia ter razão e nada ligar um e outro caso. Não o verbalizou, mas sabia que os dois estavam relacionados.

– Eu vou ter de ir ver o que se passa com o meu pessoal. Têm sido dias loucos. E o Tomasini não me tem deixado em paz – informou Girolamo.

– Compreendo. Não tem sido fácil, de facto. Eu também tenho de fazer uma visita.

Bateram levemente na porta, uma pancada ténue, medrosa, que parecia não querer incomodar.

Giorgio levantou-se.

– Sim? Entre.

A porta entreabriu-se para deixar entrar a medo o franzino assistente do Secretário de Estado a quem Giorgio fizera passar um mau bocado algum tempo antes.

– Que se passa, Theo? – quis saber o secretário do Santo Padre.

– O Cardeal Secretário de Estado solicita a presença do intendente com urgência no Secretariado, Excelência – informou o jovem, de cabeça baixa e mãos unidas.

– Porquê? Algum desenvolvimento no caso do Niklas? – perguntou Girolamo.

Theo fez que não com a cabeça.

– Não, Excelência. Aconteceu uma tragédia.

42

Tarcisio persignou-se e, enquanto se ajoelhava, beijou a cruz de ouro que lhe pendia à altura do peito. Uniu as palmas das mãos, apoiou gentilmente a cabeça nelas e fechou os olhos.

Todos os filhos de Deus mereciam uma prece para que fossem acolhidos pelo Pai, o supremo juiz dos actos, que haveria de decidir sobre o destino de todos.

Os paramédicos que transportavam os corpos aguardavam, com as macas alinhadas umas ao lado das outras, observando o cardeal genuflectido, em sinal de respeito.

Três dos corpos já tinham sido encaminhados para as ambulâncias mas o Secretário pediu que os fossem buscar, trazendo também o agente que tinha perecido na portaria. O ritual dizia respeito a todos, Deus não virava as costas a nenhum dos Seus filhos.

Ninguém se atrevia a fazer o mais pequeno barulho. O segundo homem mais importante do Ocidente, cujo ministério influenciava a vida de mil e duzentos milhões de fiéis, o primeiro, atrever-se-iam a dizer alguns mais temerários, estava mesmo ali na frente dos agentes da polícia italiana a beneficiar da sua ligação privilegiada com o Altíssimo.

Gennaro Cavalcanti observava a cena com desdém, um cigarro na boca com mais cinza que tabaco, a pender periclitantemente. Guillermo também imitara o cardeal, ajoelhando-se, assim como meia dúzia de prelados e alguns agentes sob a alçada de Cavalcanti, mais sensíveis ao mundo do além.

Davide, Arturo, um outro agente de quem não se sabia o nome, Duválio, John Scott e o agente da portaria. Todos chamados à presença do Senhor. A oração levou cerca de dez minutos, silenciosos, um sibilo mudo de rogo em favor das almas que haviam desencarnado.

Cavalcanti consultou o relógio, irritado com a inconveniência do ritual, e depois o seu olhar foi aliciado pela nova presença que assomara ao fundo do corredor com passos rápidos e firmes e se acercava da sala dos relatores. Era o último homem que Cavalcanti queria ver, por muitas razões, ligadas ao passado, e também pelo que significaria em termos de investigação dali para a frente. Sabia que ele viria, mais cedo ou mais tarde. Sentiu irritação e resignação, mas talvez a segunda não se tivesse instalado completamente pois acenou para um dos agentes se aproximar.

– Já levaram todas as provas? – sussurrou ao ouvido dele.

– Ainda não, inspector. Faltam algumas.

Cavalcanti matutou rapidamente e ciciou para o agente, o mais próximo possível da orelha.

– Vamos perder a jurisdição. Levem tudo o que puderem, sem dar nas vistas.

O agente acorreu a cumprir a ordem, com a maior discrição possível. Murmurou alguma coisa aos outros agentes que se mantiveram nos seus lugares para não levantar suspeitas.

Gennaro Cavalcanti continuou a fitar o recém-chegado, descaradamente, facto que não passou despercebido, ainda que o visado não se tenha mostrado minimamente incomodado.

Tarcisio persignou-se novamente e foi ajudado a levantar-se por dois assistentes, um em cada braço. Quase dois metros de corpo, a dever muito pouco tempo aos 80 anos. Olhou em redor e, à porta da sala dos relatores, encontrou quem procurava. Bastou um gesto com a cabeça, uma permissão divina para o recém-chegado avançar com o distintivo acima da cabeça para que todos vissem.

– O meu nome é Girolamo Comte. Sou Intendente da Gendarmaria Vaticana. Estão em território soberano da Santa Sé. Agradeço que parem imediatamente o vosso trabalho e abandonem o local.

A voz era firme, sem margem para qualquer dúvida, avessa a desafios e contestações. Parecia um detective dos anos setenta do século XX, a quem nem faltava a gabardina creme.

Os técnicos forenses e os paramédicos da Polizia di Stato olharam para Cavalcanti à espera de orientação.

Girolamo avançou para o inspector.

– Que ideia foi a tua? – atirou o homem do Vaticano. – Agora invades território soberano sem autorização?

Cavalcanti encolheu os ombros.

– Foi uma gentileza do Estado italiano. Apenas adiantámos trabalho – respondeu o inspector, carregado de cinismo.

– As normas legais não foram cumpridas. Podia prender-vos a todos.

Cavalcanti juntou as mãos e esticou-as na direcção do intendente como que num pedido para ser algemado.

– Prende-nos. Terei todo o gosto em conhecer as catacumbas. Têm espaço para todos?

Girolamo respirou fundo. Cavalcanti era intratável.

– Manda sair a tua gente.

– Claro.

Cavalcanti fez um gesto com a mão para que os seus homens dispersassem. Os doze técnicos e paramédicos começaram a sair da sala dos relatores. Um dos paramédicos começou a empurrar uma das macas para fora da sala mas Girolamo pousou uma mão possante na extremidade oposta travando-lhe a marcha.

– Os corpos ficam. – Era uma ordem sem direito a apelação.

Gennaro Cavalcanti deixou cair o cigarro em cima da alcatifa e pisou-o com o pé, manchando o tom carmesim com um pouco de fuligem negra.

Os agentes de Cavalcanti saíram da sala do colégio dos relatores e percorreram o corredor em direcção aos elevadores e à escadaria. No lugar deles ficaram os agentes de Girolamo.

– Queres que chame o Inspectorado? – perguntou Cavalcanti, referindo-se aos agentes da Polizia di Stato que asseguravam a ligação entre a República Italiana e o Estado Cidade do Vaticano, e tinham mesmo um gabinete no edifício da Gendarmaria.

– Se considerar que serão necessários, eu mesmo tratarei disso – respondeu o outro com uma nota de desprezo na voz.

Os dois homens odiavam-se. Não era sequer necessário conhecê-los para se perceber isso. Porém, ambos o sabiam e conviviam bem com isso. Não tinham idade para esconder sentimentos, muito menos para dissimulações.

– Muito bem. Sinto-me como se estivesse novamente em 1998 – atirou o inspector.

Girolamo fitou-o como se estivesse em cima de um altar e a razão nunca lhe fugisse.

– Os teus superiores vão ter conhecimento disto. Vamos apresentar uma queixa formal. – Depois virou-lhe as costas. – Boa noite, Cavalcanti.

O inspector italiano caminhou para o exterior da sala do colégio dos relatores e cuspiu para o chão, atitude vista com repulsa por quem testemunhou.

– Fico à espera da devolução das macas – disse antes de sair. *Vão-se lixar…*, pensou para si mesmo, abandonando o local.

Girolamo Comte foi muito rápido a tomar conta da situação. Indicou aos seus homens que recolhessem todas as provas que os agentes italianos haviam embalado. Seguramente, o falcão matreiro havia levado algumas com ele, para não falar das provas fotográficas que nunca veria, pois Cavalcanti certificar-se-ia disso. Importar-se-ia com isso mais tarde. Acercou-se de Guillermo.

– Como é que permitiste que isto acontecesse? – perguntou com ar reprovador.

– Tu e os teus homens é que não estavam no sítio certo à hora certa… como sempre.

– Tenho três mortos que comprovam que estávamos no sítio certo à hora certa… Ele não tinha jurisdição.

– Nem eu – argumentou Guillermo. – Não existo, lembras-te?

– Nota-se.

O Cardeal Secretário de Estado aproximou-se dos dois homens.

– Eminência.

– Comte, que tragédia – balbuciou o piemontês com os olhos marejados e a voz embargada. – Já chamaste o Federico? – perguntou, referindo-se ao porta-voz do Vaticano.

O intendente anuiu com a cabeça.

– Deve estar a chegar. O que fazemos com os corpos, Eminência?

Tarcisio observou os sacos em cima das macas como se os estivesse a ver pela primeira vez. A sua expressão manteve-se introspectiva como se estivesse a procurar mentalmente uma solução ou, quiçá, a aguardar pela ajuda divina do Criador.

– É meu dever lembrar a sua Eminência que nestes casos de crime violento a autópsia é imperativa – notificou Girolamo.

Tarcisio saiu momentaneamente da sua letargia para fitar o intendente.

– Eu é que decido o que é imperativo ou não.

Um outro caso invadiu-lhe a memória, ocorrido meses antes, no próprio Palácio Apostólico, poucos pisos abaixo dos apartamentos papais, na Sala das Relíquias. Ursino, o padre que chefiava o departamento mais *sui generis* do mundo, fora assassinado. Dessa vez, conseguira debelar a situação. Nada se soubera na comunicação social. Este caso era diferente. Não havia como fugir da exposição pública. Requeria uma política de comunicação muito bem feita, com informação e desinformação. Os abutres já se acotovelavam à espera do exclusivo.

– Vamos enterrar os cinco corpos no cemitério de Montesanto… sem autópsia.

Girolamo assentiu. O Cardeal Secretário de Estado havia decidido e a ordem seria cumprida.

Um dos homens de Comte acercou-se dele e entregou-lhe um dossiê castanho.

– Era isto que procurava, senhor intendente? A PS ainda não a tinha processado como prova.

Girolamo pegou no dossiê. Era mesmo aquilo que queriam. Pelo menos alguma coisa correra bem. O dossiê já não seria problema para ninguém.

– O relator era brasileiro. O que vamos dizer à família, Eminência? – perguntou o intendente, guardando o dossiê para o analisar mais tarde.

Tarcisio respirou fundo. Precisava de Federico, de cabeça fria, para esboçar a versão oficial. Ele, melhor que ninguém, saberia como proceder. Estava mais do que habituado a apagar incêndios.

– Pois. Deixe-me pensar – desculpou-se o piemontês aparentando alguma desorientação.

– E o jornalista? – acrescentou Guillermo.

Tarcisio não respondeu. Estava a pensar. Era uma situação difícil. Grave. Não se tratava apenas de um padre ou guardas suíços, cenários fáceis de conter, independentemente dos teóricos da conspiração que em tudo viam crimes hediondos e disputas de poder. Tinha de medir bem as opções.

– Eminência – chamou Girolamo. – Eminência.

– O jornalista tem de ser autopsiado – ouviu-se a voz de Federico dizer.

O porta-voz acabara de chegar. Trazia um sorriso estampado no rosto que foi prontamente substituído por uma expressão pesarosa em sinal de respeito para com os defuntos que haviam partido para a Casa do Pai. Benzeu-se e beijou a própria mão no fim do rito. O piemontês despertou do entorpecimento apático com a chegada do porta-voz.

– Achas mesmo necessário?

– Tem de ser. Se não a fizermos aqui, fá-la-ão nos Estados Unidos. Temos de evitá-lo. Fazemo-la nós e depois enviamos o corpo para a família num caixão de chumbo selado para evitar surpresas. Assim não corremos riscos.

O Cardeal Secretário de Estado assentiu com a cabeça. Estava de acordo. O porta-voz tinha toda a razão. Era deste pragmatismo jesuíta que necessitava.

– E quanto ao relator brasileiro, padre? – perguntou Girolamo.

– Enviamos uma carta à família onde manifestamos a vontade dele em ser sepultado na Santa Sé. Eu mesmo trato disso. Pagamos a viagem à família para assistir à cerimónia fúnebre. Seria... – Federico deixou a frase suspensa no ar, o que deixou os outros três intrigados, e baixou o tom de voz para um sussurro. – Seria importante se o próprio Santo Padre realizasse os ritos fúnebres.

Tarcisio baixou o olhar. As relações entre o Secretariado e o Papa estavam a passar por uma fase turbulenta de mais para que se oferecesse para lhe pedir fosse o que fosse.

– Se me permitem, falarei com o secretário de sua Santidade para apresentar o pedido – sugeriu Girolamo.

O piemontês respirou de alívio.

– Excelente – congratulou-se o porta-voz, esfregando as mãos.

Alguns instantes de silêncio rodearam os quatro homens que evitaram entreolhar-se.

– Como está o outro assunto? – quis saber Federico.

– O prazo termina às oito da manhã – informou Guillermo, intimidado. Aquele assunto já lhe dizia respeito.

– E já temos a *moeda de troca*? – perguntou Tarcísio.

Guillermo sentiu-se irrequieto.

– Tivemos um contratempo.

Girolamo lançou-lhe um olhar reprovador.

– Isto não é nenhum contratempo. Isto é o descalabro total.

– E onde estavas para evitar o descalabro? – atirou Guillermo, dando um passo em frente.

Os dois homens tinham um historial antigo de quezílias e disputas. Ambos conviviam com a sensação que estavam acima um do outro e que eram os preferidos do Santo Padre. Pareciam dois miúdos mimados à procura de atenção.

– Senhores – chamou o porta-voz jesuíta. – Acalmem-se. Têm tempo para resolver as vossas diferenças em privado. Estão na presença de sua Eminência. Respeito, por favor. Bom, tenho de ir dizer qualquer coisa à imprensa – acrescentou Federico, cheio de vigor.

– E qual vai ser a nossa versão? – perguntou Girolamo.

O porta-voz sorriu.

– Não existe a *nossa* versão – indicou, com ênfase no pronome possessivo. – Existe apenas a verdade oficial do Vaticano. E quando a Santa Sé se pronuncia não há necessidade de procurar outra versão.

– Deixo isso nas tuas mãos – pronunciou Tarcisio com uma voz fatigada. – Reunião no Secretariado às seis e quinze da manhã para fazermos um ponto da situação.

– Muito bem, Eminência – disse Federico.

O Cardeal Secretário de Estado levantou um dedo.

– Isto é para todos. Para o menino de recados do Santo Padre também.

O piemontês encaminhou-se para o exterior da sala dos relatores, acompanhado pelos invisíveis assistentes e voltou-se antes de sair.

– Resolva-me o problema… Custe o que custar – disse para Guillermo antes de sair.

O porta-voz pretendia saber mais sobre o assunto Anna P.

– O que falta para resolver o problema da mulher?

– Pergunte ao homem dos serviços de informação porque é que ainda não sabemos dela – disse Girolamo em jeito de admoestação.

O porta-voz encarou Guillermo à espera de explicações e este, por sua vez, olhava com desdém para o intendente.

– O homem encarregado de a encontrar… – começou Guillermo, ocorrendo-lhe depois o teatro que Cavalcanti armara.

– O que tem?

Guillermo saiu a correr.

– Foi detido – disse antes de desaparecer pela porta.

*

A polícia italiana montara um perímetro de segurança com cerca de quinhentos metros. Na verdade, o termo mais correcto seria barreira jornalística, pois era efectivamente essa a função.

Gennaro Cavalcanti desceu até ao exterior com passos lestos e perscrutou a praça como um falcão em busca da presa. Tinha de estar por ali. Só faltava localizá-la. Encontrou o agente que procurava junto a uma viatura descaracterizada, a falar com outro colega. Despediram-se e o agente entrou para o lugar do condutor. Em segundos, Cavalcanti alcançou a viatura, abriu a porta e olhou para o interior. Além do condutor, havia outro agente no banco de passageiro da frente.

– Saiam.

Os agentes olharam-no incrédulos. Cavalcanti tirou um molho de chaves do bolso e deu-o ao agente que estava no volante.

– Levem o meu carro. Eu levo este.

– Mas… Inspector – tartamudeou o agente.

– Anda. Não penses. Faz o que te digo – disse Cavalcanti, que começava a ficar irritado.

Os agentes saíram do carro e ficaram especados a vê-lo arrancar a grande velocidade e desaparecer de vista quando dobrou a esquina. Um deles segurava um molho de chaves na mão.

Instantes depois, um afogueado Guillermo Tomasini desceu à rua. A maioria dos agentes já se tinha ido embora, excepto os que controlavam o perímetro, e de Cavalcanti nem sinal. Acercou-se de alguns agentes que ainda permaneciam ali.

– Onde está o inspector Cavalcanti? – perguntou, ainda a recuperar o fôlego, libertando fiapos de vapor para o frio da noite.

– Acabou de sair – respondeu um dos agentes.

– E o detido?

Os agentes continuavam a olhar para o local onde tinham deixado de ver o carro que o inspector levara.

– Foi com ele.

Guillermo esmurrou o ar, revoltado, enquanto os agentes recuperavam a compostura e procuravam o carro do inspector. O homem do Vaticano consultou o relógio. Eram cinco e meia da manhã.

– Raios.

43

A casa era muito grande. Um palácio, mas sem a arquitectura habitual. Era composta por patamares que se colavam ao declive da colina. Jacopo contou cinco até chegar a um conjunto de portas trancadas que não conseguiu abrir. Sentiu sede e procurou a cozinha, tarefa árdua numa casa tão grande com corredores em praticamente todas as direcções e portas por todo o lado.

Jacopo sorriu quando viu, pregadas nas paredes, placas com indicações. Numa delas leu a palavra *Cucina*, justamente o que procurava, por baixo de outra que dizia *Gallerie* 1, 2, 3 e *Bagno*, indicando as respectivas direcções. Seguiu as instruções e subiu dois patamares, até encontrar outra placa que indicava que virasse à direita, ao fundo, outra à esquerda, e desembocou numa enorme cozinha, decorada com bom gosto, segundo a sua despretensiosa opinião.

Abriu o frigorífico gigante, mais alto e mais largo que Jacopo, e tirou uma garrafa de água grande. Não se perdeu a coscuvilhar os itens que se aconchegavam nas várias prateleiras de vidro. Procurou um copo na parte de cima dos armários.

Deitou água no copo e voltou a guardar a garrafa no frigorífico. Bebeu o líquido gelado de uma assentada e depois lembrou-se que fora extemporâneo guardar a garrafa. Repetiu os gestos anteriores e bebeu mais um pouco.

– Isso são nervos ou ansiedade? – ouviu uma voz feminina perguntar atrás de si.

Jacopo quase se engasgou com o susto e acabou por cuspir alguma água.

– Desculpe se o assustei.

Jacopo virou-se e viu uma mulher baixa, loira, com as marcas do tempo impressas no rosto formoso. Emanava uma calma ascética, quase como um anjo a pairar sobre o soalho de mármore. A voz era angélica, suave.

– Não faz mal. Eu é que lhe devo desculpas. Não devia andar a fazer barulho a esta hora.

A senhora aproximou-se dele.

– Nesta casa não se ouve nada. Escute – Levou uma mão à orelha como se quisesse estar atenta a algum ruído particular.

Jacopo manteve-se atento mas não conseguia ouvir nada. Nada de nada.

– Consegue escutar? – continuou ela, baixando a voz para um sussurro. – Silêncio sepulcral. Esta casa é um túmulo. Além disso, tenho o sono estragado há muitos anos, senhor... – Deixou a frase suspensa no ar, propositadamente, para que o historiador se apresentasse.

– Jacopo Sebastiani – completou ele que, sem saber muito bem porquê, num acto involuntário, beijou a mão enrugada da senhora.

– Anna. Anna Lehnert.

Jacopo estremeceu ao ouvir o apelido, ainda que os seus aguçados ouvidos de historiador esperassem outro ainda mais sonante.

– Encantado, Anna Lehnert.

Anna exibiu um sorriso tímido.

– Tem um nome muito musical – elogiou a senhora ou, pelo menos, era essa a sua intenção. – O que o traz por aqui a esta hora da noite?

– A sede – brincou Jacopo. Não estava interessado em falar de coisas sérias, não por enquanto. – Temos um amigo em comum – acrescentou.

Anna baixou o olhar e envergou uma expressão pesarosa. O brilho plácido esvaneceu-se.

– Só tenho um amigo – confessou com mágoa.

– Estaremos a falar do mesmo? Do padre Rafael Santini?

Anna envergou uma expressão incomodada e esboçou um meio sorriso.

– Padre não, por favor. Para mim ele é o Rafa.

Rafa?, cogitou Jacopo. Nunca imaginaria que alguém trataria o frio Rafael daquela forma tão reducente. Rafa era nome de um miúdo rebelde que não bebia o leite e fazia birra para comer.

Anna serviu-se de água também. Pegou num copo e encheu-o até meio. Depois tirou uma pequena caixa de plástico do bolso do roupão. Eram medicamentos. Tirou três e levou-os à boca. A água encarregou-se de os fazer chegar ao destino. Sorriu novamente.

Jacopo lançou-lhe um olhar condescendente.

– Eu tomo seis por dia. Isto já não funciona sem artifícios. É um para diluir o sangue, outro para o engrossar, mais um para o fazer circular e outros para reparar o mal que os primeiros fazem – disse o historiador com um sorriso.

Ficaram sem assunto e um silêncio sepulcral tomou conta do espaço e do tempo, sem temor do embaraço que o historiador sentia, muito mais que Anna.

– Há algum problema com o Rafa?

A senhora estava angustiada. Ele costumava ligar-lhe todos os dias, religiosamente, e nesse dia não o fizera. Não devia estar muito enganada. Os sentidos premonitórios não a enganavam, quase como uma mãe que conhecia telepaticamente o estado do seu filho, ainda que não fosse esse o caso. A ligação que os unia era muito forte. Temia pelo seu Rafa. Não desejava que algo de mal lhe acontecesse, apesar de tudo.

– Não. Ele está bem. Ainda há umas horas falei com ele – tranquilizou--a Jacopo. Na verdade não dissera nenhuma mentira, apesar de não estar cem por cento seguro do bem-estar do amigo.

Anna virou-lhe as costas, cismática. Talvez tivesse denotado alguma insegurança na voz do historiador.

– Sabe, estou demasiado habituada à rotina. Sempre tive horários definidos para tudo. Hora de comer, de descansar, de ler, de aprender. Até enquanto criança os meus passos foram sempre medidos pela minha mãe… e pelo meu pai, de certa forma. – Os olhos marejaram-se-lhe. – Havia muitas limitações para uma criança que vivia dentro do Vaticano.

Jacopo engoliu em seco e sentiu-se enrubescer. Ainda bem que ela estava de costas para ele. Porque estaria ela a contar-lhe aquilo?

– Sempre fui muito controlada. Acabei por me habituar. A rotina faz parte de mim, tal como as minhas constantes insónias. Deve ser a minha punição nesta vida. Vivê-la num estado permanente de vigília.

– O Rafael está bem, Anna – disse Jacopo com mais confiança.

Ela continuava de costas para o historiador, que não a viu esboçar um sorriso frágil.

– Em breve o saberemos, não é? – hesitou. – Mas o que eu queria dizer é que o senhor é uma ameaça à minha rotina.

Jacopo manteve-se quedo e mudo, sem saber como reagir àquela confissão tão franca. Depois tentou dizer alguma coisa mas balbuciou.

– Eu... Eu...

– Não se justifique, Jacopo. Por favor. O senhor não tem culpa nenhuma. Perdoe-me a minha sinceridade. Estou habituada à solidão. A ter longos monólogos comigo. Os telefonemas do Rafa são a melhor parte dos meus dias. Sinto-me no céu quando ele arranja tempo para me visitar. Não consigo desfazer o sorriso quando sei que ele vem visitar-me. – Voltou a sorrir, imaginando o que sentia quando isso acontecia. – Sou um bicho-do-mato, Jacopo. Foi isso que fizeram de mim. Não é todos os dias que recebo visitas. Perdoe-me.

Jacopo acercou-se de Anna.

– Não causarei qualquer alteração à sua rotina. Prometo que eu e a minha esposa seremos invisíveis – garantiu com um sorriso infantil, apesar de saber que era mentira.

– Não me estou a queixar, Jacopo. – Baixou a cabeça. – A minha vida foi sempre obedecer... sem contestar.

Jacopo queria abraçá-la mas conteve o gesto. Não sabia como ela responderia ao toque. Por fim, decidiu avançar. Primeiro pousou-lhe uma mão terna no ombro e depois abraçou-a quando ela se virou para ele com lágrimas a escorrer-lhe pelo rosto.

Não foi só o sono que lhe estragaram, pensou o historiador.

Naquele momento, apercebeu-se de uma luz vermelha que piscava intermitente, junto à ombreira da porta. O sinal de chamada na porta de entrada.

– Chegou mais alguém? – perguntou Jacopo, ainda que soubesse a resposta.

Depois de alguns segundos a luz apagou-se.

Anna olhou para o sinal e depois para o historiador.

– Mais visitas.

Jacopo engoliu em seco e sentiu os pelos eriçarem-se com o calafrio de medo que o percorreu. Quem acabara de chegar?

44

O Alfa Romeo acelerou ao longo da Via della Conciliazione, deixando para trás a Praça de São Pedro e o Palácio das Congregações, os corpos e as mortes trágicas. Não havia trânsito àquela hora, o que facilitava em muito a condução de Gennaro Cavalcanti. Desrespeitou todos os sinais vermelhos que encontrou e atravessou a ponte Príncipe Amedeo di Savoia Aosta rumando à Piazza della Chiesa Nuova.

Rafael manteve-se em silêncio no banco de trás, as mãos algemadas e presas a uma barra de ferro que saía das costas do banco da frente. Olhava para o exterior, para as ruas da cidade adormecida, polvilhada, aqui e ali, de mendigos enrolados em cobertores que se encostavam num sono frio aos patamares das portas, e de equipas de limpeza que preparavam a cidade para o novo dia que em breve nasceria, para milhares de romanos e turistas de todo o mundo.

– Sois peritos no jogo do empata – protestou Gennaro Cavalcanti sem tirar os olhos da estrada.

– Assim sempre tens uma desculpa para te chateares.

– Agora chamas-te Santini? – perguntou o inspector, estendendo a mão para trás até sentir os dedos de Rafael, que recolheu o pequeno objecto.

– É o meu nome.

Instantes depois, ele libertou-se do jugo das algemas e saltou para o banco livre da frente.

– Quando te conheci chamavas-te Ivan.

– Não era o meu nome.

– Achas que perceberam alguma coisa?

Rafael fez que não com a cabeça.

– Estão mais preocupados com outros assuntos. – O padre estendeu a mão. – Quero o meu lenço.

– O que é que se passou ali? – perguntou Cavalcanti enquanto o tirava do bolso e o devolvia ao seu dono.

Rafael guardou no bolso o lenço e começou a contar sumariamente o que presenciara, sem mentir nem omitir. Cavalcanti era um velho conhecido. Não se podiam considerar amigos, sabiam até muito pouco da vida pessoal de cada um, mas confiavam um no outro. Ivan, o nome de Rafael quando se conheceram, fora o seu contacto privilegiado dentro do território inimigo do Vaticano há alguns anos. Desde 1998 e do célebre caso dos guardas suíços assassinados. Rafael não escondera nada ao, à época, por castigo, chefe interino do Inspectorado de Segurança Pública para a Cidade do Vaticano. Cavalcanti também se dispunha a ajudá-lo sempre que era necessário, se tal não conferisse uma ilegalidade, obviamente. Embora Rafael não se prendesse a essas minudências, o inspector gostava do pragmatismo e da sinceridade do padre e admirava-o por procurar a sua própria posição dentro daquele ninho de víboras. Rafael servia a Igreja, não tinha dúvidas sobre isso, mas, acima de tudo, prezava a verdade, custasse o que custasse a quem custasse.

– Sabes quem está por detrás disto tudo? – quis saber Cavalcanti.

Rafael encolheu os ombros.

– Desconfio.

– Conta-me.

E Rafael contou as suas desconfianças sem revelar a identidade de quem suspeitava. Não podia contar tudo. Havia coisas que era melhor guardar. Algumas porque ainda careciam de confirmação, outras porque não queria que Cavalcanti as soubesse, pelo menos enquanto não fosse necessário.

– E o embaixador já sabe? – perguntou o inspector.

Rafael fez que não com a cabeça.

– E a mulher?

– Chama-se Sarah.

– Não. A outra.

– Chama-se Anna – corrigiu Rafael, que não conseguia expulsar Sarah do pensamento.

Esperava que ela estivesse bem, dadas as circunstâncias.

– E tu sabes onde ela está. – Cavalcanti não estava a perguntar. – Temos de calcular muito bem o nosso próximo passo.

Cavalcanti tirou os olhos da estrada e focou-os em Rafael.

– Por que razão me avisaste do homicídio em Sant'Andrea e na Tuscolana?

– Não te avisei.

– Engana-me que eu gosto – proferiu o inspector com um sorriso matreiro. – De qualquer maneira, há uma coisa que não percebo.

Rafael esperou que o polícia concluísse.

– Se te puseram a dormir no palácio, como é que conseguiste avisar a central do que tinha acontecido?

Rafael olhou para Cavalcanti, intrigado.

– Não consegui. Eu não avisei ninguém. Não te avisei do que aconteceu em Sant'Andrea, na Tuscolana e muito menos no Palácio das Congregações. Se tivesse sido eu, dizia-te. Quando recuperei os sentidos levei logo contigo.

Cavalcanti pegou no rádio do carro que estava preso a um fixador e levou-o à boca.

– Atenção, Central. Daqui Cavalcanti, 08745.

Uma voz roufenha e metálica invadiu o habitáculo através do aparelho.

– *08745, daqui central.*

– Quero que me façam chegar a identidade de quem deu o alerta sobre os episódios de Sant'Andrea, Via Tuscolana e número 10 da Piazza Papa Pio XII. Urgente.

– *08745, em processamento.*

Cavalcanti pousou o aparelho no fixador de onde o tinha tirado. Rafael respirou fundo.

– Quem será a toupeira que nos avisa antes de informar o Comte? – perguntou Cavalcanti, mais para ele mesmo do que para Rafael, que encolheu os ombros. – E agora?

– A Gendarmaria Vaticana já tomou conta do caso – declarou Rafael em jeito informativo, ainda que Cavalcanti conhecesse muito bem o procedimento.

– O cabrão do Comte.

– A versão oficial deve estar a ser transmitida pelo porta-voz, o Federico. Nunca será alterada. O Comte vai usar a tua brincadeira no Palácio das Congregações para te sacar a investigação da Tuscolana e de Sant'Andrea della Valle.

Cavalcanti mostrou-lhe a mão com o dedo do meio alçado num gesto obsceno. Depois aumentou o volume do rádio do carro onde já se ouvia a voz de Federico a explicar os terríveis acontecimentos daquela noite.

– Vai ter sorte – resmungou o inspector.

– Ah, e claro, vai tratar-te da saúde logo pela manhã. A tua conduta foi reprovável – proferiu Rafael, na tentativa gorada de imitar o intendente.

– Com isso posso eu bem.

Escutaram as palavras de Federico que saíam metálicas pelas colunas do carro.

... o Santo Padre foi arredado do seu sono pacífico com uma triste notícia. Os seus dilectos irmãos haviam-se matado uns aos outros. A tragédia ocorreu na Sala do Colégio dos Relatores da Congregação para a Causa dos Santos, do Palácio das Congregações, e nada está a ser deixado ao acaso pelos investigadores que continuam a trabalhar afincadamente para a solução deste crime hediondo...

– Sanado este caso – prosseguiu Rafael –, vão virar-se para nós.

Cavalcanti passou a língua pelos lábios para humedecê-los.

– Temos de desaparecer por umas horas. Fazes ideia de qual deve ser o próximo passo?

– O teu devia ser ir para casa.

Cavalcanti sorriu.

– Querias. Estás detido, lembras-te?

Rafael ficou em silêncio durante alguns instantes.

– Há quatro relatores. Bertram, morto. Duválio, morto. Domenico, morto.

– Domenico? Quem é o Domenico?

– Aquele que vocês não conseguiram identificar na Basílica de Sant'Andrea.

– Que filhos da puta – praguejou Cavalcanti, irritado. – Sempre a sonegarem informação. Disseste quatro. Falta um.

– Falta o chefe deles. O Gumpel... Ainda está vivo.

Cavalcanti sentiu a adrenalina a percorrer-lhe as veias e espalhar-se rapidamente pelo corpo.

– De que estás à espera para me dares a morada desse tal Gumpel, Santini?

45

O Francês gostava de poder ter longas conversas com alguém cujo conhecimento admirasse, infelizmente sofria de uma limitação física que impedia a realização desse desejo. O cliente talvez se revelasse um excelente conversador mas, infelizmente, não teria como comprová-lo. As únicas conversas decentes a que se podia dar ao luxo aconteciam consigo mesmo. Por vezes, embarcava em grandes debates filosóficos mentais com mais do que um interveniente, nos quais usava os argumentos de Diógenes ou de Antístenes sobre a virtude ser melhor revelada pela atitude e não pela teoria, e mergulhava na introspecção durante horas. Somente os filósofos, poetas e escritores tinham capacidade para realmente desafiar o mundo, os sentidos e as sociedades. Os demais eram ovelhinhas que seguiam em rebanho quem mais habilmente as soubesse levar.

O cliente ficara incomodado com o que fizera no Palácio das Congregações. Devia tê-lo informado da presença dos três agentes da Gendarmaria Vaticana e não eliminá-los pura e simplesmente. Ele tinha meios para os afastar do palácio. Por vezes, o Francês tinha de improvisar e cabia ao cliente ser claro para evitar mal entendidos. Enfim, um mal menor e três mortes extra que não teriam um custo adicional.

O Francês não seguia ninguém, a não ser os livros, em lazer, e os censurados, em trabalho. Os livros eram a sua perdição. Consultou o temporizador e bufou de impaciência. Faltava pouco para o final do prazo que lhe haviam encomendado. No que a ele dizia respeito tudo estaria terminado antes da hora estipulada, mesmo contando com a imponderabilidade humana. O pior de tudo era a espera. Os malditos segundos que se tornavam em minutos e que, apesar de implacáveis, teimavam em demorar-se. O tempo era uma ilusão, sabia-o, mas não deixava de o torturar. O tempo existe apenas por uma única razão: para que as coisas não aconteçam todas de uma vez.

O seu método, se o cliente lhe tivesse perguntado, seria diferente. Não havia necessidade de andar de um lado para o outro, para cima e para baixo, largando lastro e gotejando rasto, ainda que ele, como profissional, deixasse marcas mínimas da sua passagem, apenas a morte. Quando revelou ao cliente que podia fazer o trabalho todo de uma vez, num mesmo espaço, essa opção foi liminarmente recusada como se o que sugerira fosse idiota. Devia cumprir o plano. Os locais e a ordem seriam indicados por ele, sem margem para mal entendidos. Niklas era o primeiro, peça crucial do plano. Aproveitar-se-ia a mesma ocasião para eliminar o primeiro relator, o Domenico. Era provável que tivesse de se livrar do tutor do miúdo, um alemão íntegro, como todos os outros, mas que seria um dano colateral perfeitamente aceitável e cujo nome não precisava de saber. Seguir-se-ia mais um relator, o Bertram, onde fosse possível, depois o brasileiro, nas mesmas condições. Era importante que os prazos não fossem ultrapassados mas que o guião fosse seguido.

Teve de improvisar ao longo do caminho, estava preparado para fazê-lo, ainda que odiasse o imprevisto, mas as coisas tiveram um desfecho positivo. Todos os planos humanos são sujeitos a uma revisão implacável por parte da Natureza ou do Destino, conforme preferirem chamar aos poderes que governam o Universo. Censurados os três relatores, o trabalho seguinte era especial. Um trabalho de artesão que requeria talento e sangue-frio. Um serviço poético para aquecer a noite fria e de muito trabalho. Relembrou as palavras do cliente, que lhe invadiram a mente, enquanto delineava meticulosamente o plano ao Francês. *Cuidado com a reacção deles. Tendem a disparar em todas as direcções quando são atacados de uma forma tão incisiva e persistente.* Era um alerta pertinente, não fosse esse o seu estado natural.

Estava na morada certa. Deixou-se ficar dentro do carro, em silêncio, e abriu o livro. Percorreu algumas linhas com o dedo como se buscasse um trecho específico que gostaria de reler.

Quando os homens já não crêem em Deus, isso não se deve ao facto de já não acreditarem em mais nada, mas sim ao facto de acreditarem em tudo.

O pior de tudo era a espera, a não ser quando lia e deixava os maus sentimentos serem consumidos pelo embalar das palavras.

46

Matteo Bonfiglioli sentia uma dor no estômago e um ardor que lhe causava náuseas.

– Acalme-se – proferiu o velho, sentado na poltrona, com as mãos apoiadas na bengala. – Isso não faz nada bem à sua úlcera.

Matteo desistira de tentar perceber como é que aquele *avozinho* tinha conhecimento da sua úlcera. Era óbvio que ele estava muito bem informado, talvez de mais, e não havia nada que ele pudesse fazer quanto a isso.

A mulher voltou a entrar na sala para ir buscar o tabuleiro com o bule e as chávenas de chá que haviam sido servidas há algumas horas. Há pouco tinha passado um pouco de pomada no pé de Matteo, que havia sido queimado pelo chá. As mãos gentis afagaram-lhe a pele.

– Deixe ficar isso, Mia – ordenou o velho com alguma rouquidão na voz. – Sente-se um pouco connosco. Desfrute da nossa companhia.

Mia ficou encabulada, sem saber como reagir. Era demasiado desajeitada para confraternizar. Já não o fazia há tanto tempo que tinha quase a certeza que esquecera o protocolo a aplicar nestas ocasiões.

– Vá. Largue o tabuleiro. Ele não vai a lado nenhum. Além disso, a Mia não está connosco para nos servir. O nosso anfitrião tem empregados para esse efeito. Sente-se – insistiu.

A freira acedeu ao pedido do idoso porque lhe pareceu uma ordem. Nem lhe passava pela cabeça contrariá-lo. Dois passos tímidos até à poltrona ao lado dele, esticou bem a saia cinzenta para baixo e sentou-se, quase se afundando no assento. Limitou-se a observar a sala, sem nada dizer, não ignorando o facto de que Matteo não tirava os olhos dela. Ele estava agastado, preocupado, com receio, o que era perfeitamente natural, mas aquele olhar com que a brindava, e que ela fazia por ignorar, significava mais do que à primeira vista parecia.

Não estava mais ninguém na sala. O segurança do velho devia estar noutra divisão. Passou pela cabeça do veronês atirar-se novamente ao velho. Não levaria um minuto a manietá-lo mas, seguramente, o gorila apareceria antes disso, como um espectro do além, pronto para repor a normalidade. No fim do processo, Matteo teria, provavelmente, mais algumas nódoas negras. Era melhor não arriscar.

– Como é que foi a adaptação à vida no convento? – perguntou o velho, o único impulsor de conversação presente na sala.

Mia não estava à espera daquela pergunta. Continuava a olhar para a sala. Estantes repletas de livros, alguns visivelmente muito antigos, quadros de artistas que desconhecia pendurados nas paredes, envoltos em molduras douradas ou cinza, e passe-partouts com fotografias de pessoas que não viviam naquela casa.

– Não vivo, propriamente, num convento – respondeu com simpatia. – Sirvo o Senhor num retiro para religiosos, é um pouco diferente.

– E esse senhor a quem serve paga-lhe bem?

Por momentos ninguém disse nada. Mia não queria crer no que acabara de ouvir e Matteo arrepiou-se com a falta de sensibilidade do velho.

– Estou a brincar – esclareceu JC com uma gargalhada que o fez tossir e perder o fôlego.

Os outros dois sorriram mais por simpatia do que por verdadeira vontade de rir.

– O senhor não é crente? – perguntou a irmã Bernarda, nascida Mia.

O velho fez que não com a cabeça.

– Quando se vive o que eu vivi e se testemunha o que eu testemunhei, só se pode concluir que Deus não existe ou está de férias – respondeu com veemência.

– Já tinha ouvido alguém dizer algo do género.

– Pois. O que não falta no mundo são idiotas, e esses tanto faz que sejam crentes ou não.

JC encostou a bengala ao braço do sofá e recostou-se. Parecia cansado. A respiração era audível, um apelo por ar que lhe alimentasse os pulmões.

– Não acredito em alguém que tem gosto em ver-nos envolvidos em lutas, a matar-nos uns aos outros, a competir ferozmente para sobreviver e, no fim disso tudo, como se não bastasse, dá o prémio depois da morte, no além. É um absurdo sem pés nem cabeça. E não pense que perco o sono a pensar nas criancinhas que passam fome em África ou no trabalho infantil na Ásia. Não é obra de nenhum deus mas sim do Homem. Todos sofrem à sua maneira, só que uns fazem-no em cima de uma cama, aconchegados por cobertores, enquanto outros estão à chuva e ao frio. Não se iludam, a única coisa que, verdadeiramente, impera neste mundo, é, como Darwin bem disse, a lei do mais forte. Os outros ou cumprem ou morrem. O mundo é, na realidade, muito simples.

Matteo e Mia escutavam a fria dissertação do velho sem saberem o que pensar. Por um lado, parecia um relato suportado por uma experiência vívida, mas por outro recusavam-se a aceitar tanto pessimismo.

– Acredita mesmo nisso? Parece-me que a maioria contraria essa lei.

JC sorriu.

– Sabe porque é que a maioria tenta contrariar a lei do mais forte?

Nenhum dos dois respondeu.

– Porque há um pequeno factor que tem um efeito catalisador muito poderoso e que nós, os mais fortes, providenciamos.

Deixou a ideia ficar em suspenso sem dizer logo do que se tratava, para acicatar a curiosidade. Fora bem-sucedido, a avaliar pelas expressões inquiridoras de ambos.

– Esse factor chama-se *esperança*.

Matteo e Mia olharam para ele como se não tivessem compreendido.

– A esperança é o verdadeiro poder do mundo. A esperança em sair da pobreza, em subir na vida, em sair da aldeia e ter sucesso na cidade, em enriquecer, no amor. Basta dar-lhes a ilusão de que não são iguais aos outros e podem triunfar, e tudo funciona calma e normalmente, sem agitações, sem se magoarem uns aos outros. Apenas e só porque todos querem ser os mais importantes da sua rua.

– Eu não quero ser a mais importante – contrariou a irmã.

– Mas a Mia não conta. Virou as costas à vida. Desistiu. Olhe que aqui o Matteo é um bom partido. Vai bem embalado na sua ascensão… enquanto deixarmos, claro.

Matteo engoliu em seco. Mais uma achega à sua vida privada. Mia corou com a ofensa.

– Que quer dizer com desisti?

– Há muitas maneiras de ajudar o próximo e servir o seu senhor, como diz. Dentro de um convento ou de um retiro, onde se segue uma regra segura e estabelecida há muitos séculos, não é uma delas. A Mia e as suas irmãs não estão a servir ninguém. Estão apenas a salvo do mundo, dos perigos… e das tentações.

Aquele velho era demasiado seguro de si, e cáustico, para ela encetar uma discussão com ele.

– Em suma, há quem mande e quem obedeça. A Mia obedece, o Matteo manda – acrescentou JC, divertido com a situação.

No fundo, não acreditava em nada do que dizia. Já vivera tempo suficiente para saber que tudo se resumia a três pontos essenciais: nascer, viver e morrer. O que unia esses pontos eram os intervalos onde se tentava sobreviver a todo o custo.

– Porque é que estamos aqui? – perguntou Matteo, farto de estar cativo sem saber porquê.

– Porque os mais fortes assim decidiram – respondeu o velho, piscando um olho e esboçando um meio sorriso cínico.

– O que me vai acontecer? – não tinha a certeza de querer ouvir a resposta.

– O que tiver de acontecer. Não se preocupe, Matteo. Eu não lhe vou fazer nenhum mal, desde que cumpra as minhas ordens.

Matteo sentiu um calafrio percorrer-lhe a espinha. Que raio quereria o velho dizer com aquilo? Respostas. Precisava de respostas.

O gorila entrou na sala nesse momento, a mancar de uma perna.

– Já acordou – limitou-se a dizer numa voz seca e pouco amistosa.

JC levantou-se com um esforço tremendo, apoiando as duas mãos na bengala e firmando-a o melhor possível no chão. Mia prontificou-se a ajudá-lo, içando o peso pluma do velho pelo braço, com brandura.

– Obrigado, minha querida – agradeceu, recuperando o fôlego, e depois olhou para o manco. – Vamos então dar uma palavrinha ao nosso anfitrião.

JC saiu da sala, auxiliado pelo gorila que funcionava como um substituto da bengala.

Um silêncio constrangedor instalou-se entre os dois desconhecidos que restavam, o veronês e a suíça. Mia entrelaçava as mãos no colo, nervosa.

Matteo levantou-se da sua cadeira e sentou-se na poltrona que o velho abandonara, ao lado da freira.

– Pode contar-me o que se está a passar? – perguntou num tom sussurrante.

Era um pedido de auxílio, de socorro, muito mais que uma simples pergunta. Os olhos brilhavam marejados, como se tudo dependesse da resposta dela.

– Eu não sei de nada. Apenas que estão ao serviço do monsenhor Lucarelli.

– Quem é esse?

– Não conhece?

Matteo fez que não com a cabeça.

– Ele ficou de vir cá ter.

Relembrou a noite, não sabia dizer se longínqua ou não, em que um desconhecido lhe entrara em casa. Sentiu o mesmo pânico que na altura. Seria aquele monsenhor? Mas o desconhecido não tinha cara de padre, se bem que os rostos não revelem os ofícios.

– Não aguento mais isto.

– Tenha calma – sugeriu Mia, oferecendo-lhe a mão num gesto reflexo.

Deixaram-se ficar assim. As mãos a tocarem-se, olhos nos olhos. Mia não podia contar-lhe a verdade. Não podia. Seria demasiado duro para ele. Roma necessitava de uma oblação de vez em quando, assim lho tinham dito, e Roma nunca errou, nem errava e jamais erraria. Matteo seria essa oferenda, para o bem da Igreja Católica Apostólica Romana e, por consequência lógica, de Deus Pai Todo-Poderoso.

O veronês levantou-se. Estava saturado, doíam-lhe a cabeça e os ossos. Precisava de respirar ar puro, fresco, andar um pouco pela rua, sem rumo nem destino. Não aguentava mais estar preso.

– Quem mais é que está cá?

– Não sei. Não vi mais ninguém.

Matteo caminhou em direcção ao corredor por onde o velho e o manco tinham ido e observou. Nada. Estava escuro, excepto uma luz ténue ao fundo.

– Vou ver.

– É melhor não – arguiu Mia.

– Venha também – disse ele antes de desaparecer no corredor.

Mia sentiu a pulsação a acelerar. Levantou-se e seguiu o belo guia turístico veronês. Não pretendia imiscuir-se em assuntos que não lhe diziam respeito e tinha medo. Alcançou-o em poucos passos. Tentaram não fazer barulho. Avançaram devagar até chegarem à única porta aberta de onde provinha a luz que vertia para o corredor. Espreitaram para o interior do quarto, mesmo a tempo de ver o manco dar uma bofetada no rosto adormecido de um homem idoso que estava deitado na cama.

– Acorda – disse o gorila de forma bruta.

O velho deitado abriu os olhos a custo.

– Quem… Quem são os senhores?

Foi a vez de JC se debruçar sobre ele.

– Quem nós somos não importa. O importante é quem o senhor é, meu caro padre Gumpel.

47

Não se lembrava da última noite em que dormira em paz, tranquilamente, feliz consigo e com a vida. Talvez isso não acontecesse desde os seus 15 anos, já lá iam 29.

Não se queixava da infância. Fora muito feliz, era a lembrança que guardava com mais apego, numa esperança tenaz de voltar a sentir a mesma felicidade que a envolvera em criança. Um apego genuíno à vida, acicatado por uma curiosidade inata de querer saber mais, de querer saber tudo... Até ao dia daquela fatídica revelação que a prostrou com brusquidão. A curiosidade cessara abruptamente. Não queria saber mais nada. Mais nada. Tantos planos, tantas sensações, tantos amores para sentir... Chegou a culpar Deus, os santos, o Papa, os *pais*. Chegou a culpar a mãe biológica pelo simples facto de existir. Ninguém merecia. Ela não merecia.

Sentia que a vida se sobrepusera à sua vontade com tamanha frialdade, impondo-lhe escolhas que não eram suas, decidindo em seu nome, minando-lhe todos os planos. Odiava-a.

Cresceu amargurada, dorida, farta de si mesma, de tudo, de ter de cumprir as vontades dos outros e nunca as suas. Esteve para acabar com aquilo várias vezes. Pulsos cortados. Comprimidos. Trinta, quarenta, sessenta, tantos quantos estivessem na caixa. Engoliu-os em várias dessas noites de insónia, que eram iguais a todas as outras, há quase três décadas. Arrependia-se mal passavam da garganta e iniciavam a inexorável descida pelo esófago, com a sentença gravada pela primeira vontade. Quando o arrependimento chegava, um pouco mais tarde, corria a puxar o vómito tenaz, recuperador, salvador. E quando isso não resultava acordava o irmão, Pedro, que partilhava com ela a triste sina das impostas vontades. Atarantado, levava-a ao hospital, aflito, a rogar-lhe que lhe prometesse que não voltaria a fazê-lo. Ela não se lembrava se dizia alguma coisa nessas alturas que acalmasse o espírito angustiado do irmão.

No hospital, aconteceu em todas as vezes, era levada para uma área privada, longe de olhares maledicentes e intriguistas, onde lhe lavavam o estômago dos comprimidos letais. O homem com cabeção branco a sobressair da gola da camisa aparecia sempre no fim da limpeza e ajoelhava-se durante longos minutos aos pés da cama, mãos coladas uma à outra, cabeça baixa, olhos cerrados, lábios a sibilar em silêncio as palavras da salvação. Por vezes, via o irmão a trocar palavras breves com ele. O padre colocava-lhe uma mão no ombro para o aquietar e saía do quarto sem nunca lhe dirigir um cumprimento nem qualquer outra saudação. Ele já tinha falado tudo com ela.

Estava habituada às sentinelas que lhe velavam a porta de entrada do apartamento, sempre do lado de fora, sem pretensão de importunarem, mas fazendo-o apenas pelo facto de estarem presentes. Eram sempre dois, vestidos de fato preto e camisa branca, o traje do ofício, gravata a condizer com a cor do fato, postura profissional. No início, tentou escutá-los, ouvir o que diziam um ao outro, encostando o ouvido do lado de dentro da porta. Nada. Não conseguia ouvir nada. Não acreditava que passassem tantas horas em silêncio. Era inumano. Seguramente falavam, a porta é que devia ser à prova de som. Revezavam-se três vezes ao longo de cada dia. Dinheiro não era problema, ela sabia-o. Podiam ser seis ou doze seguranças, não fazia diferença. Deixou de se importar. Mesmo quando saía sabia que algum deles estaria na sua peugada a uma distância segura. Deixou de se importar... com tudo.

Os dias eram longos, assim como as noites. O irmão trabalhava, ela não. Vivia os minutos, as horas, os dias, um de cada vez, lembrando-se de todos os momentos passados.

Esta noite não era diferente, não tinha de ser. O sono cutucava-a a espaços, acanhado, receoso, sem querer tomá-la completamente e arrastá-la para os braços de Morfeu. Depois de um primeiro sono muito leve, manteve-se acordada, com as mantas a aquecerem-lhe o corpo mas impotentes para lhe aquecerem a alma.

Pareceu ouvir uma batida leve, ao longe, mas logo decidiu que seria a mente a irritá-la com sons imaginários. Voltou a ouvir a batida com mais vigor na porta de entrada. Uma, duas, três, quatro vezes.

Levantou-se, calçou os chinelos e dirigiu-se lentamente para lá. Olhou para a porta do quarto do irmão. Estava entreaberta, como de costume. Acercou-se e olhou para o interior onde viu Pedro a dormir profundamente. Ele não escutara as batidas. Pelo menos um deles fora abençoado com um sono pesado.

Voltaram a bater, com mais força. Um, dois, três, quatro. Dirigiu-se para a porta e espreitou pelo óculo. Não conseguiu ver ninguém. Apenas a parede oposta, iluminada por uma luz alvacenta.

Abriu a porta e viu-o. Magro, com um olhar frio e um sorriso nos lábios. Os seguranças também ali estavam. Um caído no chão, de barriga para cima, inanimado, o outro sentado, encostado à parede, com o olhar vítreo e um buraco na testa de onde escorria um fio de sangue.

Ela fitou o homem, em pânico, uma sensação que desconhecera até àquele momento. Observou-lhe as mãos. Numa delas segurava uma arma, na outra, um bloco de *post-its* verde.

48

O sol ainda não tinha nascido, mas já havia algum trânsito na Piazza dei Cinquecento. Roma preparava-se para um novo dia, igual aos anteriores, tendo aquela praça como peça central ou não se localizasse ali a maior estação da capital, Termini, que ligava a cidade ao país inteiro e ao resto do continente europeu. Muitos usavam-na para se deslocarem para o seu local de trabalho, outros para viagens de lazer. Termini era uma das principais portas de entrada e saída terrestres da capital italiana. A gigantesca estação tinha mais de duas dezenas de linhas e era ainda servida por duas linhas de metro, uma central de autocarros de longo curso e outra para os que serviam a cidade. Aquela praça era o coração da mobilidade romana, e Cavalcanti, seguindo as instruções monocórdicas de Rafael, contornou-a para seguir pela Viale Enrico de Nicola, um pouco mais à frente.

– Onde é? – perguntou o inspector, atento aos números das entradas dos edifícios.

– Segue em frente – disse Rafael. – Contorna a Piazza dell'Indipendenza e continua.

Cavalcanti seguiu as instruções e entrou, um pouco mais à frente, na Via San Martino della Battaglia.

– E agora?

Rafael apontou para um palácio do lado de Cavalcanti.

– É ali no número 4.

Cavalcanti parou o carro em segunda fila e olhou para o padre com uma expressão irritada.

– Estás a gozar com a minha cara e com a do povo italiano?

Rafael não respondeu. Limitou-se a abrir a porta do carro e a sair, deixando o outro sem resposta. O inspector também não perdeu tempo. Saiu do carro e seguiu na esteira do padre que já tinha atravessado a rua para o outro lado.

– O que é que vais fazer? – quis saber o polícia.

O inspector ultrapassou-o e colocou-se à frente dele para o impedir de continuar em direcção ao edifício.

– Pára e explica-me. Sou de compreensão lenta mas estamos nisto juntos. Ou fazes isto comigo ou posso dificultar-te muito a vida. A escolha é tua – abriu o casaco para mostrar a arma que trazia dentro do coldre de ombro.

Rafael parou e olhou para trás. Tinha pressa. Não queria perder tempo a dar satisfações mas Cavalcanti tinha razão. Era um aliado. Não podia torná-lo num oponente. Já tinha bastantes.

– Temos de equilibrar a balança. Eles têm alguém muito importante para mim. – Custou-lhe admiti-lo em voz alta.

– E qual é a vantagem em meter estes gajos ao barulho? – perguntou Cavalcanti, apontando para o edifício. Não estava a perceber.

– Eles vão acabar por saber, mais cedo ou mais tarde. Eu prefiro que seja já e por mim.

Que raio de ideia. Não fazia sentido nenhum.

Rafael contornou o inspector e colocou-lhe uma mão no ombro ao passar por ele.

– Anda. Já vais perceber. Confia em mim.

O inspector ficou a olhar para o padre.

– Confio em ti? Eu nem em mim confio. E o Gumpel? – quis saber o polícia.

– Está descansado. O Gumpel está controlado.

Cavalcanti resignou-se e seguiu até à porta de entrada. *Isto é o que dá meter-me com gente da Igreja.*

Acercaram-se da grande porta castanha, a águia cravada por cima, na fachada do palácio, vigilante. Não havia câmaras à vista. A única que havia estava no intercomunicador em que Rafael pressionou para chamar a atenção de quem quer que estivesse de serviço àquela hora.

– Espero mesmo que saibas o que estás a fazer, Santini – advertiu o inspector uma última vez. – Caso contrário tomo conta do caso... de vez – ameaçou.

Uma voz sonolenta e impaciente fez-se ouvir pelo aparelho colado à parede.

– Que desejam? – perguntou em alemão.

– Boa noite – cumprimentou Rafael na mesma língua, debruçado sobre o intercomunicador. – Peço desculpa pela hora inconveniente mas tenho uma mensagem urgente para o embaixador.

– Da parte de quem?

– Padre Rafael Santini.

O aparelho ficou em silêncio durante uns instantes e pouco depois emitiu nova mensagem.

– Para qualquer assunto, deve dirigir-se à Embaixada da Alemanha para a Santa Sé, em horário de expediente, que fica na Via di Villa Sacchetti – indicou a voz maquinalmente.

A primeira abordagem não funcionara. Teria de experimentar uma segunda.

– Não está a perceber. Eu trago uma mensagem urgente para o embaixador da Alemanha para a República Italiana. É uma mensagem do Santo Padre.

Não levou muitos segundos até que um agente da Bundespolizei abrisse a porta e os deixasse entrar.

Como era natural nestas situações, quiseram que eles deixassem à entrada todos os aparelhos de comunicação e instrumentos letais, como a arma do inspector Cavalcanti. Podiam entrar, sim, mas de bolsos vazios. A hora era imprópria, as intenções desconhecidas, ainda que o mesmo lhes fosse solicitado se a hora fosse conveniente e as razões da visita conhecidas.

– A arma pode ficar, mas o telemóvel não. Somos muito amigos – zombou Cavalcanti para o agente alemão que lhe pedira o aparelho.

O agente pegou no auscultador de um telefone que estava pregado à parede e disse umas quantas palavras em alemão. Devia estar a informar que o inspector não queria deixar o telemóvel. Pouco depois, voltou a colocá-lo no gancho.

– Podem levar os telemóveis.

Subiram as escadas até um salão imponente no primeiro andar e foram avisados pelo agente de serviço que o embaixador viria em seguida. Dois homens, vestidos de negro, encostaram-se a uma das paredes, vigilantes, certamente com a intenção de intimidar os visitantes. Rafael e Cavalcanti não se sentiam minimamente incomodados com isso. Era normal. Fariam o mesmo se fossem eles os anfitriões. Era preciso não esquecer que ali, naquele edifício, naquele salão, estavam na Alemanha e não em Itália. Os dois italianos sabiam que os outros pertenciam ao BND, o serviço de informação alemão. Ambos se mantiveram em silêncio porque, primeiro, não tinham nada para dizer e, segundo, se o tivessem não o diriam ali onde as paredes tinham, literalmente, ouvidos. Os dois gorilas tinham auriculares transparentes que desciam pela parte de trás do pescoço e se enfiavam por dentro do casaco.

Cavalcanti limitou-se a observar o salão com um olho nos rapazes do BND.

Havia duas entradas para o salão, na mesma parede, uma em cada extremidade; seis sofás espalhados pela divisão; uma lareira enorme usada, simplesmente, como decoração, ao lado dos matulões da secreta; e quadros, vários quadros. O inspector italiano não tinha cultura suficiente nem interesse em classificá-los. Apenas os admirava sem saber que se tratava de um Sohn, um Füger, dois Nauen e dois Quaglio. Não saberia dizer tão-pouco se eram originais ou não. Tinha outros interesses e preocupações. Conhecia muito bem o exercício que estavam a fazer. Os quatro homens mediam-se o melhor que podiam. Enquanto esperavam, sob vigilância, alguém, numa outra divisão do edifício, estava a recolher o máximo de informações possível sobre eles. Rafael decerto teria um cadastro impecável, o Vaticano encarregara-se disso, e o de Cavalcanti falava por si. Havia, no entanto, uma possível desvantagem. Tanto o seu superior como os de Rafael já sabiam onde eles estavam.

Um dos gorilas levou a mão à boca e disse algumas palavras.

– O embaixador vem a caminho – sussurrou Rafael. – O badameco já lhe deu indicação.

Um minuto depois entrou no salão um homem alto e loiro, olhos azuis, porte imponente a condizer com a posição que tinha e o fato que usava, rosto fechado de quem se levantou contra a vontade, o que era perfeitamente compreensível e nenhum dos dois homens responsáveis pelo encurtamento do seu sono censuraria. Vinha acompanhado por uma mulher mais nova, também loira, que vestia um conjunto de saia-casaco em tons de azul e *collants* de seda. Cavalcanti captou a beleza dela e olhou-lhe para os dedos à procura de um anel de compromisso.

– Bom dia, meus senhores – cumprimentou com uma voz áspera, num italiano bastante arranhado pelo alemão. – A que se deve esta visita tão inusitada?

– Bom dia, senhor embaixador – respondeu Rafael, em alemão. – Lamento a hora tão inoportuna mas a mensagem que trazemos não podia esperar.

– Que mensagem é que o Santo Padre poderá ter para mim? Tenho um colega no corpo diplomático que trata de todos os assuntos ligados à Santa Sé. Estou certo que ele não verá com bons olhos esta ingerência nos seus assuntos. – Notava-se alguma exasperação na voz do diplomata alemão.

– Não vais falar em alemão, pois não? É que... Baldei-me às aulas todas na escola – intrometeu-se Cavalcanti, a olhar para Rafael.

– O embaixador alemão para a Santa Sé será contactado no momento oportuno e se tal for necessário – prosseguiu Rafael, em italiano. – Duvido que o seja. E não se trata de uma ingerência. É um assunto que lhe diz respeito pessoalmente.

Estava atento a todos os pormenores do embaixador. Os trejeitos, as palavras, os olhares, a respiração. Os gorilas continuavam encostados à parede, junto à lareira, inexpressivos. O embaixador aguardava que Rafael prosseguisse.

– Sejamos breves, então. Transmita-me a mensagem, padre Rafael.

A assistente abriu o bloco de notas e preparou-se para iniciar a transcrição da mensagem *ipsis verbis*. Rafael olhou para ela com um ligeiro sorriso malévolo. Cavalcanti também sorriu ao detectar-lhe o aro dourado no dedo anelar.

– Não creio que queira isto registado, senhor embaixador – avisou o padre.

O homem levantou o olhar e os calcanhares para ganhar ainda mais altura.

– Isso compete-me a mim decidir.

Rafael já sabia que seria aquela a resposta. Bastante explícita para que não restassem dúvidas sobre quem mandava. Podia não parecer, mas ali não estavam em Roma mas em Berlim.

– O seu filho Niklas foi raptado há cerca de trinta e cinco horas – atirou o padre a seco, como um tiro à queima-roupa, pleno de intenção.

A assistente ficou a olhar para Rafael sem que a caneta registasse uma só palavra. Não queria acreditar no que acabara de ouvir. O embaixador olhou para ela e para os seguranças encostados à parede.

– Deixem-nos.

A assistente fechou o bloco de notas, rodou sobre si mesma, e saiu dali para fora, sob o olhar atento de Cavalcanti. Não queria ouvir mais nada. Cabeças rolariam seguramente. Os dois gorilas também saíram sem rodeios nem hesitações. O embaixador caminhou para a entrada mais à direita e fechou as portas, depois fez o mesmo com a outra.

Coitado, disse Rafael a si próprio. Acharia ele mesmo que estava a coibir outros de ouvirem o que se diria dentro daquele salão? Que crente. O BND devia ter todas as divisões do edifício minadas com microfones como era sua obrigação. O acesso à informação começava por ouvir os que estavam dentro de casa, lição número um de qualquer agência de serviços secretos do mundo.

– Quem foi? – perguntou depois de se certificar que não havia mais nada aberto.

– Não sabemos.

O alemão começou a andar de um lado para o outro, exasperado, arrastou uma cadeira, sentou-se e respirou fundo. Instantes depois levantou-se e recomeçou a deambular pelo salão.

– Como é que isso aconteceu? – perguntou, finalmente.

– Ainda não sabemos.

– E o resgate? Nós não somos ricos. – Levou uma mão à cabeça e depois olhou para Rafael como se, de repente, tivesse começado a raciocinar. – O senhor disse trinta e cinco horas?

Rafael anuiu com a cabeça.

Cavalcanti deu um passo vigoroso em frente.

– Devo informar que a Polizia di Stato foi informada sobre este rapto há pouco menos de uma hora e não recebeu qualquer pedido de ajuda por parte da Santa Sé.

O embaixador ouviu as palavras do inspector e desviou a cabeça para Rafael com uma expressão circunspecta.

– Levaram trinta e cinco horas a chegar aqui?

Rafael nem tempo teve de censurar Cavalcanti. Não fora à embaixada alemã para tratar de minudências nem discutir culpas, a razão era outra.

– Não era suposto que os senhores fossem informados. Nem antes nem agora – respondeu Rafael.

O embaixador engoliu em seco.

– Não disse que vinha em nome do Santo Padre?

– Era a única forma de me receber. Peço desculpa. O Santo Padre nem sonha que estou aqui. O tempo para o resgate termina às oito horas da manhã. Se depender do Vaticano, o Niklas não será resgatado.

O embaixador acelerou a cadência dos passos. Ficou ainda mais nervoso.

– Como pode ser isso? Então e onde está o amor ao próximo?

Cavalcanti deu outro passo em frente.

– Sente-se, por favor, senhor embaixador – pediu o inspector. Na verdade, tantos passos de um lado para o outro estavam a irritá-lo.

– Como é que tudo aconteceu? Quero saber tudo – exigiu, sentando-se e levantando-se logo em seguida como se a cadeira tivesse uma mola. – Esperem. Não vou conseguir poupar a minha esposa a isto, pois não?

Rafael e Cavalcanti fizeram que não com as cabeças.

O embaixador fechou os olhos e respirou fundo. Depois saiu do salão por uma das portas e deixou-os a sós.

– Ficou abalado – disse Cavalcanti.

– Tu também ficarias.

49

Esta noite, pela hora terceira da madrugada, o Santo Padre foi arredado do seu sono pacífico com uma triste notícia. Os seus dilectos irmãos haviam-se matado uns aos outros. A tragédia ocorreu na Sala do Colégio dos Relatores da Congregação para a Causa dos Santos, do Palácio das Congregações, e nada está a ser deixado ao acaso pelos investigadores que continuam a trabalhar afincadamente para a solução deste crime hediondo. Foram seis as vítimas mortais e o Santo Padre dirigiu-se, prontamente, à capela privada para rezar pelas suas almas. Quatro gendarmes, um relator e um jornalista estão entre as vítimas. As identidades serão tornadas públicas assim que as respectivas famílias forem informadas. Isso deve ser respeitado.

A descrição do que aconteceu não é fácil de comunicar mas é ordem do Santo Padre que nada se omita para que se evitem mal-entendidos e teses fantasiosas.

Os motivos do crime foram passionais. O jornalista, inconscientemente, impulsionou este trágico final, ignorando que também o vitimaria. Estando a efectuar uma investigação livre em Roma sobre o trabalho do Colégio de Relatores, com as devidas autorizações do Vaticano, imiscuiu-se em assuntos privados de um dos relatores e desvendou uma relação ilícita que este mantinha com a esposa de um dos gendarmes. Não serão fornecidos mais dados sobre a senhora em questão que está, neste momento, em estado de choque e a receber acompanhamento psicológico. Compreenderão que não será fácil *lidar com tal realidade e a perda do marido nestas circunstâncias. Num acto tresloucado, o gendarme atirou sobre o relator e o jornalista, e os colegas que o acompanharam tentaram dominá-lo mas sem sucesso. Fora de si, atirou sobre eles também e, no fim, acabou por colocar um ponto final à sua própria vida.*

Seguindo a política de transparência preconizada pelo Santo Padre, coloco-vos também ao corrente de outras três vítimas mortais dos actos tresloucados deste gendarme, noutros locais da cidade, na sua busca pela verdade que o jornalista, sem querer, desenterrou. Foram dois relatores e um padre, um dos crimes ocorreu na Via Tuscolana e o outro na Basílica de Sant'Andrea della Vale.

Como disse anteriormente, os investigadores estão ainda a processar os locais do crime. Não é um trabalho fácil, pois envolve irmãos nossos, mas, não duvidem, será feito com todo o profissionalismo. Haverá lugar a outro comunicado de imprensa ao meio-dia. De qualquer maneira, estou disponível para responder a qualquer dúvida que possam ter.

Federico leu o conteúdo da sua comunicação ao Cardeal Secretário de Estado, ao chefe da espionagem, Guillermo Tomasini, e ao intendente da Gendarmaria Vaticana, Girolamo Comte. Escutaram-no atentamente. A partir do momento em que aquele texto fora lido aos jornalistas, alguns minutos antes, não se podia voltar atrás. Todos tinham de estar sincronizados com a versão oficial do Vaticano. Não havia necessidade de procurar outras. O jesuíta fora hábil na história que engendrara para a opinião pública. Sabia que não podiam evitar o escândalo. Estava fora de controlo. Mas a sua política de informação e desinformação era tão hábil que, apesar da dúvida, era sempre a história mais consistente. Os jornalistas iriam apontar incoerências, escritores haveriam de publicar livros, nos dois casos com boas intenções, mas todos esbarrariam na mesma parede de pedra, alta, espessa, dura, que não deixava ver a verdade. Essa ficaria, para sempre, do lado de dentro, escondida.

– Um jornalista intrometido, apanhado pela própria história que tentava investigar. Parece-me muito bem – elogiou Girolamo.

– É irónico – adjectivou Guillermo.

– E poético – sugeriu o porta-voz.

– E verdadeiro – argumentou Tarcisio na tentativa de aliviar o peso da consciência.

A verdade era que os desígnios de Deus pouparam-no ao fardo de mais um cadáver, em nome Dele, para preservar o bom nome da Santa Madre Igreja. Sim, ele dera uma ordem que não fora cumprida por diversas razões, mas o desfecho, esse, fora o que pretendera desde a malfadada reunião da manhã anterior com o jornalista norte-americano.

– Informaram as autoridades americanas? – quis saber o piemontês, desviando os pensamentos que lhe atacavam a mente com dardos de culpa velados.

– Já estão a par da situação – informou Girolamo, o líder máximo da investigação, para todos os efeitos. – Tomei a liberdade de convidá-los para assistir à autópsia. Terão também acesso a todo o processo da Gendarmaria, no final da investigação.

– Excelente – congratulou-o o porta-voz, que via conformidade entre o comunicado e as palavras de Girolamo.

– Também informei as autoridades brasileiras. Não colocaram qualquer entrave ao desejo de o relator ser enterrado no Vaticano. Celebrar-se-á uma missa em memória do padre Duválio, na Igreja de São Bernardo alle Terme, em data ainda a definir. Provavelmente amanhã. Convinha que enviássemos um representante – comunicou Girolamo.

Estava, manifestamente, a mostrar trabalho, ao contrário dos outros, como sugeria a sua expressão sardónica para Guillermo, a quem essa não passou indiferente.

– Irei eu em nome do Santo Padre – declarou Tarcisio, com firmeza.

Finalmente, alguma coisa se compunha. As mentes lúcidas de Federico e de Comte aliviavam um pouco o ambiente, porém, ainda havia problemas.

– Isso é perfeito – elogiou o porta-voz. – Estamos em perfeita sincronia. Isso é importante.

Era altura de passar ao ponto seguinte da ordem de trabalhos. O mais difícil, contra um inimigo invisível, com demasiado poder.

– Antes de passarmos ao ponto crucial desta reunião – começou o Secretário voltando-se para Girolamo –, quero todas as entradas do Estado, os palácios da cidade, as residências, cobertas pelo estatuto de extraterritorialidade, com segurança reforçada. Não podemos facilitar. O que aconteceu hoje não pode voltar a acontecer. Nunca mais.

Girolamo assentiu com a cabeça.

– Será feito, Eminência.

Tarcisio entrelaçou as mãos em cima da secretária e suspirou pesadamente.

– E agora o problema Anna P. Temos de fazer alguma coisa rapidamente. – Olhou para Guillermo. – Não preciso de vos lembrar o efeito devastador que se abaterá sobre nós se vier a público qualquer menção a essa senhora. – Concentrou o olhar no porta-voz. – Nem a melhor versão oficial que possas engendrar nos livrará de um escândalo com proporções inimagináveis.

– A *moeda de troca* é apenas uma parte do problema, Eminência – acrescentou Girolamo. – Não podemos esquecer o padre Niklas e tudo o que ele representa.

– O padre Niklas não é problema nosso – acabou por dizer Tarcisio, peremptório. – Poderá muito bem ser mais uma vítima deste inimigo sórdido que não olha a meios para nos derrotar. Mas convinha tratarmos do problema da mulher. Ela não pode ser usada como *moeda de troca*. Tem de desaparecer do mapa... definitivamente.

– O Rafael foi detido pelo Cavalcanti. Precisamos de localizá-lo – sugeriu Guillermo.

– Mas o sacana do Cavalcanti não nos deixará chegar perto dele – contrapôs o homem da Gendarmaria.

– O Cavalcanti não vai dormir à porta da cela. Eu sei quem contactar – afiançou Guillermo.

– Trata disso, o mais depressa possível – ordenou Tarcisio.

Guillermo pegou no telemóvel e saiu do gabinete por uns momentos.

– Porque é que encomendei esta tarefa ao Rafael? – recriminou-se o Cardeal Secretário de Estado, passando as mãos pelo rosto cansado.

– Porque sabia que ele cumpriria – alvitrou o porta-voz com um sorriso incentivador.

Tarcisio reflectiu nas palavras do porta-voz. Talvez tivesse razão. Rafael era leal, sobretudo às suas convicções. Ninguém podia acusá-lo de incoerência. Rememorou as palavras que proferira quando lhe encomendou a missão de resguardar a filha daquele que nem se atrevia a nomear. *Nunca divulgues a localização dela a ninguém. A não ser que o Santo Padre ta peça, pessoalmente. Guarda-a para ti. Eu não quero saber e mais ninguém à face da terra tem o direito de o saber.* Sorriu levemente.

– Lá isso é verdade – corroborou por fim. – Um servidor tão fiel às vezes não é assim tão bom – proferiu, saindo da sua letargia. – Bom, mas independentemente dos problemas que possamos ter com o embaixador alemão, não podemos trocar a mulher pelo rapaz. Isso não pode acontecer.

– O embaixador alemão não nos poderá responsabilizar. Além disso, podemos sempre culpar alguém – argumentou Federico.

– Vamos aguardar pelo Tomasini. Espero que traga boas notícias.

Girolamo avançou para a secretária de mogno e pousou um dossiê castanho.

– É melhor guardar isto no Torreão Nicolau V, Eminência.

Tarcisio arregalou os olhos. Aquele era o dossiê onde John Scott guardava os seus segredos. Felizmente tinham conseguido recuperá-lo. Aquele dossiê nas mãos erradas seria mais um escândalo. Abriu-o, ávido por alguma informação nova.

– Será que conseguimos descobrir a identidade de quem forneceu estas provas ao jornalista?

– Permite-me, Eminência? – pediu Girolamo, estendendo a mão.

O Cardeal Secretário de Estado entregou o dossiê a Girolamo que começou imediatamente a analisar os vários documentos. Extractos de movimentos bancários, fundos, fundações, requisições, depósitos, créditos, autorizações de transferência, de levantamentos, um sem número de cópias de faxes enviados e recebidos de instituições bancárias europeias, norte-americanas… Nada que mencionasse quem forneceu ao norte--americano aquela informação sensível, até que…

– Não pode ser! – balbuciou o intendente.

– O que foi? – quis saber Tarcisio.

– Que grande cabrão – praguejou Girolamo, esquecido do local onde estava. – Mil perdões, Eminência – pediu, quando se apercebeu da falta cometida, com o rosto enrubescido pela vergonha.

– Que se passa, Comte? Desembucha.

Guillermo regressou ao gabinete, guardando o telemóvel no bolso, e com uma expressão austera.

– Não trago boas notícias, Eminência.

Tarcisio desviou o olhar para o homem da espionagem e respirou fundo.

Guillermo encostou-se à porta e baixou a cabeça envergonhado.

– O Cavalcanti não levou o Rafael para San Vitale.

– Para onde o levou, então? – perguntou o porta-voz, curioso.

– Estão os dois na Via San Martino della Bataglia. Na Embaixada da Alemanha.

– O quê?

– O que é que eles foram lá fazer?

Ninguém respondeu. Aquele desenvolvimento era imprevisto. Que ideia passara pela cabeça de Rafael? O silêncio fora subitamente interrompido pelo toque estridente do telefone em cima da secretária.

– Sim? – proferiu Tarcisio quando atendeu. O seu rosto fechou-se, intensificando as rugas que lhe cobriam a face. – Dá-me um minuto. – Olhou para os presentes. – Tenho o embaixador em linha.

– Que desastre – deixou escapar o porta-voz, pensando nas consequências que aquele acto teria na opinião pública.

– Teríamos de lidar com essa situação, mais cedo ou mais tarde – avançou Girolamo, como se não fosse tão mau como isso.

– O Tomasini tem de colocar uma rédea aos seus homens – admoestou Tarcisio.

– Vou para lá – disse o homem da informação. – E não regresso sem ele.

Guillermo saiu do gabinete sem sequer se despedir como mandava o protocolo, mas ninguém se importou com isso. Era tempo de agir.

Tarcisio voltou a suspirar e levou o telefone ao ouvido.

– Vou enfrentar o pai irado e ver o que posso fazer para suster esta trapalhada.

– Diga-lhe que é importante manter este assunto em segredo – interpôs o porta-voz, remando a favor de uma posição mais favorável para si.

Antes de carregar no botão, o Cardeal desviou a atenção para Girolamo Comte. Não esquecera o assunto anterior.

– O que é que descobriste?

Girolamo tinha as mãos atrás das costas, apreensivo.

– Quem passou a informação ao jornalista.

Os outros dois homens arregalaram os olhos.

– Quem foi?

Girolamo olhou para um e para outro, incisivamente.

– Foi o secretário do Papa. O monsenhor Giorgio.

50

O embaixador tardou a regressar ao salão. Cavalcanti suspirava ao olhar para Rafael, que se mantinha sereno.

– Disseste que ia perceber tudo mas ainda não consegui perceber nada – proferiu o inspector como se estivesse a falar de outra coisa qualquer.

Rafael não comentou.

– Achas que o embaixador não acreditou em nós? – alvitrou o inspector.

– Tu acreditavas?

– Eu não – respondeu, fazendo um meneio negativo para acentuar a resposta.

– Não se deve recriminar ninguém por querer ter a certeza.

Cavalcanti fez uma expressão de desdém com a boca.

– Achas que foi ligar para o teu chefe ou para o meu?

– Para o meu – alvitrou Rafael.

– Gostava de saber o que vai nessa cabeça – cuspiu o inspector ao mesmo tempo que consultava o relógio. – A esta hora já todos sabem onde estamos.

– O que é que aconteceu ao meu filho? – ouviu-se uma voz feminina desesperada perguntar. – Onde é que ele está?

A embaixatriz entrou no salão, escancarando as portas, e correu para eles.

– Ele está bem – adiantou Cavalcanti, verificando se o embaixador vinha atrás dela.

As lágrimas escorriam-lhe pelo rosto belo mas esmaecido. Os cabelos loiros estavam ainda emaranhados do descanso nocturno. Deixou-se cair no chão em desespero. O inspector avançou para ela e amparou-a.

– Tenha calma – disse-lhe o inspector. – Vai correr tudo bem.

A mulher levantou a cabeça e fitou Rafael, que acabou por desviar o olhar dela. Parecia que emanava ódio dos olhos, um ódio de morte.

– O que é que aconteceu ao meu filho?

Rafael agachou-se para ficar mais perto dela.

– Nada… para já. E vamos fazer com que nada de mal lhe aconteça.

O desespero tomava conta da embaixatriz. Alguns cabelos colavam-se ao rosto molhado pelas lágrimas de dor. O seu filho não. O seu bem mais precioso, aquilo que mais amava, tratado como saco de trapos, como objecto de negócio.

– Quanto é que eles querem? Pagamos o que for preciso.

– Não querem dinheiro – retorquiu Cavalcanti.

A embaixatriz, lavada em lágrimas, arregalou os olhos, admirada.

– O que é querem, então?

Cavalcanti olhou para Rafael com ar inquisitivo. Podia dizer ou não? O inspector acercou-se dela pronto para lançar o isco da sedução.

– Levante-se, minha senhora. Venha sentar-se, por favor.

Não esperou que ela acedesse ao pedido. Pegou nela, magra e leve como uma pluma, e sentou-a. Aquela aliança no dedo anelar exercia sobre ele um feitiço mortal. Não era, obviamente, o momento certo para qualquer tipo de investida, no entanto nada impedia que a sedução começasse, branda, como uma música de fundo, presente mas invisível. Fez-lhe uma carícia ligeira na palma da mão com os dedos. Ele era um traste e sabia-o.

– O seu marido vai demorar? – quis saber o inspector, enquanto apartava do rosto dela os cabelos que se haviam colado.

Ela voltou a olhar para Rafael com a mesma expressão de ódio.

– A culpa disto é toda tua, não é? – atirou a embaixatriz.

Desta vez Rafael não desviou o olhar.

– É provável – confessou.

As lágrimas escorriam-lhe em torrente pelo rosto abaixo.

– Vá. Acalme-se – pediu o inspector, oferecendo-lhe um lenço de papel.

– O que é que fizeste, Rafael? O que é que fizeste ao meu filho?

– Não fiz nada, Nicole.

Cavalcanti ficou surpreso com a proximidade dos dois.

– Vocês... conhecem-se?

– Quando o Niklas me disse que queria ser padre foi como se me tivesse esfaqueado – confidenciou Nicole num desabafo embargado. – Como era possível? Padre? Estava a brincar comigo? Pensei que era Deus a vingar-se de mim. Eu mereço, Rafael. Não mereço?

– Deus não se vinga de ninguém – limitou-se a dizer o padre.

– O que é que se passa aqui? – perguntou Cavalcanti, confuso.

– Deus é perverso. Gosta de nos espezinhar, de nos ver a sofrer. Não bastava o Niklas querer seguir o teu... o teu... caminho. Não era suficiente. Tinhas de colocar a vida dele em perigo, não é Rafael? O que fizeste comigo não bastou?

Cavalcanti olhava para um e para outro, perplexo. Que raio de conversa era aquela? Parecia um discussão entre...

– Não era suficiente teres-me destruído? Também tens de fazer o mesmo com o *teu* filho? – acusou a embaixatriz, com uma última lágrima a soltar-se dos olhos marejados.

Cavalcanti largou as carícias e as seduções invisíveis e olhou para Rafael, chocado.

– Ah?

51

– Quem poderá ser a esta hora?

– Não faço ideia. Nada disto é normal – balbuciou Anna com o coração aos pulos.

Guardou a garrafa de água no frigorífico, colocou os dois copos na banca, para depois a empregada lavar durante o dia, e saiu da cozinha.

– Venha – disse para Jacopo, que a seguiu sem saber muito bem porquê.

Saíram para o corredor coberto por uma luz minguada, parca, mas mais que suficiente para verem onde estavam. Anna seguia à frente, devagar, os passos controlados pela idade, e Jacopo atrás, atento, com os nervos em franja a quererem saltar do corpo para se refugiarem do perigo. Percorreram o corredor sem que o historiador conseguisse detectar em que direcção seguiam, estava completamente perdido no meio daquele labirinto de cimento armado. Alguns metros mais à frente, Anna virou à esquerda e parou junto a uma porta metálica e muito pesada que parecia estar a guardar um cofre.

Ao lado, na parede, havia um teclado alfanumérico. Ela pressionou algumas teclas e a porta abriu-se para trás com um bafo mecânico. Lá dentro estava escuro, viam-se apenas cinco monitores que mostravam as áreas comuns do edifício, bem como imagens do exterior.

– Estamos numa das salas de segurança. Temos três. Se alguma coisa acontecer poderemos refugiar-nos aqui – esclareceu com tristeza na voz. – Ensinaram-me isto há muito tempo.

Jacopo decidiu amenizar um pouco o ambiente soltando um sorriso, ainda que por dentro estivesse nervoso.

A sala estava vazia. Concentraram-se nos cinco monitores. As imagens mudavam ao fim de alguns segundos, mostrando outra área da enorme casa, interior ou exterior, segundo uma ordem pré-estabelecida pelo computador central. Ao fim de alguns instantes apareceu a imagem que desejavam ver, do átrio da entrada, onde o guarda que recebera Jacopo e Norma falava com um homem alto.

– Isto não tem som? – perguntou o historiador, à procura de algum manípulo que lhe permitisse ouvir o que estavam a dizer na recepção.

– Não sei.

Jacopo não conseguiu encontrar nada que desse som ao que viam nos monitores. Continuaram a olhar para o ecrã até a imagem mudar para a sala da piscina coberta. A imagem do átrio tornou a aparecer, segundos mais tarde, noutro monitor. Jacopo viu o segurança encaminhar o homem para o interior. Estremeceu quando o reconheceu. Estava todo vestido de negro e a qualidade da imagem não deixava entrever o cabeção branco que, certamente, envergava na gola da camisa. O que é que ele estava ali a fazer?

– Quem será? – perguntou Anna intrigada.

Jacopo não respondeu de imediato. Continuou a magicar nas intenções do recém-chegado e como ele conseguira obter a morada. Rafael não mencionara nada sobre aquilo. Alguma coisa não estava bem. Será que o Rafael perdera o controlo da situação?

Jacopo viu-os passar as portas de segurança da entrada e dirigirem-se para uma sala ampla com três sofás grandes, em couro, um enorme ecrã de televisão, uma mesa de bilhar propícia para momentos de lazer que, provavelmente, nunca aconteceram.

Jacopo e Anna continuaram a assistir a todos os passos dele pelos monitores, satisfazendo alguma da curiosidade. O segurança deixou o homem na sala e saiu. As câmaras mostrariam para onde ele se dirigia mas a mulher e o historiador preferiram manter-se atentos ao recém-chegado que permaneceu de pé, sem saber o que fazer às mãos. Parecia nervoso, desconfortável.

– O que acha que ele veio aqui fazer? – perguntou Anna sem tirar os olhos das imagens dos monitores que continuavam a saltitar pelas divisões da casa.

– Não sei mas não deve ser para falar comigo – respondeu Jacopo, apontando para o monitor onde se via o segurança a bater a uma porta. – Quem é que dorme ali?

Anna olhou para o local que Jacopo apontava e sorriu com um ligeiro tremor nas mãos.

– A casa pode ser muito grande, senhor Jacopo Sebastiani, mas tem poucas pessoas. Aquele é o meu quarto.

Para bom entendedor meia palavra basta. Anna olhou durante uns segundos para o historiador, respirou fundo, recompôs o roupão e saiu para o corredor. Não havia necessidade de deixar o segurança à espera em vão. Encaminhou-se para o quarto, no seu passo trôpego, e sentiu a presença reconfortante do Jacopo, atrás de si. Ao fundo do corredor, viraram à esquerda e avistaram o segurança quase de imediato.

– Que se passa, Gustav? Andas à minha procura?

O segurança olhou para os dois com alguma surpresa. Não se tinha apercebido de deambulações na casa, o que não abonava muito a favor da sua vigilância.

– Sim, senhora. Tem uma visita para si.

– E não pode esperar pela manhã? O horário é inconveniente, não te parece?

– É urgente, senhora. Peço desculpa – disse, baixando a cabeça como se a culpa fosse sua.

Anna fitou Jacopo que estava ao seu lado com uma expressão inquisitiva e depois voltou a desviar o olhar para Gustav.

– Vamos.

Não valia a pena colocar entraves ao inevitável. Anna sabia que apenas conseguiria atrasar as coisas. Pela manhã, ou quando decidisse recebê-lo, o homem ainda estaria na sala à sua espera. Por outro lado, agregado à apreensão, sentia um misto de curiosidade e vontade de perceber o que se estava a passar naquela noite tão diferente de todas as outras fastidiosas que viveu. Sabia que assim seria, mas não com tantas imponderabilidades. Gustav ficou à porta quando chegaram à sala e deixou-os entrar, antes de regressar para retomar o seu posto na cabine do átrio.

O homem estava de costas quando eles entraram, e os passos suaves de Anna e Jacopo não os denunciaram. Só um ligeiro pigarreio do historiador chamou a atenção da visita que instantaneamente se virou para eles.

O cabeção branco, na gola da camisa, acusava a função. Cravou os olhos em Jacopo e não disfarçou o espanto.

– Doutor Sebastiani, que bom vê-lo – disse com uma voz fatigada.

O padre acercou-se de Anna e pegou-lhe na mão com gentileza, como se estivesse a tocar em algo frágil ou divino que não quisesse estragar ou conspurcar. Antes de lhe beijar a mão, de olhos fechados, ajoelhou-se, uma lágrima escapou-se da pálpebra e desceu timidamente pelo belo rosto.

– Oh! Senhor – balbuciou Anna, sem perceber a razão para tanto enleio.

– Perdoe-me o adiantado da hora – escusou-se o prelado. – Mas o padre Rafael pediu-me para vir ter consigo.

– O Rafael? – perguntou Jacopo, admirado. Não lhe tinha dito nada. Que estranho.

– Sim – respondeu o homem.

A visita não largava a mão de Anna, nem desviava o olhar dela, ao ponto de a fazer sentir-se constrangida.

– Não temos muito tempo – advertiu o prelado. – Mas tenho tantas perguntas para lhe fazer. Tantas, tantas. Nunca pensei conhecer pessoalmente a filha do Papa.

Anna combateu o constrangimento com um sorriso e tirou a sua mão da do desconhecido.

– Quem é o senhor? – perguntou por fim, desconfiada.

Ele levou uma mão à testa.

– Peço desculpa pela minha falta de educação. Onde é que tenho a cabeça? Como é possível não me ter apresentado? O meu nome é Giorgio. Sou o secretário de Sua Santidade.

52

Nenhum deles disse nada durante muito tempo. Não saberiam dizer se seria da comoção ou, simplesmente, da falta de assunto que, por norma, se instala nestas situações. Apesar de não ser uma novidade para ela, o cárcere, fosse por razões legais ou desconhecidas, como era o caso, não lhe conseguia evitar uma sensação claustrofóbica. A ideia da porta trancada e de a chave que a abria não estar nas suas mãos lançava-a num desconforto vertiginoso, ao qual se podia adicionar a fadiga extrema causada pela excitação do momento e pela doença de que ainda estava a recuperar. Sentia-se combalida, magoada, com frio e preocupada. A imagem de Rafael não lhe saía da cabeça, e não saber se ele estava bem perturbava-a para além do suportável. Tinha os olhos marejados pelas lágrimas que a sufocavam silenciosamente e um aperto no peito por temer o pior. O rapaz levantou-se da cama onde estava sentado e começou a vestir-se. Não queria estar em roupa interior na presença de uma desconhecida, apesar das circunstâncias e do calor.

– A senhora está bem? – perguntou, preocupado.

Sarah sorriu timidamente para disfarçar o mal-estar e os maus pensamentos.

– Estou. E tu?

Niklas suspirou.

– Não sei.

Sarah compreendia-o muito bem. A indefinição do futuro, o desconhecido, o descontrolo absoluto sobre a própria vida eram sensações que ela conhecia muito bem e de que também não gostava.

– O que é que a senhora faz? – perguntou o jovem padre para fazer conversa.

– Chama-me Sarah – disse a jornalista, a quem o termo lhe fazia lembrar uma pessoa mais velha.

Niklas pigarreou nervoso.

– O que é que a Sarah faz?

– Sou jornalista – respondeu, e depois apontou para a cabeça coberta com um lenço. – Mas não tenho estado em funções.

Niklas rangeu os dentes no que parecia um tique nervoso. Vestira as calças e estava a abotoar a camisa.

– Lamento. Não deve ser fácil.

– O pior já passou.

Obviamente que a jornalista referia-se à doença e não ao resto.

– Ainda bem.

– Tu és padre, não és?

Niklas fez que sim com a cabeça. Já vestido, encostou-se à parede e desceu por ela até se sentar no chão frio de cimento. Queria tomar um banho quente e deitar-se na cama do dormitório do *Collegium Germanicum* e dormir até sarar as feridas do corpo e da alma, até esquecer tudo o que viu na basílica, apagar da mente os contornos do rosto e os olhos frios do carrasco de Luka e do outro padre. Pensou na mãe e se ela teria sido informada do que lhe tinha acontecido. Esperava que não. Implorou, mentalmente, a Deus que a poupasse a tal sofrimento.

– E gostas? – perguntou Sarah, interrompendo a cadência de pensamentos que acometera o rapaz.

– De quê?

– De ser padre.

Niklas encolheu os ombros. Ainda não tinha uma resposta concreta àquela pergunta. Na verdade, era isso que procurava. Não disse nada a Sarah, mas relembrou o olhar triste da mãe quando lhe comunicou a sua decisão de enveredar pela vida eclesiástica. *Queres vingar-te de mim?*, perguntou-lhe chorosa. Ele ouviu-lhe os soluços e as lamentações quando ela pensava estar sozinha em casa, se podiam chamar casa aos diferentes palácios que percorriam por todo o mundo, à sombra da brilhante carreira diplomática do pai. Manila, Cairo, Berna, Roma. Ouviu-lhe outras coisas muito antes. Uma embaixatriz passava muito tempo sozinha, a remoer os dias. Não sabia se tinha sido uma crise de solidão ou se fora planeado, mas, numa tarde de chuva, no apartamento de Munique, numa das longas ausências paternas em nome da pátria, ela contou-lhe. As palavras ficaram-lhe gravadas na mente, jactantes, imutáveis, inapagáveis, transcrições fiéis do que ela lhe transmitira com uma voz ciciante, poucos dias depois de ele ter feito 14 anos.

O seu nome era Rafael. Ele era padre. Eram novos. Aconteceu. Não se arrependia, de maneira nenhuma. Niklas fora o melhor que lhe tinha acontecido na vida. Era uma relação impossível. Klaus assumiu-o como se fosse dele. Nunca quis saber quem era o pai e ela nunca quis dizer-lhe. Era melhor assim. Aconteceu. Para todos os efeitos só tinha um pai. O Klaus. O único que sempre tivera e continuaria a ter.

Queres vingar-te de mim?, foi o que ela perguntou com as lágrimas a escorrerem em catadupa, inundando o rosto, anos mais tarde, quando foi a vez de Niklas lhe contar a opção eclesiástica. Talvez. Pensava agora para si mesmo, ali, rodeado pelas quatro paredes sem janelas, uma lâmpada fraca que iluminava a divisão que partilhava com aquela mulher doente. Se calhar fora mesmo por vingança.

– Gosto – acabou por dizer. – Deus coloca-nos à prova a todos e temos de estar sempre prontos para O seguir para onde Ele desejar.

Sarah não disse nada. Aquelas palavras soaram-lhe vazias de conteúdo, como as que se proferiam para se parecer inteligente ou para se patentear uma verdade maior, inatingível por alguns, como ela. Niklas era demasiado novo para criar aquelas patranhas, mas tinha a idade certa para crer nelas. Ou então era ela que estava amarga e revoltada. Tinha razões para isso e aquele dia estava a ser longo de mais. Queria adormecer para o fazer chegar ao fim de vez, e nada a impedia de o fazer a não ser a ansiedade, os nervos, a dor. Eram duas vítimas naquela masmorra de paredes imundas. Perguntou-se como estaria John e sentiu náuseas.

– Conheces alguma Anna P.? – perguntou Sarah, do nada.

Niklas olhou para ela, surpreso. A que propósito surgira aquela pergunta?

– Anna P.?

– Sim. Anna P. Já ouviste falar? E Mandi, conheces? – acrescentou.

Niklas desconhecia aqueles nomes. Será que ela estava a fazer uma investigação jornalística e fora apanhada a mexer onde não devia? Antes de Sarah chegar, pensara nas razões por que aquilo lhe estava a acontecer. Desbravou mentalmente todos aqueles que conhecia e não conseguiu encontrar outro motivo para o rapto a não ser o facto de ser filho do embaixador da Alemanha. Fez que não com a cabeça para responder à pergunta dela.

– A Sarah conhece-as? – questionou, decidido a tentar perceber o que ela sabia.

– Não.

– Quem são elas?

– Não importa.

Niklas fitou-a com ar inquisitivo.

– Já ouviste falar do padre Duválio, do Colégio de Relatores? – Nova pergunta de Sarah.

– Padre Duválio? Nunca ouvi falar.

Niklas levantou-se muito depressa com os olhos a brilhar.

– Sabe se ele está bem? – quis saber o rapaz, ávido de notícias. Será que também fora vítima como os outros padres?

– E porque não haveria de estar? – tornou a mentir, relembrando o cinto no lustre e o corpo a debater-se pela vida. Até para ela foi aflitivo ver.

– Quando fui raptado mataram dois padres – explicou, tentanto não rever mentalmente a cena. – Um era o meu tutor, o padre Luka. Não cheguei a saber o nome do outro. Mas se esse padre que refere está bem...

– A última vez que o vi estava óptimo.

– E isso foi há muito tempo?

– Não. Vi-o há poucas horas – respondeu Sarah sem revelar como tinham sido interrompidos no Palácio das Congregações pelo homem encapuzado que a trouxera para aquele lugar.

O rapaz ficou calado a olhar para ela como se estivesse a avaliá-la. Gravou na memória os três nomes que a jornalista perguntara. Anna, Mandi e padre Duválio. Não sabia quem eram, mas na condição em que estava todas as informações eram importantes.

– Conhece muitos padres? – quis saber Niklas, apalpando terreno.

– Alguns. Porquê?

O rapaz engoliu em seco mas decidiu arriscar.

– Conhece o padre Rafael Santini? – atirou.

– Claro que conheço. Ele estava comigo quando visitámos o padre Duválio. De onde é que o conheces?

Niklas engasgou-se mal ouviu a resposta e teve que se debater por ar. Sarah afligiu-se ao vê-lo daquela maneira mas não sabia o que fazer para ajudá-lo. Aos poucos, Niklas recompôs-se e recuperou o fôlego.

– Estás bem?

– Es... estou – respondeu o rapaz ainda com alguma dificuldade em falar.

Aquela mulher não só conhecia o pai dele como estivera com ele. Niklas não o conhecia pessoalmente. Nunca o vira. Tentara várias vezes, mas ele acabara sempre por escapar como se o estivesse a evitar. Os desígnios de Deus eram insondáveis. O chavão servia para se convencer a si mesmo dos destinos desencontrados entre filho e pai.

Chegou a ir à paróquia onde ele era titular, numa aldeia a pouco mais de uma hora de Roma. Não o encontrou. Foi recebido pelo padre substituto e informado que raramente o padre Rafael se deslocava à paróquia. Afazeres inadiáveis ocupavam-no em Roma, quase exclusivamente, há cerca de cinco anos, o que tornava, na prática, o substituto em titular. O padre, muito simpático e disponível, não sabia que trabalhos fazia Rafael. Era muito recatado e falava pouco sobre a sua vida ou, pensando bem, sobre o que quer que fosse. A última vez que lá fora tinha sido há mais de um ano e demorara-se poucos dias. Havia quem dissesse, confidenciou ele, que o padre Rafael era íntimo do Santo Padre mas, perguntado sobre isso pelo substituto, o titular disse-lhe que nunca tivera o privilégio de o conhecer. De qualquer forma, a sua vida era um mistério. *Mais um ingrediente a acrescentar*, pensou Niklas na altura. Rafael era um homem misterioso. E a jornalista dizia que o conhecia.

– Como é que conhece o padre Rafael?

Sarah suspirou.

– É complicado.

– Sabe onde posso encontrá-lo? – perguntou, a tentar esconder a sofreguidão da pergunta.

A jornalista encolheu os ombros.

– O Rafael não é um padre como os outros; como tu.

O que quereria a mulher dizer com aquilo? Para além da perfeitamente escalonada hierarquia católica, onde figuravam o Papa, os cardeais, os arcebispos, os bispos e os padres, um padre era um padre. Uns poderiam ter mais responsabilidades administrativas, outros pastorais, mas não deixavam de ser padres, aos serviço do Pai, do Filho e da comunidade.

– O que é que quer dizer com isso?

Sarah não sabia como responder. Talvez tivesse falado de mais. Não era suposto que meros padres tivessem conhecimento de outros que agiam na sombra para que eles pudessem cumprir os seus deveres com tranquilidade.

Só espero que esteja tudo bem com ele, pensou depois.

– Digamos que ele é um padre mais vocacionado para o serviço administrativo do que para o pastoral – explicou, evasiva.

Nesse preciso momento, interrompendo a conversa, a porta emitiu uns estalidos e ambos sentiram o coração disparar. Encostaram-se o mais que puderam à parede oposta e fixaram os olhos na tenebrosa abertura que os separava da liberdade. Abriu-se durante o tempo necessário para deixar entrar outra pessoa e logo se voltou a fechar com um estrondo seco. Sentiram a fechadura a trancar como uma sentença. Não conseguiram sequer ver o rosto da sentinela.

O novo elemento aninhou-se junto à porta, tremia e soluçava timidamente, como se não quisesse importunar.

Sarah e Niklas não sabiam muito bem o que fazer nem o que dizer. Aos poucos conseguiram perceber que se tratava de uma mulher. Sarah aproximou-se dela, agachou-se e colocou-lhe uma mão terna nas costas.

– Tenha calma. Isto vai passar.

Niklas, mais desconfiado, acabou por se aproximar também. Os soluços da mulher intensificaram-se e fizeram-no agachar-se.

– Não chore. Deus dá o fardo mas também dá a força para o suportar.

Sarah lançou-lhe um olhar reprovador. Será que aquilo resultava com as outras pessoas?

– Deus abandonou-me há muito tempo – disse a mulher com veemência.

Sarah usou os seus dedos para lhe limpar as lágrimas do rosto.

– Ninguém nos vai fazer mal – mentiu para a tranquilizar. Não fazia ideia se lhes iam fazer mal ou não. – Como é que se chama?

A mulher acalmou e fitou-os aos dois com atenção pela primeira vez.

– O meu nome... – balbuciou – O meu nome é Mandi.

3.ª PARTE

TEMPUS FUGIT

*Fechei os olhos a demasiadas coisas durante
demasiado tempo. Sinto que uma força lenta
e subtil está a tomar conta da minha mente.*
Madre Pasqualina

Santa Sé
Junho de 1983

A vida é feita de decisões. Esquerda, direita, avançar, recuar, aceitar, recusar, fazer, não fazer... Escolhas permanentes, a todos os instantes, algumas banais, insignificantes, outras importantes que requerem maior reflexão,
e aquelas que ninguém controla e vão surgindo pelo caminho, como... viver
ou morrer, matar ou ser morto.

Os tiros que lhe ecoavam nos ouvidos quase o ensurdeciam. Primeiro, segundo, terceiro... Ligeira pausa, alguns segundos, confusão, visão turva...
Quarto, quinto... Foi empurrado para trás com uma força sobre-humana...
sexto. Seguiu-se um silêncio cavado, sepulcral, quase tétrico, como se o tempo
tivesse parado.

Não sabe dizer quando é que as pessoas começaram a gritar, tão-pouco
quando começou a dor pungente que lhe percorreu as entranhas, do abdómen ao coração. Sentiu alguns pares de mãos a ampará-lo, o carro a acelerar pela praça, milhares de pessoas a acotovelarem-se e, depois, nada...

Há dois anos, quando isto aconteceu, acordara seis horas mais tarde, no
hospital Gemelli, combalido, cheio de dores, com prognóstico reservado. Naquele dia acordara a suar, na cama do seu quarto nos apartamentos papais.

317

Era um sonho recorrente. Quase conseguia sentir a dor e o sabor ácido na boca, uma mistura de sangue e metal. De vez em quando sentia uma pontada nas cicatrizes que marcavam os pontos de entrada das balas. Uma recordação que jamais o largaria.

Ansiava pelo dia em que deixasse de reviver aquele momento traumático. O som dos tiros, os gritos, a dor... o atirador. Disseram-lhe que os disparos ocorreram a metro e meio de distância mas nunca o viu. Nem a arma. Lembra-se de lhe terem dado a ler algumas reportagens jornalísticas sobre o caso, semanas depois, e de lhe mostrarem fotografias dos serviços secretos. Um vulto vestido de negro no meio da multidão, braço erguido acima da turba a apontar para ele. Uma foto de frente e outra de perfil nas instalações da polícia. Um rosto frígido, sem vida, sem credo, sem Deus.

Livra-me disto, Maria, pediu, antes de se levantar da cama. Ainda era de noite. O primeiro sonho do primeiro sono. A Mãe de Deus não o desampararia. Ajoelhou-se junto à cama, persignou-se, uniu as mãos e começou a rezar.

– Mãe do Céu, dá-me paz, dá-me força para aguentar a tarefa que me entregaste. Jamais desistirei mas só Te peço que me alivies um pouco o pesado fardo, de tempos a tempos...

O monólogo durou uma hora, mais minuto, menos minuto. Habituou-se a falar com Ela desde que... aquilo acontecera, há dois anos. Tranquilizava--o. Estava ciente de que o protegeria de qualquer intempérie. Depois da prece entregou-se novamente a um sono calmo, sem sonhos, reparador.

Acordou às seis e meia, refeito, pronto para defrontar o dia cheio que, certamente, o esperava. Um Papa não tinha tempos mortos, nunca. Além dos afazeres espirituais, esperavam-no os políticos, os pastorais e os burocráticos. Estes últimos davam mais trabalho que os outros todos juntos. Geria uma instituição bimilenar, dispersa por todos os pontos do globo, que necessitava da sua atenção, diariamente.

Ele já o aguardava sentado na cadeira, ao lado da cama, olhar vigilante.

– Bom dia, Stan – cumprimentou com um sorriso. – Dormiste bem?

– Muito bem, Santidade. Obrigado por perguntar – respondeu Stanisław. –Voltámos a ter sonhos indesejados.

Era uma constatação e não uma pergunta. Wojtyła nada disse. O seu secretário conhecia-o melhor que qualquer outra pessoa.

– Hão-de passar com a graça de Deus – acrescentou Stanisław.

– Ámen.

Os dois homens não disseram mais nada. O secretário já mandara preparar o banho para o Santo Padre e o pequeno-almoço estava a ser confeccionado. Algumas dezenas de pessoas, entre freiras, frades, padres e leigos empenhavam-se todos os dias para que Wojtyła tivesse todo o conforto que desejasse. Não era um Papa exigente e vivia sempre preocupado com quem o servia.

Depois do atentado, o Santo Padre tornara-se mais circunspecto e desconfiado, também um pouco receoso. Uma reacção natural em quem só não perdeu a vida por intervenção divina. Mesmo dois anos volvidos, não conseguia deixar de se perguntar todos os Domingos, sempre que se abeirava da janela do seu gabinete para saudar os fiéis que se aglomeravam na Praça de São Pedro, se seria nesse dia que um tiro, disparado por algum irmão menos iluminado, o levaria para junto do Senhor. Por muito que encobrisse, o medo continuava dentro de si. Poucos o conseguiam ver mas estava lá.

É preciso dar tempo ao tempo. Diziam-lhe os mais chegados. Stanisław, Casaroli, König. É preciso deixar passar algum tempo. Mas o seu ofício não esperava pelo tempo que era preciso dar, não se importava com os seus temores. Exigia que desse tudo de si ao mundo, sempre.

– São os desígnios de Deus – proferiu Stanisław quando Wojtyła saiu do banho.

Ninguém o conhecia melhor.

– Vamos trabalhar? São esses os desígnios de Deus para hoje – observou o Sumo Pontífice, bem-disposto, seguindo depois para o gabinete ao lado do quarto.

O sol forte que inundava Roma antecedia o Verão que se aproximava. Em breve assentaria o quartel-general em Castelo Gandolfo, até Outubro. Essa mudança de ares far-lhe-ia bem, ainda que Castelo Gandolfo distasse apenas cerca de vinte quilómetros de Roma.

O polaco gostava de dar uma vista de olhos na agenda antes da missa na capela privada.

– Dia cheio – constatou sem esboçar qualquer reacção.

– Na verdade – começou Stanisław, timidamente –, foi tudo adiado para data a definir, Lolek.

Wojtyła gostava quando o fiel amigo o tratava pelo diminutivo afectuoso mas, neste caso, antevia problemas.

– O que se passa? – perguntou com uma expressão de preocupação.

– O Cardeal Secretário de Estado Casaroli deve estar a chegar para o informar – declarou Stanisław.

Wojtyła ficou ainda mais alerta. Por norma, reunia com o Cardeal Secretário de Estado semanalmente e nessa semana já tinham reunido.

– Qual é o assunto? – insistiu.

Stanisław estava visivelmente incomodado. Não queria contar... ou não podia.

– Lolek... – começou o seu fiel secretário.

– O assunto é a Anna – ouviu-se uma voz dizer da porta. Era o vigoroso Agostino Casaroli que acabava de entrar.

Wojtyła afundou-se no seu cadeirão e deixou o seu pensamento vaguear para bem longe enquanto olhava fixamente para o tampo escuro da secretária.

Anna? Outra vez, pensou.

Muitas mulheres detiveram imenso poder no Vaticano ao longo dos séculos. Se a maioria foi ofuscada pelo poder papal masculino, poucas houve que conseguiram quebrar essa, aparente, barreira intransponível e foram capazes de decidir os destinos da Santa Sé mesmo não ocupando o cargo oficialmente por impedimento de género. Mulheres como a Marózia, a Donna Olimpia e a Virgo Potens. O sexo frágil sempre foi muito mais forte do que aparentava, e o sexo sempre teve um poder descomunal.

– Está bem, Santidade? – quis saber Stanisław, preocupado.

– Ficarei melhor quando desembucharem. O que tem Anna?

Casaroli saiu do gabinete e voltou a entrar, acompanhado por um outro homem. Fechou a porta do gabinete e acercou-se de Wojtyła. O desconhecido estava visivelmente ansioso. Segurava o chapéu borsalino com ambas mãos junto ao ventre.

O Papa levantou-se e o homem abaixou-se quase com a cabeça a tocar no chão.

– Levanta-te – ordenou Wojtyła com aspereza. Não suportava aquele género de submissão.

O homem alçou-se atabalhoadamente. Não era todos os dias que se apresentava perante o Sumo Pontífice.

– Este é o Ercole – informou Casaroli.

– Sei quem é – disse Wojtyla.

O homem estava ruborizado. Não fazia ideia que o Papa o conhecia.

– O irmão da Anna – disse o Papa.

– Exactamente – confirmou Stanisław.

– E agora que sabemos muito bem quem é, podem dizer-me o que se passa, afinal?

Casaroli fixou os olhos escuros e agudos em Ercole que baixou o seu olhar envergonhado, concentrando-se no chão.

– Conta tudo, Ercole.

– Santo... Pa... Padre – começou Ercole, nervoso –, eu... eu... Como sabe, sou irmão da Anna e... e... e...

Casaroli colocou uma mão sobre o ombro de Ercole.

– A Anna teve uma filha – disse o Cardeal Secretário de Estado, de rompante.

– O quê? – O polaco estava chocado. Voltou a sentar-se, abatido. Colocou as mãos a tapar a cara e respirou fundo. – A idade dela ainda permite? Quando foi isso?

– Há quinze anos – respondeu Casaroli.

Wojtyła levantou o rosto para os três homens.

– Isto é alguma espécie de brincadeira?

Ercole não conseguia fitar o Santo Padre nos olhos e não disse nada.

– É uma história complicada. Em resumo, a Anna teve uma filha, um dos nossos cardeais lidou com a situação e não deu conhecimento ao Santo Padre...

– Lidou com a situação? – interrompeu Wojtyla.

– Arranjou uma família de acolhimento para a criança – esclareceu o Cardeal Secretário de Estado.

– Quem tratou disso?

– O Amleto. O Papa Montini nunca soube disto.

Wojtyła suspirou. A Anna teve um filho.

– Como é que ele pode ter feito uma coisa dessas? – protestou.

– Não o censuro – objectou Casaroli. – Se eu pudesse também te pouparia. O Amleto fez o que achou melhor – arguiu.

– A Anna é um assunto extremamente importante. Ele não devia ter procedido dessa forma – censurou o polaco.

Casaroli fixou as mãos na secretária e encarou Wojtyła.

– O que está feito está feito. Bem ou mal, está feito.

Ninguém disse nada durante alguns momentos. Wojtyła virou as costas aos presentes e acercou-se da janela. Lá fora, um belo dia de sol destoava do seu estado de espírito. Tentou serenar e organizar as ideias.

– A Anna teve uma filha há quinze anos. As autoridades da época lida-
ram com isso da maneira que consideraram melhor. Qual é o problema, então?
– perguntou o Papa sem se voltar para os outros homens.

Casaroli virou-se para Ercole. Tinha de ser ele a explicar. O homem continuava a segurar o chapéu com ambas as mãos.

O Cardeal Secretário de Estado arrastou uma cadeira e obrigou-o a
sentar-se.

– Acalma-te e conta tudo ao Santo Padre. – Colocou-lhe a mão no ombro novamente, como que a dar-lhe apoio.

Ercole manteve o silêncio durante alguns instantes. O Papa continuava
de costas para eles. Assim talvez fosse mais fácil.

– Conhecem a minha irmã. Sabem como ela é impulsiva – justificou-se
Ercole. – Contrariando todas as directrizes que o cardeal Cicognani impôs
há quinze anos, ela… – O Papa virou-se atento. Ercole estremeceu. – Ela contou toda a verdade à filha.

O Papa voltou a sentar-se no cadeirão. Coçou os lábios com o indicador
enquanto raciocinava.

– Tens a certeza disso? – perguntou a Ercole.

O homem abanou a cabeça afirmativamente. Estava envergonhado.

Casaroli fixou o olhar no Papa, com uma expressão indagadora. Era um
homem enérgico, caloroso e pragmático.

– A questão agora é: o que fazemos?

– Mandem chamar o padre Comte imediatamente – ordenou o Papa.
Decisões. A vida é feita de decisões.

53

– Como é que nos descobriu? – perguntou Jacopo, que ainda não se convencera com a explicação de Giorgio, o belo.

– Já lhe disse, doutor Sebastiani – explicou o outro, calmamente. – Foi o nosso amigo Rafael quem me falou deste local e me pediu que cá viesse.

– Onde é que ele está? – inquiriu o historiador numa postura que mais parecia um interrogatório.

– Não sei. Sabe como o nosso amigo consegue ser evasivo – respondeu o secretário do Papa, piscando um olho a Jacopo.

O historiador calou-se, embora continuasse desconfiado. Esperava que Rafael estivesse bem.

– Está convencido, doutor Sebastiani?

O silêncio do historiador era, em si, um consentimento. *Por agora.* Aquela gente da Igreja não era de confiar.

Anna continuava nervosa, inquieta. Aquelas visitas nocturnas perturbavam o tédio rotineiro a que se conformara desde há muitos anos. Ela aceitara-o, sem contestar, resignada. Entregou-se a ele, à frustração de uma vida sem história, sem registo, nem ambição, sem sonhos que pudesse acalentar, sem prole... que pudesse ter por perto.

Habituara-se a ser uma personagem, como todas elas, com um papel que não podia despir. Anna Lehnert desaparecera. Anna Pacelli nunca existira.

Giorgio virou-se para ela com um olhar terno, amistoso, como se estivesse diante de um parente que acabara de descobrir ou perante uma artista que admirava. Parecia um menino, ninguém diria que já passara os 50 anos.

– Há quanto tempo vive aqui? – quis saber o secretário, sem desfazer o sorriso idiota.

Anna podia dizer-lhe o tempo que ali passara até ao ínfimo milésimo de segundo. Nenhum cativo esquece a duração da pena, mesmo que seja perpétua, sem hipótese de apelo a uma liberdade condicional. Optou, no entanto, por arredondar.

– Há cerca de dez anos.

– E antes de vir para esta bela casa, onde vivia?

O secretário do Papa não ia facilitar-lhe a vida. Fá-la-ia recuar a momentos que ela não queria reviver, nem sequer mentalmente. Lembrou-se de Rafael e de como ele tentou o mesmo, quando se conheceram. A diferença é que o seu Rafa não insistiu quando viu que era demasiado doloroso recordar. Naquela noite seria diferente. O presente nunca deixava o passado afastar-se, trazia-o sempre na peugada, denunciado pelas memórias. Era impossível esquecê-lo ou apagá-lo por muito que se tentasse e acabava sempre por apanhá-lo e tornar-se nele, mais cedo ou mais tarde, vingativo, catártico, implacável.

– Antes de conhecer o Rafael, vivia noutra casa – respondeu

– Onde?

– Aqui perto.

Giorgio sorriu. Era típico de Rafael manter o *statu quo*, manteve-a, assim, mesmo nas barbas dos inimigos, tão perto que não a conseguiam ver por estar mesmo debaixo dos olhos. Ele apercebeu-se do desconforto dela, mas aquela mulher guardava tanta coisa que ele desejava saber. Focou intensamente o seu olhar e deu-lhe a mão novamente.

– Pode falar-me sobre os seus pais?

Os olhos de Anna marejaram-se. A história dos pais era intensa e trágica, ignorada pelos olhares reprovadores do mundo que perscrutavam os corredores e os gabinetes, espiavam por detrás dos quadros e se escondiam nos nichos das estátuas em busca de sangue para saciarem a sede de maledicência.

O passado, sempre ele, no encalço dos que queriam, simplesmente, esquecer.

Giorgio acariciou-lhe o cabelo loiro alvacento que herdara, seguramente, da mãe alemã.

– O senhor conhece-os melhor que eu – respondeu Anna, evasiva. – Pelo menos o meu pai. Deve tê-lo estudado.

Giorgio fez um trejeito negativo com a cabeça que recebeu o apoio imprevisto de Jacopo.

– A Igreja sempre foi muito eficaz a varrer os incómodos para onde não possam ser vistos – disse o historiador, como se fosse necessário explicar. Anna era a prova viva desse fenómeno.

– É verdade. O seu pai é um assunto muito sensível no Vaticano. E... a sua mãe... – Giorgio não sabia muito bem como dizê-lo. – É como se nunca tivesse pisado o Palácio. Na verdade, é como se nunca tivesse existido.

– Ó, mas ela existiu – evidenciou Anna com veemência. – A sua passagem pelo Vaticano foi inesquecível. É certo que muitas pessoas nunca a conheceram, nem nunca a viram. Ela fazia por que assim fosse. Os meus pais fizeram o maior sacrifício de todos. Amaram-se em silêncio. Mas está sepultada lá, no cemitério de Montesanto.

Anna levantou-se, a custo, prontamente amparada por Giorgio assim que se apercebeu das suas intenções. Caminhou para uma mesa de canto, pequena, com um telefone pousado no tampo e pegou no auscultador. Poucos segundos depois, alguém atendeu do outro lado.

– Bom dia, Gustav. Traga-me, por favor, a caixa que está no meu quarto, debaixo da cama.

Aguardou que o segurança dissesse alguma coisa.

– Exactamente. Na sala, sim.

Pousou o auscultador e voltou ao lugar que tinha deixado no sofá. Respirou fundo e viajou até ao passado.

– Os meus pais conheceram-se em 1917, na Suíça. Como é do conhecimento público, a minha mãe depois foi servi-lo na nunciatura de Munique. Foi em Dezembro, e a outrora mais bela cidade do mundo estava arruinada pela guerra. Milhares dos seus jovens jamais regressariam dos campos de batalha. À espera da minha mãe estava um palácio decrépito de dois andares, com dezassete divisões.

Pasqualina, aos 23 anos, foi colocada a chefiar um assessor, um cozinheiro, um mordomo, um motorista, duas freiras mais velhas encarregues da limpeza e um faz-tudo. Achou logo desde o início que era pessoal a mais, tanta gente desajudava mais do que trabalhava. A sua postura era muito firme e severa. Queria tudo limpo, a brilhar, e mostrava como se fazia. Era tão exigente que, três meses depois da sua chegada, os outros serviçais apresentaram uma exigência ao núncio. "Ou ela vai embora ou vamos nós." Pacelli tentou conciliar as duas partes e Pasqualina em vez de ceder, sugeriu ser ela a cozinhar e a limpar. Se não queriam fazer como ela dizia, ela própria o faria, e Pacelli aceitou.

Em pleno pós-guerra e com muitos assuntos para tratar entre os povos beligerantes, Pacelli passou alguns meses fora da nunciatura. Quando regressou não queria crer no que encontrara. Um palácio digno de seu nome, limpo, faustoso, imaculado.

A saúde de Pacelli era frágil e era Pasqualina quem tratava dele. Ministrava-lhe os medicamentos, preparava-lhe os caldos e por vezes dava-lhos na boca. A freira controlava tudo o que se passava nos bastidores do palácio e cuidava do bem-estar do núncio. Nenhum problema lhe chegava, a não ser que fosse político ou diplomático ou a interminável burocracia de Roma.

Em Fevereiro de 1919, Munique assistia à turba comunista que se alastrava à Europa depois do sucesso no derrube do regime czarista da Rússia. Um mar de mortos espalhava-se pelas ruas. Os diplomatas há muito que haviam regressado aos seus países, excepto Pacelli que, apesar de se recusar a sair, pediu ao seu pessoal que abandonasse as instalações e procurasse segurança. Pasqualina recusou-se a abandonar o núncio, assim como o motorista, o assessor e o faz-tudo.

Pacelli andava, perigosamente, pelas ruas, arriscando-se, tentando ajudar os desesperados e os refugiados, coordenando a ajuda humanitária. Nem sequer escondia a cruz que trazia ao peito. Os bolcheviques instigaram uma campanha de ódio contra ele e em Abril invadiram a nunciatura. Entraram no edifício a disparar para o ar, com rancor estampado nos rostos.

Pacelli desceu do seu gabinete, que ficava no primeiro andar, e enfrentou a turba bolchevique.

Têm de sair daqui imediatamente, ordenou, sem elevar a voz. *Esta casa não pertence ao governo da Baviera mas à Santa Sé. O seu estatuto é inviolável pelas leis internacionais.*

Os bolcheviques riram na cara de Pacelli.

Leis internacionais? Quais leis? Saimos quando nos mostrar a sala secreta onde guarda o dinheiro e a comida, disse um deles.

Eu não tenho nem dinheiro, nem comida. Sabem muito bem que dei tudo o que tinha aos refugiados que os senhores provocaram.

O líder acercou-se de Pacelli e apontou-lhe a arma, bem em cima da cruz que trazia ao peito. O núncio protegeu a cruz com a mão, em jeito de desafio.

Saiam todos daqui. Rua daqui para fora. Já, gritou Pasqualina com um olhar enfurecido.

Um silêncio pesado surgiu entre o grupo durante uns longos momentos e depois o líder bolchevique virou costas.

Vamos embora.

– Impressionante – comentou Jacopo que, assim como Giorgio, ouvia com muita atenção o relato de Anna.

– Era uma época muito sensível – disse Anna. – Ainda voltaram a incomodá-los antes de o movimento se extinguir. Uma vez tentaram apreender o carro oficial, mas sem sucesso, e noutra tentaram barricá-los na rua. O meu pai saiu do carro e começou a rezar, e a turba escutou-o em silêncio.

– Isso aconteceu mesmo? – perguntou Giorgio.

Anna fez que sim com a cabeça.

– Aquilo uniu-os muito – continuou Anna. – Ele começou a chamá-la todas as noites ao gabinete para discutir assuntos sensíveis do Vaticano. Claro que Pacelli não devia fazê-lo, mas tinham uma relação bastante cúmplice. Ele confiava nela tão cegamente que confessava-lhe os seus medos, os dilemas, as discordâncias silenciosas. Um dia chamou-a à garagem para ela ver a encomenda que tinha chegado. Era uma mota com *sidecar*. Ambos adoravam a velocidade. Às vezes pediam ao motorista que acelerasse muito para além do que devia só para se deliciarem com a velocidade. Pacelli pediu-lhe que providenciasse um instrutor para ensiná-lo a conduzir o veículo. Ela olhou para ele, ofendida.

Vim de uma quinta onde trabalhei com os rapazes e não com as raparigas. Posso, muito bem, ensiná-lo, Excelência.

Pacelli olhou para ela com uma expressão desconfortável mas acedeu à freira, como sempre, e, nessa mesma noite, saíram, para o céu nocturno, com os capacetes enfiados na cabeça, prontos para desafiar as estradas. Em pouco tempo Pacelli tornou-se um ás na mota e chegaram a sair durante o dia e a fazer piqueniques à beira rio, ficando a conversar até ao pôr-do--sol, e por vezes até mais tarde. Depois chegou 1925 e mudaram-se para Berlim, e os passeios acabaram.

Berlim fervilhava de acontecimentos políticos, e os diplomatas eram uma peça crucial nesse mundo em que a informação era centralizada nas embaixadas. Pacelli começou a dar grandes festas e jantares a todos os ministros e corpos diplomáticos dos outros países presentes na capital. Celebridades, artistas, todos marcavam presença nesses banquetes que ele organizava, com Pasqualina a coordenar tudo, obviamente. Consideravam-no o diplomata mais bem informado da Alemanha, muito devido a esse trabalho de confraternização.

Em finais de 1928 e início de 1929, ele passou muito tempo em contacto com Roma. Gasparri, o Secretário de Estado de Pio XI, e o irmão tratavam, no maior dos segredos, do acordo com Mussolini. O dilema era evidente. Por um lado, não se pretendia fazer qualquer acordo com o ditador, por outro, o Vaticano estava completamente falido e necessitava desse Tratado. Explanava as suas dúvidas todas as noites, no seu gabinete, quando a chamava e lhe contava os pormenores. Tinham contratado um banqueiro muito competente chamado Bernardino Nogara para administrar todo o dinheiro de Deus que o Tratado proviesse, e aplicá-lo sabiamente para que uma situação de falência não ocorresse novamente. Pasqualina era totalmente contra. Desde quando os homens da Igreja se vendiam ao dinheiro? No dia 11 de Fevereiro de 1929, a data da assinatura do Tratado de Latrão, Pasqualina chorou e disse em alto e bom som a vergonha que sentia.

Pacelli tivera de ser firme e de afirmar a sua autoridade para que Pasqualina se remetesse ao seu lugar. Todas as exigências da Igreja tinham sido aceites pelo *Duce*. Mas como em todas as concordatas, também tinha havido cedências por parte da Igreja. Para Pasqualina era inaceitável o reconhecimento do fascismo que o tratado implicou e a tentação fácil do dinheiro. Fora um contrato de compra e venda, e não um tratado. Pacelli chegou a falar de modo ofensivo para Pasqualina. Que percebia ela de política? Que percebia ela de diplomacia e de acordos bilaterais? Nada. Era uma simples freira que tratava da lida da casa.

Pacelli deixou de a convidar para ir ao seu gabinete todas as noites e ela dedicou-se aos seus afazeres domésticos como lhe competia. Limpar o que estava limpo, polir o que estava polido, cozinhar com o mesmo carinho de sempre para o núncio.

Para atenuar as coisas, já que Pacelli sabia muito bem quando colocava o pé em ramo verde, ele mandou vir a mota de Munique e convidou-a para passear. Recomeçaram os passeios nocturnos, os piqueniques a meio da tarde, os sorrisos, a velocidade, as conversas.

Uma noite, perto do final do ano de 1929, o telefonema chegou. Era de Roma. Gasparri informara que o Papa ordenara a transferência de Pacelli para junto de si. Iria ser ordenado cardeal e substituí-lo no Secretariado. A viagem de regresso estava marcada para Dezembro e terminaria com mais de uma década por terras germânicas. Seria o fim da relação cúmplice entre Pacelli e Pasqualina.

Continuaram os passeios de mota à noite, mesmo quando o frio se instalou de vez. Estavam cientes que aquele ritual ia terminar... para sempre. Numa dessas saídas nocturnas aconteceu. Talvez ela tenha tomado a iniciativa, roubando-lhe um beijo e depois outro, enquanto ele ainda enfrentava a estupefacção. Os sentidos acabaram por vencer a razão e deixaram-se levar pelos desejos do corpo.

Experimentaram sensações novas que não julgavam possíveis e, ao ver a expressão dela, a mente de Pacelli ofereceu-lhe a imagem da estátua do Êxtase de Santa Teresa, de Bernini, que vira algumas vezes na Igreja de Santa Maria della Vittoria, em Roma. Aqueles breves instantes em que simplesmente desligaram os pensamentos e foram arrebatados pelas sensações foram únicos e irrepetíveis. Depois disso não trocaram uma única palavra durante dias. Ambos acossados pela culpa, orando em dobro para colmatar a terrível falha. Os passeios terminaram. As reuniões nocturnas no gabinete também. Pareciam dois estranhos obrigados a conviver nos mesmos espaços. Embrenharam-se nos seus trabalhos incessantemente até as pratas ficarem gastas de tanto serem limpas e os papéis coçados de tanto serem lidos.

Quando as desculpas acabaram, foi Pasqualina quem quebrou o silêncio e entrou no gabinete dele. Pediu para que a levasse para Roma. Ele respondeu com um rotundo *nem pensar*. Ela haveria de repetir o pedido mais vezes, por carta e telefone, até que deixou de pedir. Os primeiros sintomas apareceram e ela retirou-se para Rorschach onde passou os restantes meses da gravidez. O *desaparecimento* dela preocupou-o tanto que fez o seu amigo monsenhor Spellman andar à procura dela pela Alemanha e pela Suíça, sem sucesso. Até que no dia do nascimento ele apareceu em Rorschach. Pasqualina sempre foi uma mulher bem preparada e conhecia Pacelli bem de mais. Conseguiu ocultar dele a gravidez e o parto. O, na altura, Cardeal Secretário de Estado, nunca soube que fora pai de uma menina chamada Anna. Pasqualina manteve-a em Munique até aos 2 anos e depois entregou-a a uma família de funcionários do Vaticano que a tratou como se fosse dela.

Gustav chegou nesse momento com uma caixa em couro preto.

– Ah! Obrigada, Gustav – agradeceu Anna. – Podes deixá-la aqui – apontou para a mesa de centro.

Gustav pousou-a e saiu da sala. Anna abriu a caixa que revelou um conjunto de cadernos, todos iguais, e retirou um.

– O que é isso? – perguntou Jacopo.

– Os diários da minha mãe.

Giorgio debruçou-se sobre a caixa e foi retirando alguns. Tinham uma etiqueta que mencionava as datas da primeira e da última entradas.

Os dois homens mantiveram-se em silêncio, absortos, hipnotizados pelo relato de Anna, que tanto passara, em nome dos homens que se diziam ao serviço de Deus, e que acabava de lhes mostrar aquela colecção de documentos preciosos.

– Como é que a sua mãe conseguiu ocultá-la dele? – quis saber Jacopo. Não entendia como tinha sido possível.

– Não faria essa pergunta se tivesse conhecido a minha mãe. Era uma força da Natureza. Ela não estava no Secretariado por ser amiga, nem confidente do Papa, nem governanta dos apartamentos papais. Estava lá porque era uma mulher com muito valor, à altura de qualquer dos homens com quem trabalhou.

– Tenho muita pena que não tenha podido viver com a sua mãe – disse Giorgio, continuando a remexer nos cadernos da caixa.

– Nunca me deixaram passar fome nem frio – disse a filha do Papa, com um sorriso tímido. *Nem viver a vida em liberdade,* pensou. – Mas sei que fui como que uma ovelha negra que não devia ter nascido. Era… Sou demasiado incómoda.

– A Anna não foi a única a *dar* a vida dessa forma pela Igreja – explicou Jacopo, como se esse fardo, dividido por vários, custasse menos. – A irmã Bernardette viveu cativa na Congregação das Irmãs da Caridade de Nevers, depois das aparições. A irmã Lúcia também. Viveram sempre controladas, em todos os passos, a vida inteira.

– Não é a mesma coisa – refutou Anna sem qualquer ponta de arrogância, apenas uma simples discordância natural. – A Nossa Senhora não me apareceu.

Às outras também não, pensou Jacopo.

Anna estava triste. Ainda havia lágrimas a cair-lhe pelo rosto. Sabia muito bem o que o historiador queria dizer. Não era a única a *dar* a vida pela Igreja. Infelizmente. Se pudesse voltar atrás, faria algumas coisas diferentes. Pelo menos uma.

– Falta um caderno – constatou o secretário pontifício, que continuava a mexer na caixa.

– Sempre faltou.

– Nunca considerou a vida religiosa? – perguntou Giorgio.

– Não, meu filho. – *Nem pensar,* disse para si mesma. – A Igreja nunca me atraiu. Sempre preferi os outros apelos da vida. O casamento, o trabalho, a maternidade. Teria seguido esse caminho. – Suspirou de frustração.

Giorgio baixou o olhar como se se sentisse responsável por tudo o que acontecera a Anna. Lamentava profundamente que ela não pudesse ter desfrutado da vida. Ele optara por servir o Criador, a vida encarregara-se de o conduzir a um cardeal alemão que se tornou Papa. Aceitara-o e cumpria com esses requisitos, porém, estava ciente que era a sua vontade que prevalecia. Ninguém o impediria se ele quisesse desistir naquele momento, largar a vida eclesiástica e fazer outra coisa diferente com ela. Anna nunca teve essa possibilidade. Tudo lhe foi imposto, ignorando as suas vontades.

– Tenho muita pena – desculpou-se novamente o monsenhor, pegando em seguida nas mãos dela. – Lamento que tenha tido de sacrificar todos os seus sonhos em nome da Igreja.

– Não lamente, filho. Eu não sacrifiquei todos os meus sonhos. Consegui conquistar o mais importante de todos – confessou Anna, ainda que as palavras lhe fizessem doer o coração. – Tive uma filha linda.

Os dois homens entreolharam-se pasmados e voltaram a fitar Anna.

– O quê?

54

– Comecem a explicar-se – pediu Cavalcanti em jeito de ordem. – Rápido. Então o... filho do... então... que raio – tartamudeou, ainda confuso.

– Eu disse-te que ias perceber – atestou Rafael com ironia.

Os três continuavam no salão. Nicole sentada na cadeira que Cavalcanti providenciara, Rafael de pé e o inspector ora erecto ora com as mãos nos joelhos, incrédulo com o que acabara de descobrir. Sentia-se aturdido, como se tivesse levado uma pancada na nuca. Ainda não havia sinal do embaixador.

Nicole fitava Rafael com uma expressão que misturava o ódio, o desespero e outra coisa qualquer. Não se importava com mais nada a não ser o seu filho, Niklas. Nem Klaus era importante; esse tornara-se num mero conhecido com quem partilhava a cama há muito tempo. Nunca pensou rever aquele padre abjecto e, ainda por cima, mensageiro de más notícias. O passado ficara para trás. Tentara esquecê-lo usando o simples artifício da não recordação, como se não lembrar apagasse o que acontecera.

– E agora? Quais são as nossas opções? – perguntou com a voz chorosa.

– Alto lá – interrompeu Cavalcanti. – Não me vão deixar no escuro. – Olhou para o padre. – Explicas-te, por favor?

– Já percebeste tudo. O Niklas é meu filho. Aconteceu – disse, sem desviar o olhar da embaixatriz. – Eu tinha acabado de ser colocado em

Munique, a Nicole estava a terminar o curso na Ludwig-Maximilians, e aconteceu.

– Aconteceu? – repetiu Cavalcanti com cinismo. – E como é que o senhor padre acabou na cama com a senhora embaixatriz? Ou foi uma imaculada concepção?

Nicole baixou o olhar e mais lágrimas escorreram pelo rosto. Acabou por fechar os olhos como se tal aplacasse a mágoa que lhe enchia o peito.

– És suficientemente adulto para saber como se fazem essas coisas. Não vou entrar em pormenores. A Nicole foi uma vítima da minha... inexperiência.

– A palavra que procuras é pulhice, penso eu – contrapôs o inspector. – Quebraste o voto de celibato antes ou depois de lhe contares que eras casado com Nosso Senhor da Mula Ruça?

Rafael engoliu em seco mas não desviou o olhar de Nicole. Esta abriu os olhos nesse momento para testemunhar aquela resposta.

– Antes – respondeu lacónico.

– És tão cabrão como todos nós, Santini. Deus isto, Deus aquilo, lições de moral para aqui e para acolá, e acabam por ser todos a mesma merda.

Rafael não respondeu. Não adiantava argumentar com Cavalcanti. O inspector estava lançado e, além disso, tinha alguma razão, se não na forma, no conteúdo. Pensou em Sarah e em Niklas e em como estariam.

– Não importa quem é que tem a culpa do quê – acabou por dizer Nicole, com os olhos vermelhos do choro, tentando recompor-se o melhor possível. – O que é que podemos fazer pelo meu filho?

– Exactamente – ouviu-se a voz do embaixador dizer. – É preciso tomar providências, o prazo está a terminar.

Klaus entrou no salão, seguido por dois agentes fardados da Bundespolizei e os dois homens do BND que se voltaram a encostar à parede, ao lado da lareira. Nicole fitou o marido que se dirigiu para ela e a abraçou.

– Calma, querida. Tudo se resolverá. Vamos ultrapassar isto – disse o embaixador, olhando para Rafael.

Lá fora, despontava uma ténue claridade que, em breve, revelaria os primeiros lampejos solares. O movimento rodoviário já parecia o do sol alto, com carros, carrinhas, motocicletas, autocarros, camiões a percorrerem a congestionada rua, nos dois sentidos. Roma podia parecer caótica mas não era. Apenas sofria do mal latino, cujo feitio extrapolava a península e se espalhava pelo Sul do continente, de querer levar o carro até à porta do destino e não conceber sequer outra solução.

– Falei com o Secretário de Estado – revelou o embaixador com um ar austero.

– Confirmou o que lhe transmiti?

– Confirmou e confidenciou ainda que o senhor padre é uma peça chave neste caso e tem colocado entraves à sua resolução – acrescentou o embaixador, fitando-o irado.

Nicole levantou-se e fitou Rafael, enfurecida.

– O que é que queres dizer com isso?

– Que só o senhor padre pode fornecer o resgate e não manifestou vontade em fazê-lo.

Rafael sorriu. Aquela resposta por parte do Cardeal Secretário de Estado não era de admirar. Não ocuparia o lugar se não tivesse aquela capacidade inata de tornar verdade inteira apenas o parcial. Era certo que Rafael não colaborara, pelo menos na parte que era do conhecimento do piemontês, mas sabia muito bem que também não era intenção deles colaborar com os raptores. Sim, o Secretariado queria a Anna, mas não para negociar. Acabariam com ela. Os inescrupulosos terroristas que cativaram Niklas podiam barafustar e tornar público o seu objectivo, mas a Santa Sé nunca poderia entregar aquilo que não existia. Anna Lehnert na mão deles nunca seria *moeda de troca*, deixaria de existir, pura e simplesmente. Claro que o Cardeal Secretário de Estado ocultou essa parte ao embaixador.

– O que é que o meu marido está a insinuar? – perguntou Nicole a Rafael, com uma atitude ameaçadora.

– Sim, o que é que o senhor embaixador quer dizer? – Foi a vez de Cavalcanti perguntar, completamente confuso com tudo o que estava a acontecer naquele salão.

– Quer dizer que não fez as perguntas certas e obteve as informações que lhe entenderam dar, completamente fora de contexto – respondeu Rafael, enigmaticamente. – É verdade que eu tenho acesso ao resgate. Trata-se de uma pessoa, caso estejam interessados em saber e o Secretário de Estado não tenha providenciado esse pormenor ao *senhor embaixador* – continuou, enfatizando a função de Klaus. – É verdade que tenho acesso exclusivo à *moeda de troca*, mais ninguém tem e assim se irá manter.

– Até quando, Rafael? – perguntou Nicole, desesperada, o olhar marejado a clamar por piedade. – Até quando vais brincar com a vida do meu filho?

O padre fez um trejeito negativo com a cabeça como se os presentes não soubessem o que estavam a dizer. E não sabiam.

– O que Sua Eminência, porventura, se terá esquecido de mencionar é que nem ele, nem o Secretariado que chefia pretendem negociar. Eles querem saber a localização da *moeda de troca* para a eliminarem.

– Defina *eliminarem* – pediu o embaixador, intrigado.

– Matá-la, assassiná-la, aniquilá-la, tirá-la do mapa... escolha qualquer uma.

– E o que ganham com isso?

Rafael respirou fundo. Para prosseguir aquela conversa teria de enveredar por caminhos que não podia seguir estando na presença de Cavalcanti, que apenas sabia da missa a metade.

– Eliminando a *moeda de troca*, deixa de existir o que trocar – explicou o padre evasivo. – Deixa de haver o que negociar.

– Compreendi, mas por que razão fariam isso? – quis saber o embaixador, nitidamente descrente naquela versão que o padre lhe apresentava.

Rafael optou por ser mais contundente, medindo, contudo, o que podia dizer... para bem de todos.

– Se alguém desconhecido se dá ao trabalho de raptar um padre, não importa qual, e, em troca da libertação, não exige dinheiro, mas antes uma outra pessoa, é porque ela é importante, certo?

– E quem é essa pessoa? – perguntou Nicole cada vez mais nervosa e com o coração apertado.

– Chama-se Anna – indicou o inspector romano.

– E o que torna essa Anna tão especial ao ponto de raptarem o meu filho para a poderem ter em seu poder? – perguntou o embaixador.

– Não precisam de saber por que razão, mas é importante, garanto-vos. – Mais directo não podia ser, ainda que pouco explícito.

O embaixador consultou o relógio e suspirou. O tempo urgia e o seu tiquetaque sentenciava a vida de Niklas, o seu filho.

– Falta pouco mais de uma hora para o fim do prazo que os raptores estabeleceram. É tempo de agir e não de conversar.

– Concordo – assentiu Rafael.

Klaus fez um gesto com a cabeça aos dois elementos da Bundespolizei que se acercaram de Rafael, um pela frente, outro por trás.

– Por favor, não resista, padre Rafael – pediu o embaixador, ainda que parecesse uma ordem.

Rafael não resistiu. Em poucos segundos, estava manietado com as mãos atrás das costas.

– O que é que os senhores pensam que estão a fazer? – inquiriu Cavalcanti, que não podia permitir aquilo.

– Estamos em território alemão, inspector – explicou o embaixador. – As suas leis não se aplicam aqui. – Virou-se para Rafael. – Está a chegar, a qualquer momento, um representante da Santa Sé e, depois, o senhor padre irá connosco buscar o resgate... a bem ou a mal.

O som do toque de um telemóvel começou a soar, abafado por algum bolso onde estava enfiado. Parecia destoar da solenidade do salão, como se um Sohn, um Füger, dois Nauen e dois Quaglio não tivessem de testemunhar tal alarvidade sonora, e também da tensão que toldava o ambiente.

Depressa perceberam que o som estridente provinha do bolso do casaco do padre, que era o único que não tinha as mãos livres para atender. Foi o embaixador quem, sem cerimónias, tirou o aparelho do bolso de Rafael e atendeu, como se a chamada fosse para ele.

– Quem fala? – perguntou em italiano, e fez uma pausa para escutar. – O padre Rafael não pode atender neste momento. O meu nome é Klaus. Posso perguntar o que deseja dele? – Nova pausa, esta mais longa. – *Ja. Ja. In Ordnung* – disse em alemão, exasperado. – Só um momento.

Tirou o aparelho do ouvido e pressionou umas teclas à procura do alta--voz. Quando o encontrou, aproximou-o do padre.

– O padre Rafael pode ouvi-lo neste momento. Faça favor de falar. – Baixou a voz. – É um tal Pedro.

– *Padre. Padre!?* – A voz evidenciava ansiedade e desespero.

– Sim, Pedro. Estou a ouvir-te. O que se passa?

– *Eles... eles levaram-na.*

Rafael fechou os olhos. Não era aquilo que ele queria ouvir.

– Eles quem, Pedro?

– *Não... não sei. Ouvi a porta a fechar-se e levantei-me e... a Mandi tinha desaparecido.*

– Os seguranças? – perguntou, antevendo a resposta.

Pedro não respondeu logo como se tivesse medo do que teria de proferir.

– Os seguranças, Pedro?

– *Mor... mortos.*

– Quantos são?

– *Ah?* – Não entendera a pergunta.

– Quantos seguranças estão mortos?

– *Todos. São dois. E agora, padre?*

– Escuta o que te vou dizer, Pedro. Acalma-te. A polícia italiana estará aí daqui a pouco. Não chames ninguém da Gendarmaria do Vaticano, entendido?

Silêncio do outro lado da linha.

– Percebeste o que te acabei de dizer, Pedro?

A voz de Pedro mostrava que ele continuava alarmado e em pânico.

– *Sim. Não chamar a Gendarmaria do Vaticano e esperar pela polícia.*

– Isso. Estou com o inspector da polícia e ele vai já enviar alguém para a Via della Traspontina.

Ao ouvir as palavras de Rafael, Cavalcanti pegou imediatamente no seu telemóvel. Mais duas mortes e, desta vez, o Vaticano não podia interferir. Não havia extraterritorialidade na morada que Rafael mencionara, apesar de ficar bem perto da porta de Santa Anna.

– *Deixaram um bilhete para si* – informou Pedro com a voz embargada pelo excesso de preocupação.

Rafael olhou ao redor inseguro. Tinha de arriscar.

– Podes ler-mo?

– *Já temos a filha, só falta a mãe, padre Rafael. Praça de São Pedro, junto ao Obelisco do Vaticano. Oito horas* – leu Pedro, entrecortando palavras com os nervos e os tremores. – *O que quer dizer isto?*

– Acalma-te – pediu o padre. – Espera pela polícia. Eles saberão o que fazer.

– *E quanto à Mandi?* – quis saber, desesperado.

– Não te preocupes, Pedro. Eu trato do assunto – respondeu, como se não estivesse algemado nem detido no salão da embaixada da Alemanha em Roma.

55

Niklas sentou-se na cama que estava encostada a uma das paredes da cela. Só tinha a armação e o colchão, não tinha lençóis, pois sabiam os mais experimentados profissionais da área que não se podia dar aos cativos nenhuma hipótese de evasão, nem sequer para o além. O espaço era pequeno para os três prisioneiros, proporcionando, pelo menos no jovem padre, uma desconfortável sensação claustrofóbica. As gotículas que se colavam à testa e aos ombros denunciavam os suores frios que sentia, misturados com os calafrios nervosos, a ansiedade e o medo.

Mandi? Esse era um dos nomes de que a jornalista lhe falara. Anna e Mandi. E também dissera que conhecia o pai que ele procurava há anos e nunca conseguira encontrar.

Mandi continuava sentada no chão, abatida, com medo de tudo e de todos. Sarah confortava-a o melhor que podia.

– Venha sentar-se na cama – sugeriu a jornalista com uma voz terna e, ao mesmo tempo, decidida. Não estava ali para lhe fazer mal e era bom que ela o soubesse. – É mais confortável que o chão frio, apesar de tudo.

Mandi observou a cama e a pequena cela, durante alguns instantes. A luz fraca da lâmpada imunda que pendia do tecto provia iluminação suficiente para que nada ficasse imerso pela penumbra. Quem seriam aqueles dois? Seriam vítimas da mesma maldade que lhe tinham feito? Por que razão partilhavam o cativeiro com ela? Se bem que, na sua realidade, aquela fosse apenas mais uma forma de prisão, ligeiramente diferente daquela a que estava habituada, há vinte e nove anos, só por ter escutado um telefonema... Decidiu aceitar a sugestão de Sarah e sentar-se na cama, ao lado do rapaz nervoso e de olhar desconfiado que partilhava a cela com elas.

– O seu nome é mesmo Mandi? – perguntou o rapaz, como se a pergunta queimasse e tivesse de se livrar dela rapidamente.

A recém-chegada fez que sim com a cabeça.

Sarah observou-a com discrição, para não levantar suspeitas infundadas. Aparentava ser mais velha do que ela, talvez na casa dos 40 anos, rugas de sofrimento marcadas no rosto. Arrepiou-se com o olhar amargurado da mulher. Parecia o de quem há muito perdera a vontade de viver e apenas se limitava a aguardar a sua hora, que podia ser naquela noite ou noutra qualquer.

– Sabe porque está aqui? – perguntou o padre.

Mandi voltou a responder com um aceno de cabeça.

– Vocês sabem?

Niklas respondeu da mesma forma que ela, com um meneio ausente, de um lado para outro, um não.

– Acho que é por sua causa – contrapôs Sarah. Não era hora para rodeios nem hipocrisias.

Mandi olhou-a com espanto estampado no rosto.

– Por minha causa? – não podia crer. Que queria aquela mulher dizer com aquilo?

– Sim. Por sua causa. Já ouviu falar em Pio XII, em Pasqualina, em Anna P?

Niklas estranhou que Sarah estivesse sempre a repetir aqueles nomes. Anna, Mandi, e agora Pasqualina e Pio XII. Que teria o Santo Padre a ver com esta história e porque é que a jornalista insistia tanto?

– Não sabemos o que vão fazer connosco, mas o mais provável é que nos matem. Eu não quero morrer sem saber porquê – disse Sarah.

– Quem é que vos contou da Anna? – perguntou Mandi, com uma voz sumida. A mulher tinha razão. Quanto mais soubessem melhor. Também queria compreender o que se estava a passar, e calados não iriam a lado nenhum.

– Um padre no Colégio dos Relatores da Congregação para a Causa dos Santos – confidenciou Sarah.

– Continuam com a ideia de canonizar Pio XII, não é? – perguntou Mandi. – Isto é tudo por causa disso. Porque é que não desistem dessa ideia de uma vez por todas?

– Porquê? – quis saber Niklas.

Mandi não respondeu logo. Manteve-se com uma postura pensativa como se estivesse a ponderar os prós e os contras de dizer o que o coração queria gritar ao mundo, deitar para fora todos os segredos que fora obrigada a guardar durante quase trinta anos, prescindindo dos sonhos, dos amores, da vida.

– A Anna é a minha mãe biológica – explicou Mandi. – O Eugenio e a Josefina, que vocês conhecem como Pio XII e como Pasqualina, eram os meus... avós maternos.

Sarah e Niklas ficaram pasmados a olhar para Mandi, incrédulos. As suas mentes balbuciavam perguntas que não conseguiram verbalizar, tal o espanto que a revelação lhes provocou. Era algo que nunca lhes tinha passado pela cabeça. Um Papa e uma freira, que viveram na primeira metade do século XX, tiveram um filho? Sarah só se conseguia lembrar de Alexandre VI, o Papa Bórgia, pai de três rapazes e uma rapariga, com a diferença que os tivera antes do papado, ainda que isso não o desculpasse. Niklas conseguia acrescentar um Júlio II, um Paulo III, entre outros que não importava nomear mas... Pio XII? Nunca imaginara tal cenário. Entendia que se esta história caísse nas mãos erradas seria um descalabro. A já muito maculada imagem de Pio XII nunca recuperaria deste escândalo, mas continuava a não conseguir perceber o que é que ele tinha a ver com isso.

Foi a vez de Sarah se sentar, ao lado de Mandi, afogueada, com as bochechas coradas pelo calor que sentira de repente.

– Por que razão usou a expressão *mãe biológica*?

Mandi encolheu os ombros.

– É uma história muito complicada.

– Posso presumir que não foi a Anna quem a criou?

– É a sina das mulheres da minha família – confidenciou Mandi, resignada. – Nunca puderam criar as filhas. Foram sempre obrigadas a vê-las à distância, sem lhes poder tocar, sem as poder abraçar e beijar. – Os olhos marejaram-se-lhe. – Sem uma carícia ou um sorriso. Foi por isso que não tive filhos.

Revelava uma amargura colada às palavras, uma revolta interior, uma frustração velada. Uma resignação forçada. Mandi não era uma mulher, era um escombro, uma réstia de vida que nunca chegara a ser.

– As mulheres da minha família sempre viveram vidas de servidão e penitência. Cumpriram penas perpétuas sem acusação nem julgamento, condenadas pelo simples facto de existirem. Custaria menos matar-nos à nascença, digo eu – proferiu Mandi com uma expressão ausente como se estivesse a contar uma história que não era a dela, a buscar memórias que não lhe pertenciam. – Como se essa punição não bastasse, Deus abençoou-as com vidas longas. A minha avó viveu 89 anos. A minha mãe vai fazer 82. Eu nunca estive doente. Até aos 15 anos tive pai e mãe perfeitamente normais até que... a minha vida acabou – disse com muito pesar.

– O que é que isso quer dizer? – perguntou Sarah

– Que descobriu a verdade – explicou Niklas com um olhar condescendente.

Niklas entendia muito bem o que Mandi passara. Talvez por isso lhe tivesse dado a mão num gesto fraternal. Viver uma realidade que não passava de uma encenação para depois descobrir que a família, que tinha como valor assegurado, não era aquilo em que sempre acreditara. O pai não era o verdadeiro pai. Para Mandi fora ainda pior. Nem o pai nem a mãe que conhecera lhe pertenciam. Eram apenas boas pessoas a desempenhar um papel que lhes tinha sido pedido.

– E quem eram eles? – perguntou Sarah.

Mandi respirou fundo.

– Por incrível que possa parecer, a minha avó foi engenhosa e conseguiu esconder do meu avô a filha que tiveram, mesmo debaixo das barbas dele. Apesar de todo o amor que sentia por ele, sabia que ninguém no seio da Igreja aceitaria. Por isso entregou-a a um casal de funcionários do Vaticano. Assim, tê-la-ia sempre debaixo de olho. Foi criada com os filhos deles como se fosse mais uma. O meu avô chegou a vê-la e a falar com ela. – Sorriu ao imaginar a cena. – Ambos desconhecendo quem realmente eram. Quando a minha mãe engravidou quis manter o segredo, mas o irmão adoptivo dela, o Ercole, soube e não ficou calado. – Mandi ficou em silêncio durante alguns momentos. – O Cardeal Secretário de Estado da altura decidiu afastar a minha mãe de Roma e manteve-me sob a tutela de Ercole, que foi o meu pai até aos 15 anos. Não desejo a ninguém o que os meus tios adoptivos passaram também.

– O que é que aconteceu aos 15 anos? – quis saber Sarah.

Mandi não respondeu logo. Reviu primeiro a cena, na sua própria cabeça, que há vinte e nove anos mudara a sua vida para sempre, a chegada extemporânea a casa da escola de música, a perspectiva de um *part-time* a vender produtos de beleza de uma marca conceituada, o silêncio das divisões vazias de gente e depois os gritos abafados. Buscou-os lentamente, pé ante pé, cada vez mais audíveis. Provinham do corredor e eram do pai que berrava para o telefone. *Faremos como ordenou o Cardeal Secretário de Estado.* Viu o pai levantar uma mão e bater com ela na parede, encolerizado. *Não voltes a proferir isso em voz alta. A Mandi nunca poderá saber quem são os pais dela, ouviste? Nunca.*

O coração apertou-se-lhe no peito com a aflição quando ouviu o pai pronunciar aquelas palavras. O resto ruiu quando se viu a dar um passo em frente e revelar a sua presença. O pai fitou-a incrédulo sem conseguir esconder a inquietação que sentia.

– A curiosidade levou a melhor e acabei por exigir respostas para as quais não estava preparada – confessou Mandi.

Aquela que conhecia como a tia Anna, uma mulher azeda que raramente aparecia, a não ser em algumas visitas fugazes nas ceias de Natal e com quem mal falara, afinal não era tia nenhuma. Era… a sua mãe. Que tumulto aquela revelação causou na sua mente.

– A minha vida nunca mais foi a mesma.

Niklas não podia crer naquilo que ouvira. Aqueles nomes que Sarah mencionara tinham agora espessura, aquele depoimento tornava reais as pessoas que antes não passavam de meros nomes. Sarah colocou o braço ao redor dos ombros de Mandi num abraço fraterno e sentido. Deixou cair uma lágrima dos olhos chorosos que denunciavam que o que ouvira não lhe fora indiferente, tocara-lhe no âmago. Estava na presença de uma das três mulheres que se haviam sacrificado em nome de… Deus? Jesus? Homens? Nem ela compreendia a quem servia aquela oblação com mais de oitenta anos, e que tantas vítimas fez pelo caminho. Para quê? Perguntava-se. De certa forma, e salvas as devidas comparações, em nada equiparáveis às de Mandi e da mãe e da avó, Sarah também era uma vítima desta Igreja egoísta e oportunista, disposta a tudo em nome da sobrevivência. Há seis anos que não fazia mais nada a não ser esquivar-se às balas.

Desde Jesus e a ligação Dele à Igreja Católica, com fraca comprovação histórica e que muitos tentavam desmascarar, passando pela morte do Papa João Paulo I e até ao Papa João Paulo II, muitas eram as histórias mal contadas. Agora era a vez de sofrer na pele por algo que Pio XII, de quem sabia muito pouco, fizera há muito tempo. Desejava sinceramente não voltar a ser apanhada num turbilhão como aquele em que se encontrava. Infelizmente, os cordéis com que a Igreja embrulhava os seus problemas rebentavam sempre do lado mais fraco. Queria culpar alguém. Pensou em Rafael, mas, por ele, ela estaria a caminho de Londres, quiçá já na cama em Chelsea. Quando é que teria um momento de paz?

Todos estavam entregues aos seus pensamentos e às suas dores quando um estalido na porta lhes chamou a atenção. O medo tomou conta deles e a cada estalido da fechadura a ansiedade aumentava, provocando-lhes calafrios e suores frios. De repente o ruído cessou e nada aconteceu. Ficaram em suspenso, sem fazer retomar o torvelinho ruidoso dos pensamentos em que se tinham afundado antes do primeiro estalido. Passaram uns instantes. Uma eternidade. A aflição manteve-os alerta, preparados para o pior... Até que a porta se abriu.

56

– Ele não está no Vaticano – avisou Girolamo, agastado. – Solicitou um carro à garagem há cerca de uma hora e meia, logo depois de ter reunido comigo.

– Quem foi o motorista designado? – perguntou o Cardeal Secretário de Estado com uma expressão esperançosa.

– O monsenhor dispensou motorista. Saiu pela porta da Sant'Anna às cinco e meia.

– Raios! – o piemontês bateu com o punho na sua própria coxa. – Onde é que ele terá ido?

– Dei a matrícula da viatura aos colegas da Polizia Stradale. Se alguém a encontrar saberemos.

O carro seguia o trânsito matinal, ordeiramente. Os vidros fumados não deixavam entrever os quatro passageiros que o ocupavam, mais o motorista, que vestia um uniforme cinzento-escuro, e seguia em direcção à morada indicada. O calculismo era apanágio da Santa Sé desde há séculos. Se a ocasião fosse outra, o Cardeal Secretário de Estado teria solicitado às autoridades italianas um grupo de escolta para abrir caminho pelas congestionadas vias romanas, mas o tempo escasseava e era necessário anonimato, daí que a escolta se resumisse a apenas uma viatura que seguia atrás com quatro guardas suíços, atentos a qualquer movimento. Poder-se-ia pensar que tal protecção era desnecessária, mas o Secretário de Estado não podia nunca sair sem ela, por razões de segurança e assédio jornalístico. Curiosamente, o Vaticano era vítima permanente de um grupo de fotógrafos, estrategicamente colocados em todas as portas de acesso ao Estado, e que fotografavam quem entrava e saía. Quando o alvo da objectiva era relevante seguiam-no em motos para conhecer o destino. O nome desses fotógrafos habilidosos que pairavam sobre as presas, segundo a Santa Sé, era *Vaticano Papparazzi*. Talvez por terem deixado o pequeno Estado muito cedo, ninguém testemunhou a saída do Mercedes e do Volvo que seguia logo atrás.

Tarcisio consultou o relógio de ouro que trazia no pulso. O tempo urgia. O prazo estava a terminar. Pouco mais de uma hora e tanta coisa fora do controlo.

– Porque é que o Rafael fez isto? – perguntou Tarcisio, consumido. – Não havia necessidade.

– Provavelmente criou laços de afecto com a mulher – sugeriu Federico, que também seguia no banco de trás. – Tem de haver uma explicação.

O Cardeal Secretário inclinou-se para a frente, para Guillermo, que ocupava o banco da frente, ao lado do motorista.

– Isso é possível, Tomasini?

– Possível é, Eminência. Provável? Não. Os meus homens cumprem ordens. Se o Rafael não o fez alguma razão o levou a isso.

– Os teus homens cumprem ordens – repetiu Girolamo com sarcasmo. – Se não fosse por esse *cumprimento* dos teus homens, não estávamos aqui. Falhou duas ordens directas. Trazer-nos a *moeda de troca* e tratar do jornalista.

Guillermo virou-se para trás, à procura dos olhos do Secretário.

– Não sei o que aconteceu. Mas ele tem muitas razões para não confiar em nós. Além disso, acho que não conhecemos a história toda. Há muita coisa que nos está a escapar.

– O que queres dizer com isso? – perguntou Federico.

– É uma questão de análise. Nos últimos dois dias sofremos ataques incisivos, possivelmente planeados até ao mínimo detalhe. Eliminaram três relatores que, por coincidência, se desejarmos acreditar nisso, estavam a trabalhar no mesmo assunto.

– Alguém sabe alguma coisa do Gumpel? – interrompeu o Secretário que, de súbito, se lembrara do chefe dos relatores.

– Não atendeu nenhuma das nossas chamadas – informou Girolamo. – E não está em nenhum dos endereços que lhe conhecemos. Só se estiver em algum não registado.

Tarcisio e Federico respiraram fundo. Os danos ainda estavam a acontecer. Faltava pouco tempo para o final do prazo e ninguém era capaz de saber o que aconteceria quando este chegasse. Se Rafael tivesse colaborado um pouco, não tinham com o que se preocupar. Lidariam apenas com o trágico desaparecimento de um jovem padre alemão, filho de um diplomata. Talvez até conseguissem inculpar o embaixador. Mas para isso era premente que a *moeda de troca* deixasse de o ser e... desparecesse de uma vez por todas.

– Acham que o Gumpel também...

Tarcisio deixou a pergunta em suspenso à espera que alguém respondesse.

– Acho que se alguma coisa aconteceu com o padre Gumpel, sabê-lo-emos muito em breve. Eles têm sido expeditos a informar toda a gente das suas acções – referiu o intendente da Gendarmaria.

– E depois, do nada, temos o rapto do padre Niklas – continuou Guillermo como se não tivesse sido interrompido. – Filho do embaixador alemão; mas que ligação tem ele com os outros? – Parecia estar a falar mais para si do que para os restantes passageiros do carro, como se estivesse a analisar os acontecimentos em voz alta.

– Era acólito do padre Luka – explicou Girolamo. – Provavelmente tinha acesso a informação privilegiada.

– Pois – concordou Federico.

Guillermo fez que não com a cabeça numa postura pensativa e voltou a olhar para a frente.

– Então por que motivo não o mataram também? É isso que não percebo.

A viatura virou para a Via Maria Adelaide e depois seguiu pela Viale del Muro Torto até chegar ao Corso D'Italia. O trânsito aumentava a cada minuto que passava ou não fosse Roma uma cidade que acordava cedo.

– Qual é a complicação, Tomasini? É muito simples. Raptaram o rapaz para ter ascendência sobre nós. Mas em breve vão descobrir que não negociamos com terroristas – argumentou Girolamo.

O homem da espionagem não respondeu logo. Ordenava as informações mentalmente como se estivesse a montar um puzzle ao qual faltavam peças.

– Todos os raptos são iguais. Há um alvo que é aprisionado para ser trocado por alguma coisa.

– Não precisas de me explicar as regras do…

– Há sempre um prazo – prosseguiu Guillermo, ignorando a intromissão extemporânea do intendente. – E até que esse prazo expire os raptores mantêm-se quietos, à espera. Não é o que se está a passar aqui.

– Explica-te, Tomasini – pediu Tarcisio, visivelmente intrigado com a observação de Guillermo.

Guillermo tornou a virar-se para trás.

– Este caso foi sempre unilateral. Eles entraram em contacto connosco mas nós não temos forma de lhes responder. O resgate chegou ao Secretariado há dois dias, através de um *post-it* que encontrámos colado num confessionário da Basílica de Sant'Andrea. Mataram duas pessoas. Não era necessário fazer mais nada. Isso foi mais do que suficiente para percebermos que estavam a falar a sério. Independentemente da nossa reacção, eles continuaram. Bertram, Duválio… Como se uma coisa não dependesse da outra. Um, o rapto para entregarmos a *moeda de troca*. Dois, uma eliminação planeada dos relatores.

Os três homens do banco de trás escutaram as palavras de Guillermo com atenção. Para Federico e o Cardeal Secretário de Estado, a tese do homem da espionagem fazia sentido.

– Precisamos de encontrar o Gumpel – disse Tarcisio, com firmeza, para Girolamo. Virou-se para Federico. – Temos de analisar o trabalho dos relatores. O que quer que eles tenham feito chateou alguém.

– Ao ponto de os matar – acrescentou o porta-voz.

– Eles nunca demonstraram qualquer preocupação em relação ao resgate – declarou Guillermo.

– Como assim?

– Limitaram-se a deixar bilhetes nos locais do crime. Primeiro, na basílica. Depois, Arturo ligou-me antes de se ter ido juntar a Davide e disse-me que também havia um na Via Tuscolana. O Rafael tinha um no Palácio das Congregações… Em nenhum momento se preocuparam em saber se a mensagem tinha chegado ao nosso conhecimento.

– E o que é que concluis disso? – perguntou Girolamo em jeito provocador.

– Posso estar enganado, mas acho que as mensagens nunca foram para nós.

– Estás doido? Deixaram uma pilha de mortos espalhados pela cidade – contestou o intendente. – Isto é um ataque à Igreja.

O Secretário matutava nas posições opostas dos seus homens, a tentar decidir-se sobre quem estaria correcto. O carro meteu pela Viale del Castro Pretorio e a seguir guinou à direita e parou alguns metros mais à frente. Tinham chegado ao destino. As portas abriram-se mas ninguém saiu.

– O Girolamo tem razão. Estamos a ser atacados.

Guillermo saiu do carro e olhou para o relógio. Eram sete horas.

– Daqui a uma hora veremos – murmurou.

O intendente pegou no telemóvel, premiu algumas teclas e afastou-se do grupo, enquanto levou o aparelho ao ouvido. Poucos segundos depois a chamada completou-se.

– Preciso que encontrem o secretário do Papa – murmurou em voz baixa. – Sim, o Giorgio. – Uma pausa para o interlocutor responder à ordem. – Quando o apanharem, tragam-no até mim.

57

– Já chegaram, senhor embaixador – comunicou em alemão um dos homens do BND encostados à parede ao lado da lareira e do Füger, numa voz maquinal.

– Encaminhem-nos aqui para o salão, imediatamente – ordenou Klaus, acercando-se de Rafael.

O homem da secreta levou a mão à boca e disse qualquer coisa em voz baixa, inaudível, para o microfone que tinha debaixo da manga do casaco.

– Agora nós, senhor padre – disse o embaixador. – Não vou perder tempo a discutir o telefonema que recebeu. Só me importa o meu filho Niklas. Vou explicar-lhe, sem rodeios, o que vai acontecer. Vamos escoltá--lo, pessoalmente, ao endereço onde está essa pessoa que os raptores exigiram e vamos levá-la à Praça de São Pedro, sem manobras de diversão nem conspirações. Vamos cumprir à risca o pedido de resgate.

Klaus esperava uma resposta mas Rafael não a deu. Era uma forma de retribuir as algemas que, tão gentilmente, lhe prendiam as mãos atrás das costas, como se fosse um criminoso recluso à espera de julgamento pelos seus crimes. *Não te vingarás*, diria Deus como um mandamento, mas Rafael não pertencia à classe divina. Espalhava a Sua palavra, era certo, mas não preconizava a perfeição. Antes pelo contrário.

– Entendeu tudo o que eu disse? – perguntou o embaixador com a sua voz tonitruante que disfarçava o receio da resposta.

– Perfeitamente.

– Vais fazer isso, Rafael? – perguntou Nicole, com os olhos inchados do choro. – Vais fazer isso pelo Niklas?

Rafael esboçou um curto sorriso cordial.

– Não – respondeu o padre sem desfazer o sorriso nos lábios.

A voz de Rafael confundiu-se com a de Girolamo, que acabava de entrar no salão, ao lado do Cardeal Secretário de Estado, do porta-voz do Vaticano e de Guillermo, e dissera exactamente a mesma coisa.

O embaixador encaminhou-se para receber o número dois da Igreja Católica Apostólica Romana, número um, segundo mentes mais ousadas, e inclinou-se para beijar o anel na mão que Tarcisio estendeu.

– Eminência. Não o esperava – confidenciou Klaus, completamente surpreendido pela presença do Cardeal. Não imaginara que o representante fosse tão alta figura.

– Não podemos deixar os nossos filhos nas horas más. Isso não é cristão e muito menos católico.

Nicole levantou-se da cadeira onde estava e prostrou-se aos pés do piemontês numa atitude de total abnegação.

– Salve o meu filho, por favor, Eminência. Salve o meu filho – repetiu a embaixatriz, desesperada.

O Cardeal abaixou-se o máximo que os ossos permitiram e afagou-lhe os cabelos loiros.

– É para isso que aqui estamos, minha filha – proferiu numa voz baixa e apaziguadora, muito segura do que dizia.

Nicole levantou-se e começou a beijar-lhe incessantemente a mão onde tinha o anel, até que ele a afastou, o mais gentilmente possível.

O Cardeal consultou o seu relógio e olhou em redor para os presentes naquele salão faustoso e, ao mesmo tempo, aconchegante.

– Temos menos de uma hora para o fim do prazo. Há vidas humanas em risco. – Virou-se para Girolamo. – Este é o intendente da Gendarmaria Vaticana, Girolamo Comte. A partir daqui é ele que lidera as operações.

– Muito bem, Eminência. Meus senhores, temos um prazo apertado para cumprir. – Acercou-se ameaçadoramente de Rafael e fitou-o nos olhos. – Mas vamos cumpri-lo.

– Alto lá – interrompeu Cavalcanti, que não conseguiu conter mais o silêncio, especialmente na frente dos recém-chegados. – Estamos em território alemão. Se o embaixador entregar essa soberania, terá de o fazer a mim. Rafael é meu detido.

Girolamo ficou especado a olhar para o inspector italiano e depois para o embaixador.

– Não vão agora prender-se com burocracias nem jurisdições, pois não? É o meu filho – disse Nicole irritada.

– Calma, querida – pediu Klaus, abraçando-a. – Eu não entreguei a soberania alemã a ninguém. Nem o podia fazer, ela é intransmissível. Simplesmente pedi colaboração às autoridades da Santa Sé. E assim será.

Cavalcanti sentiu-se encurralado. Estavam todos feitos uns com os outros. Mais uma vez fora entalado pelos papa-hóstias, como ele lhes chamava. Vários vitupérios se seguiram na catadupa de adjectivos e predicados mentais que passaram pela cabeça do inspector indignado, mas não disse nenhum em voz alta.

Para Girolamo aquelas palavras eram mais que suficientes.

– Compreendido, senhor embaixador. – Virou-se para Cavalcanti com um ar sobranceiro. – Para além disso, a detenção do padre Rafael resultou de uma ilegalidade, portanto... – Para bom entendedor não havia necessidade de dar mais instruções.

– O que é que vão fazer? – perguntou Nicole com o coração nas mãos.

– Nós tratamos de tudo. O padre Rafael vai levar-nos ao endereço da *moeda de troca* e depois seguimos para o local indicado pelos raptores. A partir daí esperaremos por novas instruções. Faremos tudo com muita calma para não colocarmos a vida do seu filho em risco. Pode ficar tranquila. Tem a minha palavra.

– Quero que os meus agentes vos acompanhem.

– Não há necessidade – arguiu Girolamo.

– Insisto – declarou o embaixador, irredutível. – Quero alguém da embaixada sempre convosco. Uma parceria é assim que funciona.

Girolamo fitou o Cardeal Secretário de Estado, que fez um meneio quase imperceptível com a cabeça em jeito de aceitação.

– Perfeitamente, senhor embaixador – acedeu Girolamo. – O Federico é o porta-voz do Vaticano. As comunicações, se as houver, vão passar todas por ele e só por ele.

O embaixador concordou. Para ele também era importante que nada daquilo vertesse para a opinião pública ou, no caso de ser inevitável, que o fosse por alguém perfeitamente habituado e o fizesse sem causar grandes danos.

– Estamos prontos, meus senhores? – perguntou Girolamo.

– Eu também vou convosco – informou Cavalcanti. – Chamemos-lhe uma parceria entre as polícias alemã, italiana e da Santa Sé.

– Impensável, Cavalcanti – recusou o intendente.

– Vocês é que sabem – disse o inspector com um ar inocente. – Assim que puserem o pé na rua os vossos coiros serão todos meus e acreditem que posso fazer com eles o que eu quiser.

– Posso ligar ao Amadeo – ameaçou Girolamo, impaciente. Aquele inspector irritava-o sobremaneira. – De certeza que ele te acaba com as manias.

– Até que ele chegue ou eu lhe atenda o telefone vai levar bem mais de uma hora – respondeu Cavalcanti em desafio.

Girolamo respirou fundo. Eram tantos entraves ao que era fácil.

– Não há tempo a perder, Comte. Leva o inspector contigo – interpôs o Cardeal Secretário de Estado. – Eu ficarei com o senhor embaixador e a senhora embaixatriz à espera. – Acercou-se de Rafael com uma postura conciliadora. – Juízo, Rafael. Não te pedimos que colabores connosco, apenas que faças o que está correcto aos olhos de Deus.

O toque de um telemóvel chamou a atenção dos presentes até Cavalcanti se afastar do grupo, levar a mão ao bolso e depois atendê-lo.

– Para onde vamos, Rafael? – perguntou Girolamo, disfarçando o melhor possível a ansiedade que sentia.

– Tirem-me as algemas – pediu o padre com uma voz séria.

Durante uns instantes, avaliaram o pedido, em silêncio, apenas com comprometedoras trocas de olhares. O Cardeal para o embaixador, o embaixador para intendente, o intendente para o Cardeal...

– Tirem-lhe as algemas, por favor – ordenou Girolamo, como se tivesse obtido alguma autorização telepática.

Os agentes da Bundespolizei procuraram a aceitação do embaixador que foi concedida com um simples meneio. Segundos depois, Rafael esfregava os pulsos libertos.

– O meu telemóvel – pediu autoritariamente.

O embaixador hesitou mas acabou por lhe entregar o aparelho. Era o padre quem distribuía as cartas e, pior que tudo, ele tinha noção disso.

Rafael foi rápido a premir nos botões que fariam a chamada chegar ao destino. Faltavam quarenta e cinco minutos para o final do prazo. Mesmo em cima da hora. Não tardou a que a ligação se completasse e o destinatário a atendesse do outro lado.

– Bom dia. Só um momento. – Voltou a premir duas teclas e levou o telemóvel novamente ao ouvido. Aguardou uns instantes sem dizer nada. – Bom dia. Atenção. A *moeda de troca* tem de estar na Praça de São Pedro, junto ao Obelisco do Vaticano, às oito da manhã. Entendido?

Rafael escutou a resposta do outro lado e, satisfeito, desligou.

– Vamos para São Pedro – informou o padre, por fim.

– Podes seguir – disse Girolamo, com um gesto de mão a pedir a Rafael que fosse à frente.

Nicole atravessou-se no caminho do padre e levou-lhe a mão ao rosto.

– Traz-me o Niklas, Rafael – implorou já sem chorar e numa voz sussurrante.

– Não depende de mim, Nicole – explicou o padre. – Mas tudo farei para o trazer para os teus braços com vida.

Os três homens saíram com Cavalcanti, ainda ao telefone, atrás deles, e os agentes da Bundespolizei a fechar o grupo.

O salão ficou mergulhado num silêncio profundo, quebrado apenas pelo Cardeal Secretário de Estado que se ajoelhou a custo e juntou as mãos com um terço que pendia dos dedos.

– Vamos rezar pelo vosso filho.

Na escadaria, Cavalcanti recuperou o atraso e alcançou Rafael, afogueado.

– Já temos informações sobre a ligação para a central. Não sabemos quem ligou, mas sabemos de onde foi feita a chamada – disse o inspector em voz baixa, com um sorriso de triunfo. – Não vais acreditar.

Rafael não olhou para ele. Não havia tempo a perder… e não podia haver falhas.

– Eu também sei de onde ligaram – limitou-se a responder. – E quem fez a chamada.

58

Os dois homens não sabiam o que dizer. Eram revelações a mais, se tal pressuposto existia. Como se não bastasse estarem na presença da filha de um Papa e de uma freira, situação já por si desconcertante, Anna também tinha descendência.

– Se me permite, como é que isso aconteceu? – perguntou Giorgio, o belo, que logo que acabou de proferir as palavras se apercebeu da estranha questão.

– Bem, o senhor é um homem da Igreja mas decerto saberá como acontecem estas coisas.

– A pergunta não foi feliz. Não se sinta obrigada a responder-me. Peço desculpa pela intromissão – desculpou-se o monsenhor.

Anna não respondeu logo. Procurava as palavras certas para explicar o que acontecera. Havia muitas formas de o dizer, mas só uma era verdadeira.

– Não se tratou apenas do cumprimento de um sonho. Foi também um grito de revolta… e um acto de puro egoísmo – começou por dizer, como se estivesse a falar para ela mesma, sem plateia, a confessar os pecados e os arrependimentos.

– O que quer dizer com isso?

Anna parecia hipnotizada, distante, no seu próprio mundo, a rever a sua história, como se estivesse perante o Altíssimo, à espera do Julgamento.

– Procriar não é apenas um direito. Ter um filho exige uma enorme responsabilidade. Deus, ou quem quer que tenha criado este mundo, deu-nos inteligência. E devíamos servir-nos dela para pesar os prós e os contras de ter um filho. Será que temos os meios financeiros, psicológicos, pessoais e familiares necessários para ter um filho? Não importa como estará a nossa situação daqui a cinco ou dez anos, temos apenas em conta a altura em que vamos conceber o nosso filho. Será que teremos como providenciar-lhe tudo aquilo de que necessita ou vamos ter de o colocar a trabalhar para nós mal comece a andar?

Os dois homens escutavam-na embasbacados. Nunca tinham ouvido aquele género de discurso sobre a maternidade.

– O amor é muito importante mas não mata a fome. – As lágrimas escorriam-lhe em torrente. – Esperei muito tempo. Quase até ao limite. Pensar que depois o meu ventre secaria e seria o fim deixava-me angustiada. Para mim era como morrer. – Sorriu por entre lágrimas. – Claro que a nossa mente consegue sempre convencer-nos que aquilo que sabemos estar errado afinal está correcto.

Não adiantava a mãe ter sofrido uma vida inteira em silêncio, reprimindo o amor e o desejo de ser mãe para que nada de mal sucedesse.

– Durante muito tempo pensei que ela apenas o fizera por ele. Somente para lhe preservar a imagem ascética. Mais tarde entendi que o fizera pelos dois. A forma como aquela senhora vestida de freira olhava para mim quando me via fazia sentir-me especial. Coitada. Ela pensava que eu não sabia.

– E quem lhe contou? – quis saber Giorgio.

– Um grande amigo da minha família adoptiva. O cardeal Spellman.

– O cardeal Spellman? O arcebispo de Nova Iorque?

– Esse mesmo. Visitou-me muitas vezes e escrevia-me. Dizia-me sempre que eu era uma mulher muito especial. Sinceramente eu não percebia porquê. Quando o meu pai morreu eu chorei muito sem razão aparente. Uns dias depois do funeral ele contou-me. No início foi um choque muito grande. Senti-me enganada, atraiçoada. Na altura, lembrei-me que quando eu tinha 16 anos a minha família adoptiva foi recebida em audiência pelo Papa, o meu pai. Fiquei muito alegre e ao mesmo tempo muito nervosa. Quando o vi senti-me como se estivesse a olhar para um santo. Muito magro e alto, uma voz cristalina e doce, tão bondoso. Nunca tinha ouvido ninguém falar assim tão bem. Tocou-nos a todos. E a minha mãe estava alguns metros ao lado dele, a observar-me com um enorme sorriso. Vi-lhe os olhos marejados. Ele acariciou-me o cabelo e perguntou-me se cumpria as minhas orações diárias com um sorriso ao mesmo tempo franco e melancólico. Ele carregava a Humanidade nos ombros. Se eu soubesse que ele era meu pai... Ninguém tinha o direito de me esconder isso durante tanto tempo.

– E o que aconteceu depois? – quis saber Jacopo.

– Algumas semanas depois da morte do Papa, em 1958, o cardeal Spellman foi buscar-me. Toda a situação me parecia estranha, mas ele disse-me que não podia continuar ali. Era demasiado perigoso. Providenciara um lugar seguro. Nessa altura começou a minha pena... até hoje.

– E onde ficava esse lugar?

– Já lhe disse. Perto daqui.

– E de onde vinha o perigo? – indagou Giorgio.

– Não sei. Ele disse apenas que a minha mãe já não podia zelar pela minha segurança. Seria ele a fazê-lo a partir daquele momento. Era preciso afastar-me dos abutres esfaimados. Havia muitos à espera. Eu disse que só ia se pudesse falar com a minha mãe.

– E o cardeal Spellman aceitou?

Anna fez um meneio afirmativo. Encontraram-se algumas semanas depois. Pasqualina estava muito nervosa. Foi Anna quem a tranquilizou, e confidenciou-lhe que o segredo que o cardeal americano lhe transmitira ficaria a salvo no silêncio. A freira sorriu e abraçou-a. Conversaram muito, durante horas, e Pasqualina explicou-lhe que não poderia comentar aquilo com ninguém. Queria muito vê-la regularmente mas Spellman não autorizou alegando que era demasiado perigoso.

– Sabiam que a minha mãe foi expulsa do Palácio Apostólico no dia do funeral do meu pai?

– Seguramente não quis ficar – alegou Giorgio.

Anna olhou para ele com bonomia.

– Foi expulsa – afiançou.

Anna procurou entre os cadernos que estavam no interior do baú e tirou um deles. Folheou-o e quando encontrou o que procurava entregou-o ao secretário pontifício. Giorgio leu a passagem que ela lhe indicou. Falava do funeral de Pio XII e de como não pudera velar o corpo dele. Foi autorizada apenas a assistir às exéquias fúnebres, conjuntamente com todos os servi-çais, por detrás de uma coluna atrás do baldaquino da Basílica de São Pedro. Nesse mesmo dia foi ordenada a sua saída com todos os seus haveres, a Gretel, o pintassilgo do defunto Papa, e uma pequena gratificação. Quando acabou de ler, o secretário do Papa percebeu que Anna tinha razão.

– O cardeal Spellman colocou um padre a tomar conta de mim, dia e noite. O Edoardo. Acabámos por envolver-nos. Não foi nada previsto. Apaixonámo-nos. Há coisas na vida que acontecem pura e simplesmente. Ocultámos a nossa relação do cardeal Spellman e quando engravidei vivemos momentos muito difíceis. Edoardo não aguentou e contou ao cardeal o que acontecera, e foi transferido. Nunca mais o vi e ainda hoje não sei para onde ele foi. – Baixou a cabeça com uma expressão amargurada. – Também nunca me voltou a contactar. O irónico da situação é que o cardeal Spellman acabou por morrer em Nova Iorque, no final de 1967. A minha querida Mandi nasceu em 1968. Ele nunca saberia se o Edoardo não lhe tivesse contado. Talvez ele próprio não conseguisse lidar com a culpa. Tiraram-me a minha filha ao fim de seis meses. Veio outro padre substituir o Edoardo. Chamava-se Giovanni. Giovanni Comte. Coitado. Preocupava-se muito comigo. E eu gostava muito dele.

– Esse padre não foi o que morreu atropelado em Verona? – perguntou o secretário papal.

– Foi. Em 1983. A morte dele deixou-me devastada. Tão inesperada e fortuita. Fez-me muita falta. Nesse mesmo ano liguei para o meu irmão adoptivo a exigir-lhe que queria ver a minha Mandi. Que ela merecia saber a verdade. Ele exaltou-se e ela escutou a história toda. Poucos dias depois trouxeram-na para viver comigo. Mais um dano colateral.

– E como foi essa convivência?

– Muito difícil no início. Éramos duas estranhas que partilhavam consanguinidade. Quase duas companheiras de quarto. Nos primeiros 15 anos da vida dela eu não passava da tia que visitava o irmão na véspera de Natal e nem sequer ficava para o almoço do dia seguinte. Ela odiava-me. Eu representava o fim de todos os sonhos. O meu irmão falara com o Papa e ele entendeu que era necessário que a Mandi fosse colocada num local seguro para seu próprio bem. O Giovanni foi uma grande ajuda na nossa convivência porque era a única pessoa com quem ela falava. Mas ele foi-se poucas semanas depois e ficámos apenas eu e ela. Vieram mais padres mas nunca ficavam muito tempo. Acabámos por nos conhecer e criámos laços de cumplicidade. Acho que durante alguns anos fomos mesmo mãe e filha. Só nos tínhamos a nós. Mas a Mandi queria muito viver, sair daquela casa enorme, tirar as grilhetas invisíveis e sonhar. Um dia fugiu.

– Fugiu? – repetiu Giorgio em jeito de pergunta, incrédulo.

– Sim. Quando fez 30 anos. Claro que foi apanhada ao fim de poucos dias. Foi o Rafa que a encontrou. Levou-a para Roma mas não me disse para onde, e depois transferiu-me para aqui. A fuga dela foi vista no Vaticano como potencialmente perigosa, e encarregaram o Rafa de fazer com que a fuga não se repetisse.

– E continua sem saber onde é que ela está?

– O Rafa nunca me disse – respondeu entre lágrimas.

O pranto de Anna encheu a sala e emocionou Jacopo, que sentia um nó sufocante na garganta. Naquela noite escutara um ínfimo testemunho das misérias que arrasavam o mundo.

– A culpa é toda minha. Um filho não é um direito. – Manteve-se em silêncio durante uns segundos. – O meu sentimento em relação ao que fiz é muito ambíguo. Por um lado, não tenho dúvida que foi a melhor coisa que me aconteceu em oitenta e dois anos de vida. Por outro, nunca o devia ter feito. – Calou-se novamente, pensativa. – Odiou-me durante muito tempo. Não a censuro.

– E… porque as separaram? – perguntou Giorgio, a medo, não querendo perturbá-la ainda mais.

Anna encolheu os ombros.

– O Rafa deve ter achado que era o melhor. Ela nunca foi feliz aqui e ele sempre foi um bom coração. Explicou-lhe as condições. Ela aceitou-as… Nunca mais a vi. Perdi-a – disse, resignada pelas areias do tempo. – Espero não morrer sem a voltar a ver.

– A senhora está aqui presa? – perguntou Jacopo.

Reparou na segurança da casa mal chegou, não havia como não reparar. Seguranças, câmaras, sinais intermitentes, mas pensava que era para defender os moradores de hipotéticos ataques exteriores, e não que se tratava, de certa forma, de uma prisão luxuosa.

Anna confirmou com um meneio de cabeça.

– Mas porquê? – perguntou Giorgio.

– Porque é difícil para a filha de um Papa comportar-se em sociedade. Por… castigo… porque é mais seguro assim para o Vaticano. Sempre fui uma espécie de ovelha negra… nunca devia ter nascido – confidenciou enquanto apontava para o baú. – Quero que fique com os diários e que através deles conheça a minha mãe, monsenhor Giorgio.

O secretário do Papa ficou sem resposta. Jacopo fitou a caixa, incrédulo com a oferta. Aquilo era o sonho de qualquer historiador. O relato de uma época na primeira pessoa, a voz de uma protagonista da história, era esplêndido.

O segurança bateu à porta timidamente e avançou devagar.

– Desculpem a interrupção.

– Que se passa, Gustav? – perguntou Anna, ansiosa.

– Já ligou? – quis saber Giorgio, levantando-se.

– Já, Excelência. Chegou a hora.

– Quem é que ligou? – questionou Anna, olhando desorientada para Giorgio e o segurança. – Chegou a hora de quê?

59

O relator estava encostado à cabeceira da cama, com as pernas cobertas pelos cobertores, o cabelo desgrenhado, a testa preenchida com gotículas de suor, uma expressão desorientada, à procura da noção do que se estava a passar.

Aquela posição trazia a JC memórias que estavam afundadas no seu baú mental. Tinham passado mais de três décadas, trinta e quatro anos, para ser preciso, desde que vira um outro homem, também da Igreja, encostado a uma cabeceira da cama, com a cabeça a pender para o lado direito, como Cristo. A diferença era que esse que coabitava nas suas memórias era um Papa e estava morto. Os papéis que lhe colocara na mão e os óculos no rosto haviam de atazaná-lo para sempre, um grave erro de cálculo, que fazia com que aquela noite longínqua nunca o largasse. Não existiam crimes perfeitos nem mortes plácidas. Em nenhum cenário o pontífice largaria o corpo sem deixar cair os papéis que tinha na mão, e os óculos... foram o pior. Essas memórias faziam-no sentir-se como um principiante, que deixava pistas em tudo o que tocava, como se quisesse anunciar ao mundo o mal que lhe fizera. Ele não usava óculos para ler. A lógica não beneficiava quem trabalhava neste ofício. Parecia um grito de culpa como se aquele crime não pudesse passar incólume. Mas passou. Foi o crime perfeito. Um homem era muito mais do que as suas falhas.

O manco pegou no copo de água que estava na mesa-de-cabeceira e chegou-o aos lábios do padre Gumpel.

– Beba – ordenou JC.

Gumpel, ainda desorientado, bebeu um pouco de água e ficou a olhar para eles sem dizer nada.

JC olhou para o manco.

– Deixa-nos. Mantém-te atento ao perímetro.

O manco fez um meneio de submissão ao velho e encaminhou-se para a porta do quarto. Não havia dúvidas de quem mandava ali. A idade era um posto. JC virou-se para Gumpel e sentou-se numa cadeira ao seu lado.

– A freira e o rapaz estão aqui no corredor – avisou o manco, a mirá-los com uma expressão ameaçadora.

– Deixa-os estar – disse o velho com um sorriso. – Eu tomo conta deles.

O padre mexeu-se na cama.

– Quem são os senhores? O que querem de mim? – perguntou, incomodado.

– Não vamos a lado nenhum com essas perguntas, padre Gumpel. Isto não é uma conversa, é um interrogatório. Quem faz as perguntas aqui sou eu.

O padre não sabia o que dizer. As palavras daquele idoso que estava sentado ao seu lado eram cáusticas, embora também estivessem carregadas de muito sarcasmo. Era como se não levasse nada a sério. Tinham entrado em sua casa há alguns dias, não sabia dizer quantos. Dois, talvez três ou mais. Não sabia como entraram, apenas que já estavam no interior quando ele chegou, vindo de Roma, na esperança de ter alguns dias de descanso. Não tinha como defender-se. Os relatores eram meros servidores da cúria, pastores da história da humanidade, das pessoas e da Igreja. Faziam os santos, se se quisesse explicar de um modo simples, descomplexado da realidade. Não necessitavam de segurança. Ou, pelo menos, assim pensava... até que isto aconteceu.

– Não lhe parece que as mulheres deviam ter mais relevância na estrutura política da Igreja? – perguntou o velho.

– Ah?

– Esqueça. Elas já a têm – proferiu JC com cinismo e acidez, a olhar para uma parede. – Antes pelo contrário.

Ajeitou-se na cadeira e fitou o padre.

– Esta noite foi muito profícua em acontecimentos, sabia?

Gumpel ficou à espera que aquele homem sentado junto à cama, com as mãos em cima da bengala, e de quem ele desconhecia o nome, continuasse.

– Segundo as minhas fontes, e são muitas – vangloriou-se –, o meu caro padre ficou sem auxiliares.

Gumpel sentiu um nó na garganta e engoliu em seco, sentiu os pêlos eriçarem e o suor a descer das têmporas.

– O que... que quer dizer com isso?

– Os seus relatores. Mortos... Os três – esclareceu, como se de uma sentença se tratasse.

Gumpel fechou os olhos. Que tragédia. Pior. Que sacrilégio. O trabalho daqueles homens era sagrado. Eles tinham a tarefa, cujo fardo era insondável, de tornar divino o humano, de fazer o efémero intemporal. Aqueles homens estavam à sua responsabilidade e tinham morrido por culpa sua. Levou as mãos ao rosto, conturbado pelo choque da notícia que fora dada de supetão.

– Porquê? – acabou por perguntar quando se recompôs.

– Essa era a minha próxima pergunta. Em que é que os seus homens estavam a trabalhar?

– Numa *positio* sobre... sobre... – Gumpel estava hesitante, não sabia se deveria continuar.

JC suspirou de impaciência.

– É impressionante como o mundo pode estar a ruir à vossa volta que mantêm sempre a guarda levantada – repreendeu JC. – Eu sei muito bem em que é que os seus homens estavam a trabalhar. Não estava onde estou se não soubesse o que se passa ao meu redor. Formulei mal a pergunta. Esse trabalho era motivo suficiente para que eles fossem assassinados?

– Eu não sei... – respondeu Gumpel, baixando a cabeça.

– Não me esconda nada, meu caro. Aquilo que eu não sei, acabo sempre por descobrir... de uma forma ou de outra.

– Quem me garante que não foi o senhor quem os matou? – perguntou o relator, a medo, mas em tom desafiador.

– Não tenho que lhe dar garantias de nada. O juiz aqui sou eu. Por outro lado, se tivesse sido eu a fazer o que diz, provavelmente teria as minhas razões e não lhe estaria a perguntar que razões eram essas. Seria estranho. Além disso porque é que eu os mataria?

Gumpel deixou-se ficar calado por uns instantes a magicar nas palavras do velho. Domenico, Bertram e Duválio, mortos. Misteriosos eram os desígnios do Senhor, mas às vezes não percebê-los era frustrante.

– Vai matar-me?

– Essa decisão ainda não foi tomada. Quando eu tiver novidades sobre isso prometo que será o primeiro a saber – respingou, com um sorriso cínico. – E quanto aos seus colaboradores?

O relator respirou fundo. Estava moído das horas e horas que havia passado na cama nos últimos dias.

– Depois de cinquenta anos a investigar a vida de Eugenio Pacelli, o Papa Pio XII, de boa memória, chegámos à conclusão que não podíamos elaborar uma recomendação ao Santo Padre para que o processo de canonização avançasse para o estádio seguinte. O padre Duválio – persignou-se ao pronunciar o nome do relator – fez descobertas importantes que o impediam.

– Não me diga que o anti-semitismo dele vos convenceu, finalmente.

Gumpel lançou-lhe um olhar enfurecido.

– Pio XII foi o mais semita dos Papas, depois de Pedro.

JC enfrentou o fito do relator para deixar bem claro que naquele quarto só ele tinha direito à indignação.

– Não é comigo que tem de se preocupar. Vai ter muito trabalho a convencer o mundo disso.

Gumpel sabia que JC dizia a verdade. O problema era mesmo esse, convencer a opinião pública de que tudo em que acreditava até ali não correspondia à verdade. Tarefa descomunal e ingrata, difícil de concretizar. O mundo podia ser muito pequeno tecnologicamente mas era imenso na mesquinhez.

– Estou perfeitamente ao corrente da Operação do Assento 12 – lançou JC.

– Ouviu falar dela? Existiu mesmo? – perguntou Gumpel com os olhos arregalados. Nunca nenhum leigo mencionara aquela alegada operação do KGB. A maioria não acreditava sequer que ela tivesse existido.

– Conheci o Ivan Agayants, o director do serviço de desinformação do KGB, e o Nikita Khrushchev, que a autorizou. O lema da operação era "Os mortos não se podem defender". O seu Papa Pio era um fervoroso anticomunista e, como tal, essa operação foi criada para denegri-lo em todo o Ocidente. Usaram espiões romenos disfarçados de padres para penetrar no

Vaticano e fotocopiarem os arquivos, mas não encontraram nada de relevante. Mesmo assim prosseguiram com a operação para retratá-lo como Papa nazi. Missão cumprida, parece-me.

– Quem é o senhor? – perguntou novamente Gumpel, espantado.

O silêncio manteve a resposta inicial.

JC voltou a ajeitar-se na cadeira e Gumpel tossiu, quase ficando sem ar. Alguns instantes depois acalmou e os dois homens fitaram-se outra vez. JC à espera, Gumpel visivelmente intrigado.

– Então porque é que não podem recomendar o Papa Pio XII para a beatificação? – relembrou o velho, que nada esquecia.

O relator sentiu-se incomodado com a pergunta. Baixou o olhar. Aquela posição podia ter motivado os homicídios dos seus colaboradores. Magna heresia.

– Porque deparámo-nos com problemas que impediam essa recomendação. Algo que os fiéis jamais aceitariam e que, acrescentado à sua já débil imagem devido à Operação Assento 12, seria o fim de Pio XII. – Depois calou-se como se tivesse deixado a frase a meio e o interlocutor aguardou. – Dito isto, embora não fosse nosso desejo conspurcar ainda mais a memória do Santo Padre, pois sabemos quão grandioso ele foi durante a Segunda Guerra Mundial, ficámos de pés e mãos atados.

JC soltou um assobio para o ar como se tivesse ficado impressionado com o que ouvira.

– Quer dizer que iam tornar público o resultado da investigação? Não podiam guardar segredo?

Gumpel lançou-lhe um olhar ofendido.

– A Congregação para a Causa dos Santos é um organismo seríssimo. Lida com relatos, testemunhos, documentos, informações das mais variadas fontes. Não é sua função limpar a história para beneficiar os seus intentos, por mais importante que o candidato possa ser.

JC soltou um novo assobio.

– Quase que estou tentado a acreditar em si.

– É a verdade – afiançou Gumpel, com as veias a sobressaírem no pescoço da veemência com que proferia as palavras.

– Claro que é, senhor padre. Claro que é – disse o outro com desfaçatez. – O Papa afinal não era santo nenhum. Não se pode dizer que seja uma novidade. A quem não interessará essa revelação?

Gumpel voltou a tossir. JC deu-lhe um lenço de papel e esperou que ele recuperasse.

– Obrigado – agradeceu o relator. – Não faço ideia.

– Não suspeita de ninguém? Quem tem a ganhar com a não divulgação dessa nova informação?

Gumpel não queria pensar nisso. Manteve-se em silêncio. O seu trabalho não consistia em ver as consequências ou os ganhos do que quer que fosse. Estava ciente do bem que um beato ou um santo podia fazer a uma comunidade. Vira-o muitas vezes. Pequenas aldeias ou vilas que se tinham desenvolvido para além do inimaginável apenas porque os investigadores do seu gabinete, no Palácio das Congregações, tinham encontrado a santidade num dos seus membros. A fé movia montanhas e também as arrasava para construir templos e cidades novas ao seu redor. Sim, a Congregação para a Causa dos Santos mudara o Ocidente, sempre o fizera desde os tempos mais recônditos e olvidados. Sob os auspícios da sua validade e sacralidade, espalhava a crença por todos os cantos do mundo católico, fortalecia a economia de povoados, outrora vergados pela pobreza, levava-lhes a esperança. Os romeiros e os peregrinos tratavam do resto. Devido a essa influência que sabiam ter, o trabalho do Colégio era continuamente escrutinado, inspeccionado, revisto, moroso, lento para que não houvesse erros. Interpretavam os escolhidos de Deus na terra. Não tinham qualquer margem para equívocos. Quem mais perdia com a recomendação negativa era a própria Igreja.

– Não tenho qualquer suspeita – mentiu Gumpel.

– Não lhe parece que o assunto Pio XII é tão sensível que a Santa Sé não quer piorar ainda mais as coisas? – sugeriu JC.

– É possível.

– Ao ponto de preferir sacrificar os seus investigadores para que nada disso venha a ser conhecido?

Gumpel percebeu para onde o JC o queria levar. O homem era muito ardiloso.

– Nunca. Isso é impensável – retorquiu. – Será uma nova Operação Assento 12?

JC lançou uma gargalhada.

– O KGB já não existe e a Guerra Fria tem outro nome.

O manco voltou a entrar no quarto com o telemóvel na mão, guardou-o, e dirigiu-se a JC para lhe cochichar algo ao ouvido.

– Já? Ajuda-me a levantar.

O manco amparou JC, que se levantou com esforço.

– Hora de ir embora, meu caro padre Gumpel.

O relator engoliu em seco. Que lhe aconteceria?

– Matteo. Mia – chamou JC.

Os dois entraram no quarto, intimidados como dois miúdos traquinas que se tinham portado mal.

– Vamos sair.

O guia e a freira sentiram a apreensão avolumar-se. O sol já brilhava para lá da janela anunciando o novo dia e, de súbito, as regras mudavam.

– Que cena tão bonita – disse JC com um sorriso, ao observá-los.

Nenhum deles se tinha apercebido mas estavam de mãos dadas como se quisessem enfrentar o medo juntos.

JC acercou-se do relator e fitou-o com ar sério.

– Deixo-lhe um recado. Não é meu mas é como se fosse. Não quero saber o que descobriu, vá verificar novamente. Depois de rever tudo, faça a recomendação ao Santo Padre. Um homem é muito mais do que as suas falhas. Se alguma vez mencionar este encontro a alguém, o meu querido amigo far-lhe-á uma visita – disse, apontando para o manco. – Mas dessa vez não será para lhe desejar bom dia.

O homem encaminhou-se para a saída do quarto, enquanto o manco e os outros dois saíam à sua frente.

– Tenha um bom dia, padre Gumpel – disse JC antes de sair.

60

Nada era mais poderoso que o medo. Com certeza haveria quem discordasse. Uns diriam que nada era mais poderoso que a esperança, outros ainda defenderiam que nada superava o perdão. Ignoravam essas pessoas que estariam todas mortas, mais cedo ou mais tarde. Censuradas pela vida que não poupava ninguém, muito menos os fracos e os bondosos.

O Francês rodou a chave na fechadura da porta muito lentamente. Sabia perfeitamente que efeito provocava aquele gesto tortuoso nas mentes de quem estava no interior da cela. Uma volta, duas voltas, três voltas. Depois, deixou-se ficar quieto uns segundos sem fazer nada. Não era sua pretensão torturá-los, apenas mantê-los submissos e amedrontados. Além disso, um deles estava, nitidamente, a recuperar de uma doença e ele não era monstro nenhum. Esperou mais uns segundos e empurrou a porta.

Entrou na cela e encontrou-os todos juntos, sentados na cama com o medo espelhado no rosto. O efeito pretendido fora alcançado. Atirou-lhes os três capuzes que trazia na mão e esperou que os colocassem na cabeça. Não foi necessário usar o rapaz como exemplo para ilustrar o que queria. A jornalista foi a primeira a cobrir a cabeça com o tecido negro. Seguiu-se a outra mulher e o rapaz, por último, o pânico a comprimir-lhe o rosto antes de o tapar. O breu era a única visão partilhada pelos três reféns.

O Francês aproximou-se deles com passos silenciosos. Puxou um por um para que se levantassem e prendeu-lhes as mãos atrás das costas com uma abraçadeira de plástico. Nenhum deles era uma ameaça para si, mas o seguro morrera de velho por precaver-se sempre e não só de vez em quando.

Conduziu-os para o exterior com passos cuidadosos e enfiou-os na parte de trás da carrinha. Para os três reféns era uma viagem às profundezas do desconhecido. Só o condutor, a quem nunca tinham ouvido a voz, é que saberia o destino deles. O Francês gostava desta sensação de poder. A vida de outrem nas suas mãos, enquanto ignoravam que havia quem pudesse mais do que ele. Quem pagava, mandava.

Olhou para o relógio e viu o temporizador recuar, implacavelmente, para o zero. Faltavam pouco mais de quinze minutos para o fim do prazo. Os camiões ouviam-se a espaços pequenos, uns atrás dos outros, a chegarem para descarregar ou a partirem para levar produtos para outro destino. Nenhum parava naquele armazém, aparentemente abandonado, mas com uma carrinha velha à porta. O Francês já tinha desmontado um dos mecanismos e dispersado as várias peças pelos vários contentores de lixo nas redondezas. Fora do conjunto não significavam nada a não ser lixo. Apenas uma mão cheia de pessoas em todo o mundo, se tanto, saberiam a que pertencia uma sem ver as outras, e o que se podia fazer com elas.

Entrou para o lugar do condutor e sentou-se. Verificou se os bilhetes estavam no bolso interior do casaco. Estavam. Os passaportes também. Consultou novamente o temporizador. Faltavam dez minutos para o fim do prazo e para deixar Roma. Só faltava mais uma morte. O pior de tudo era a espera.

61

Há horas para tudo. Para acordar, trabalhar, orar, divertir, descansar...
Tudo é cronometrado até ao mais ínfimo milésimo, desde a entrada no local
de emprego até ao início da sessão de cinema, da exposição, das refeições,
ao horário dos transportes que não esperam por quem não está e partem
sempre no horário certo, nem que estejam vazios. O tempo comanda quem
dele depende. O tempo dá-o Deus, dirão uns; porém, na realidade, Ele não
pode dar aquilo que não criou. O tempo dá-o o Homem.

O Mercedes avançava a grande velocidade pela Via Nazionale. Sinais de
luzes indicavam aos outros condutores que se afastassem e o motorista
accionava uma sirene sempre que alguém mais distraído não cedia a passagem. Ao seu lado ia Cavalcanti, que o autorizara a usar o sinal de emergência e, atrás, Guillermo e Girolamo cercavam Rafael que ia no meio,
impávido e sereno.

Ninguém falou durante grande parte do trajecto, atentos ao tiquetaque
do relógio que se aproximava das oito da manhã, a hora das decisões, da
resolução dos impasses. Os constrangimentos, da incerteza dos acontecimentos e das companhias, dominavam o interior do veículo, pesando o ambiente e manipulando os silêncios a bel-prazer. Apenas um dos passageiros
era capaz de constranger o próprio constrangimento e quebrar o silêncio
gélido.

– Qual é o plano? – perguntou Cavalcanti, com malícia.

– Deixas-nos tratar de tudo e observas – proferiu Girolamo. – Não te metas, Cavalcanti.

– Entendido – acatou o inspector com um falso tom conciliador. – E se der para o torto?

– Não vai dar para o torto. Seguimos as instruções dos raptores, fazemos a troca e levamos imediatamente o padre Niklas para a embaixada.

– É isso que vamos fazer? – perguntou Guillermo, disfarçando a surpresa. Pensava que a ideia era eliminar a *moeda de troca* mas compreendia que não se pudesse dizê-lo na frente do polícia.

Girolamo lançou um olhar letal ao homem da espionagem. Quaisquer que fossem os planos reais, Cavalcanti não seria envolvido. Para além disso, e dada a corrente situação, graças às contra-investidas do padre Rafael, com certeza teriam de recorrer à improvisação.

– Dito assim parece fácil – disse o inspector, cuja experiência lhe dizia que não devia acreditar numa só palavra dita pelo intendente.

– Se seguirem o plano, exactamente como eu disser, vai ser – garantiu Girolamo.

Cavalcanti virou-se para trás e focou-se em Rafael, sentado no meio, calado, absorto, como se nada daquilo fosse com ele.

– Que achas, Rafael? Vai ser como ele diz?

O padre encolheu os ombros. Não estava interessado no que nenhum deles tinha para dizer. O painel do tabliê do carro mostrava que estavam a escassos minutos da hora H. Jogara as cartas que tinha em seu poder o melhor que sabia, e naquele momento não podia fazer mais nada a não ser esperar que tudo tivesse o melhor desfecho. O Cardeal Secretário de Estado diria que estava nas mãos de Deus. Pois que assim fosse.

Cavalcanti olhou para o intendente e sorriu maliciosamente.

– Não faças planos para a vida para não estragares os planos que a vida fez para ti.

Girolamo desviou o olhar do inspector e concentrou-se na estrada. Deixaram a Via del Plebiscito e entraram no Corso Vittorio Emanuele II. Faltavam poucos quilómetros para o destino.

– Espero que a tua gente não falhe, Rafael – ameaçou Girolamo, ainda que parecesse mais um desabafo devido à tensão que reinava no carro. – Está muita coisa em jogo.

Os segundos tiquetaqueavam mentalmente nas cabeças de todos, uns a seguir aos outros. Um, dois, três, quatro, cinco, numa cadência infinita, imparável, insensível aos desejos humanos. O motorista abrandou ao atravessar a ponte Vittorio Emanuele II por causa do semáforo vermelho à entrada da Via Pio X e ligou o pisca esquerdo. Os estalidos sonoros matraqueavam o ar, reforçando os tiquetaques do relógio.

Rafael manteve-se em silêncio, ignorando o olhar perscrutador de Girolamo. Não tinha nada para dizer. Ninguém falharia do seu lado, mas isso não augurava um desfecho agradável para nenhuma das partes. O intendente queria Anna e Niklas mortos. Ver-se-ia se, entretanto, não mudaria de ideias.

O Mercedes entrou na Via della Conciliazione, o Obelisco do Vaticano ao fundo, dominado pela fachada da Basílica de São Pedro. Estacionaram junto à praça de táxis da Piazza Papa Pio XII, em frente a São Pedro. O carro da embaixada alemã com os dois agentes da Bundespolizei fez uma travagem brusca mesmo por trás do Mercedes. Um agente da polícia, de meia-idade, usou um apito para chamar a atenção do motorista, e com maus modos mandou-o sair dali imediatamente.

Cavalcanti abriu a porta do condutor logo de seguida e o polícia de trânsito aproximou-se deles.

– Não podem estacionar nesta zona – acenou com um bloco preto. – Ponham-se a andar antes que eu vos multe.

Cavalcanti mostrou o distintivo e um olhar feroz.

– Os carros vão ficar aqui e você vai tomar conta deles – ordenou, com impaciência.

– Com certeza, inspector – acatou o polícia, com inquietação.

– E faça o favor de ser mais simpático para os cidadãos. São eles que nos pagam. Nunca se esqueça disso.

– Com certeza, inspector – voltou a acatar o polícia, baixando a cabeça envergonhado.

Os outros ocupantes do veículo, à excepção do motorista, saíram para a rua e atravessaram a estrada a correr, entrando na praça do lado da colunata direita, com os agentes alemães a fechar o grupo.

– E agora? – perguntou Guillermo, a olhar em redor.

– Vamos para o obelisco, como instruído – disse Girolamo.

– Já está na hora? – perguntou o chefe da espionagem.

– Falta um minuto – sentenciou Cavalcanti. – Eh! Pá! Devíamos chegar atrasados. Não é nada latino chegar a horas, e parece mal.

Guillermo e Girolamo fitaram-no com uma expressão reprovadora. Acabara de dizer um enorme disparate. O inspector era imune a esse género de olhares. O ofício e a vida haviam-se encarregado de vaciná-lo contra eles e alcançara aquela idade em que nada do que os outros pensavam importava minimamente. Afugentara de si o bicho papão da sociedade reprovadora há muitos anos. Na verdade, dissera aquilo para mexer com os nervos dos homens do Vaticano, amostras de polícias que se julgavam acima do comum dos mortais, como ele, só porque eram esquizofrénicos o suficiente para se julgarem privilegiados de Deus, quando, na realidade, se Ele existisse, não diferenciaria uns dos outros.

Àquela hora, a praça já estava cheia de turistas e peregrinos que deambulavam de um lado para o outro admirando as maravilhas arquitectónicas do espaço. Outros ciciavam orações ao bom Deus, na esperança que Ele tivesse tempo para socorrê-los. A fila de visitantes interessados em contemplar os tesouros preciosos da basílica já se avolumava junto às máquinas de raios X, onde tudo tinha de ser escrutinado.

Os quatro homens chegaram junto da cerca circular que protegia o obelisco do assédio dos curiosos. Guillermo consultou o relógio. Estavam a bater as oito horas e os sinos da basílica confirmaram com o badalo a anunciar a hora. Terminara o prazo que os raptores haviam dado.

Olharam em redor à procura de alguém suspeito. Podia ser qualquer um. Quem vê caras não vê intenções nem suspeições. As mentes perversas têm rostos exactamente iguais a todos os outros.

Girolamo pegou no braço de Rafael e afastou-o dos outros dois, antes de se aproximar do ouvido do padre.

– Espero que esta não seja mais uma das tuas patranhas, Rafael – ameaçou o intendente. – Onde é que ela está?

– Deve estar a chegar – respondeu o padre, lançando-lhe um sorriso cínico. – Relaxa. Isto está quase a acabar.

Rafael sentiu um cano duro colar-lhe o casaco ao fundo das costas. Era a arma de Girolamo.

– Espero que não inventes nada senão isto não vai acabar bem para ti

– ameaçou o intendente com um sussurro nervoso. – Quando ela chegar deixa tudo comigo.

– E agora? – voltou a perguntar Guillermo, alerta.

Os três homens olharam para Rafael à espera de uma resposta.

– Agora esperamos.

62

– *Pater Noster, qui es in caelis, sanctificetur nomem tuum. Adveniat regnum tuum. Fiat voluntas tua, sicut in caelo et in terra* – orou Tarcisio.

O embaixador, a embaixatriz e o porta-voz continuaram a oração em alemão, com afinco, a tentarem alhear-se das horas e com os pensamentos apenas na salvação de Niklas, que esperavam ver entrar na embaixada são e salvo.

O Cardeal Secretário de Estado, ajoelhado, passou à conta seguinte e iniciou uma nova ronda de Ave Marias.

– *Ave Maria, gratia plena, Dominus tecum. Benedicta tu in mulieribus, et benedictus fructus ventris tui, Iesus.*

Os outros concluíram em alemão. Os homens do BND mantiveram-se encostados à parede sem pronunciar uma única palavra, apenas a observar a cena surreal. Nunca tinham visto o embaixador a rezar. Sabiam-no católico, mas não com aquele fervor, agarrado às palavras rituais de contacto com Deus Pai Todo-Poderoso, Criador do Céu e da Terra. Talvez situações extraordinárias pedissem um acréscimo na crença e na oração. Afinal de contas, um filho era um filho. Ninguém exigia mais devoção.

Tarcisio comandava a oração, de olhos fechados, com a mão que segurava o rosário sobre eles, mantendo a cadência dos versos que proferia na língua morta que ele provava bem viva. Klaus estava ajoelhado ao lado do Cardeal, com as mãos unidas em prece. Nicole era a única que não repetia os versos em voz alta, ainda que os gritasse mentalmente na esperança que Deus a ouvisse e intercedesse por ela.

Cumpriram o ritual repetindo cada mistério, e se Nicole esperava ficar mais aliviada com a oração, desenganou-se quando se aproximaram do final e sentiu um aperto no peito, quase a sufocá-la, a ansiedade de não saber se o futuro imediato lhe reservava um filho vivo ou morto.

Persignaram-se, em nome do Pai, do Filho e do Espírito Santo, e levantaram os joelhos do tapete. Klaus ajudou Tarcisio a içar os dois metros de corpo com quase 80 anos de idade, e recompuseram os trajes.

– Ainda não há notícias? – perguntou Nicole com o coração de mãe nas mãos.

– Calma, querida. Eles avisam – tentou confortar o marido, abraçando-a.

– Está nas mãos de Deus. Vamos confiar – tranquilizou Tarcisio que, na verdade, esperava que estivesse em mãos mais terrenas, como as de Girolamo Comte.

Num mundo perfeito, salvar-se-iam o rapaz e a *moeda de troca*. Porém, naquelas circunstâncias tão ignominiosas, provocadas por um inimigo invisível e sem escrúpulos, sem qualquer respeito pela vida humana nem pela santidade da Igreja, era melhor que a mulher saísse de cena. Se isso custasse a vida do filho do embaixador, pois que assim fosse. Deus acolhê-lo-ia nos Seus braços e nada lhe faltaria, pois Ele sabia sempre o que fazia, por muito tortuosas que fossem as Suas linhas.

– Pode providenciar-me um copo de água? – pediu o Cardeal Secretário de Estado.

– Claro – disse o embaixador, fazendo um meneio com a cabeça para os homens do BND.

Um deles levou a mão com o microfone à boca e fez o pedido via rádio, depois voltou à posição inicial, inamovível, como uma sentinela.

– Ainda não há notícias do meu filho? – voltou a perguntar Nicole, desesperada.

Tarcisio olhou para Federico, o responsável pelas comunicações com o grupo que saíra, à procura da resposta. O porta-voz olhou para o relógio e depois para a embaixatriz.

– São oito horas – informou com a voz tensa. – Acabou o prazo.

63

De vez em quando, Roma exigia um sacrifício em nome de Deus, para expiar os pecados do mundo, como o Filho, consubstancial ao Pai, fizera há dois mil anos. A diferença entre esse acto de salvação e os que se lhe seguiram era que Cristo fora quase caso único na aceitação voluntária da entrega da vida para acolher a morte. A maioria dos outros sacrificados nunca vira com tão bons olhos que os pregos lhe furassem a carne, literal ou metaforicamente, como o cordeiro de Deus que tirou o pecado do mundo.

As mãos suadas tremiam com a urgência do medo da morte. Caminhavam devagar, com passos trôpegos e nervosos, as palavras intimidadoras impressas na mente e repetidas incessantemente ao ouvido, através do auricular.

– Entrem na praça e sigam em direcção à colunata mais próxima do Palácio Apostólico – ordenou a voz metálica que saía do minúsculo aparelho.

Apetecia-lhe dar meia volta e fugir dali para fora, refugiar-se na entranha escura de uma gruta nas montanhas e nunca mais sair de lá. O mundo humano era demasiado perigoso para se viver nele. Porém, sabia que não o faria, por muito que o pânico o gritasse na adrenalina frenética que lhe percorria o corpo. Em vez disso Mia optou por dar a mão a Matteo, que olhava para todos os lados em desespero.

– Vamos fugir – murmurou o guia turístico em voz baixa.

Mia colocou um dedo à frente dos lábios a pedir silêncio e chegou-se ao ouvido dele.

– Não ouviste o que o JC disse? – perguntou num cicio, tentando não ser ouvida.

Matteo relembrou as palavras frígidas do velho, quando ainda estavam no carro. JC seguia com eles no banco de trás, quando rumavam sem saber para onde. Matteo estava apreensivo. Sempre estivera. O pé onde lhe caíra o chá quente protestava com um latejo constante e incomodativo. À medida que o carro rolava em direcção ao desconhecido sentia um nó avolumar-se na garganta e sufocá-lo, lentamente, como se estivesse a ser torturado pelo seu próprio corpo. JC transmitira-lhes o que tinham de fazer. Simples: dirigir-se a um local específico na Praça de São Pedro. O resto seria transmitido electronicamente. O manco, que seguia no banco de passageiro da frente, virou-se para trás e passou uma espécie de botão preto e um telemóvel a Mia. Depois veio a advertência.

– Coloque o auricular no ouvido – ordenou JC.

Mia observou o pequeno objecto antes de o enfiar no ouvido e segurou o telemóvel que o manco lhe entregou.

– Está a ouvir-me bem? – perguntou JC, para testar o aparelho.

Mia escutou-o dentro do ouvido ao mesmo tempo que o ouvia à sua frente, de viva voz.

– Sim.

– Se por acaso estiverem a pensar em fugir… – sugeriu JC com uma postura séria. – Pensem duas vezes.

O manco tirou uma arma do coldre de ombro e mostrou-a. Retirou-lhe o carregador, cheio de munições, e voltou a fixá-lo no cabo. Destravou-a e apontou-a a um e a outro, que fitavam o cano com os olhos arregalados.

– Garanto-vos que ele é mesmo muito bom com aquele instrumento. Desviem-se um milímetro do que vos irei ordenar e terão oportunidade de o comprovar.

Nenhum deles estava interessado em levar um tiro e, apesar de a vontade de fugir ser muita, tentando vencer os nervos caminharam ordeiramente em direcção à colunata do lado direito e entraram na praça, passando por turistas que deambulavam, entregues às suas vidas sem perigo.

– Vamos morrer na mesma – proferiu Matteo.

– Não sabes isso.

– Claro que sei.

– Confia em mim, Matteo – disse-lhe ela, mirando-o nos olhos, enquanto os passos maquinais os levavam contra a vontade. – Confia em Deus.

– Os pombinhos deixem a conversa para depois – disse JC ao ouvido de Mia, através do auricular. – Estão a ver a fonte do lado do Palácio Apostólico? Dirijam-se até lá.

– E depois? – perguntou Mia.

– Calma. Não tenhas pressa, filha – respondeu JC, recuperando o tom doce e melodioso.

Mia, a única que ouvia as instruções de JC, guiou Matteo até ao local especificado. As palpitações aumentavam e começavam a latejar nos ouvidos como tambores que rufavam cada vez mais rápido e mais alto a anunciar o que estava para vir, o que quer fosse, seguramente mau.

– Parem – ordenou a voz de JC.

Mia puxou o braço de Matteo e ambos cumpriram o mandado. Estavam junto à fonte. Imensas pessoas caminhavam para todos os lados, completamente alheias àquele casal que podia muito bem ser de amigos, ainda que aparentasse mais do que isso.

– Deixe ficar o Matteo nesse lugar, enquanto a Mia vai fazer exactamente o que lhe vou dizer – disse JC pausadamente.

Mia escutou as ordens do velho e olhou para o veronês.

– Vais ficar aqui – comunicou, aflita. – Promete-me que não sais daqui. Matteo não respondeu.

– Promete-me, Matteo – pediu quase como uma súplica.

A mesma resposta.

Mia acercou-se do guia turístico e encostou os seus lábios aos dele, selando um beijo urgente e apaixonado. Trocaram um olhar durante uns instantes como se se estivessem a ver pela última vez.

– Prometo – acabou por dizer Matteo.

Mia afagou-lhe o rosto e o cabelo, sem tirar os olhos dele, e deu-lhe outro beijo antes de se afastar.

– Que bonito – zombou JC quando Mia se afastou de Matteo.

A freira, que ainda o era, ignorou as palavras do velho e seguiu na direcção que lhe fora ordenada. Um grupo de irmãs brasileiras, filhas da bem-aventurada Virgem Maria, acotovelava-se à frente dela, impedindo-lhe a passagem. Tinham vindo a Roma para ver o Papa, queriam entrar nas quatro basílicas papais e rejubilar com os momentos de oração na Capela de São Sebastião, em São Pedro, onde pensavam que jazia o beato João Paulo II. Só depois de todo esse programa cumprido regressariam à mãe pátria no Brasil e prosseguiriam com a missão de ajudar o próximo e servir a Deus. Mia contornou-as a custo, pois era um grupo grande e desorganizado, pouco experimentado nestas peregrinações intercontinentais. Deu mais alguns passos em frente e viu-os, junto ao obelisco, como JC dissera. Eram seis homens. Reconheceu imediatamente um deles e sentiu um calafrio na espinha. Era o monsenhor Lucarelli, o mesmo que servira em Trento, no retiro das irmãs da Santa Cruz, e que lhe apontou uma arma à nuca e a obrigou a seguir com ele para Verona onde a deixou com aquelas pessoas que agora a obrigavam a fazer o que não queria... a sentir o que não desejava. Reconheceu outro dos homens de uma das fotografias que estavam pregadas no placar no escritório do quarto onde o monsenhor se hospedou, no retiro. "Observar tudo, não dizer nada" era o lema da ordem. Hesitou por uns instantes e depois avançou, comprimindo os nervos e o medo, e esforçou-se para conseguir desenhar nos lábios um sorriso confiante. Quando chegou junto deles, à excepção de Lucarelli que lhe sorriu, nenhum dos outros lhe prestou atenção. Pigarreou para aclarar a voz, não queria que ela falhasse naquele momento.

– Quem é o padre Rafael? – perguntou timidamente.

Três homens rodearam-na de imediato. Lucarelli deixou-se ficar onde estava e os outros dois mantiveram-se atentos mas sem reacção.

– Quem é a senhora? – perguntou Girolamo, com uma expressão ameaçadora, ainda atrás do monsenhor Lucarelli.

– Quem é o padre Rafael? – perguntou novamente, como se não tivesse ouvido o intendente da Gendarmaria.

– Sou eu – respondeu aquele que ela conhecia como Lucarelli.

Mia entregou-lhe o telemóvel e ele levou-o ao ouvido. Escutou o interlocutor durante uns segundos e depois estendeu-o para Girolamo.

– É para ti.

64

O intendente olhou para Rafael surpreso. Quem seria aquela mulher? E por que raio é que a chamada era para ele? Pegou no telemóvel num gesto reflexo mas a verdade é que não queria levar o aparelho ao ouvido, não queria saber quem estava do outro lado da linha invisível, ainda que a curiosidade fosse muito grande. Sentia-se fora do contexto, excluído da história principal, e essa falta de controlo causava-lhe uma insegurança a que não estava habituado.

– Para mim? Porquê? Quem é? – perguntou, a pressionar ainda mais a Beretta contra as costas de Rafael. – São eles?

O padre fez que não com a cabeça.

– Atende. É o Piccolo.

Girolamo esbugalhou os olhos ao ouvir o nome que Rafael proferira.

– Quem?

– Que raio se está a passar aqui? – intrometeu-se Guillermo, que não estava a perceber nada.

– Ele devia atender – disse Rafael num falso tom de preocupação. – Há vidas em perigo.

Girolamo levou o telemóvel ao ouvido, contrafeito, e engrossou a voz para conferir mais autoridade.

– Girolamo Comte. Intendente da Gendarmaria Vaticana – apresentou-se num tom grave. – Com quem estou a falar?

– Bom dia, meu caro intendente. Escusava de se apresentar. Sei muito bem quem o senhor é – disse a voz num tom animado e cordial.

– Mas eu não sei quem é o senhor – devolveu Girolamo com maus modos.

– Não imagina o desgosto que acabou de me dar. Não se diz uma coisa dessas a um velho conhecido. Magoa – declarou a voz, com descaramento. – Mas, enfim, adiante. Estou a olhar para um papel. Sabe o que está escrito nele?

– Como é que posso saber? – respingou o intendente com impaciência. – O que é que isto tem a ver com a *moeda de troca*?

– *Moeda de troca*. Que nome tão poético. Já lá vamos, intendente. Seja paciente – respondeu a voz. – O papel para onde estou a olhar tem muito a ver consigo.

– Duvido – contrapôs o homem do Vaticano com indelicadeza.

– É um extracto bancário do *Istituto per le Opere di Religione*. Se tivermos em conta que vocês dizem que aquilo não é um banco, não percebo porque é que se parece tanto com um.

Girolamo engoliu em seco.

– Este extracto refere-se ao nobre *Fondo Giulietta per i bambini non protetti*. Fundo Julieta para as crianças desprotegidas. Os movimentos são pequenos, mensais, sempre no mesmo dia… E depois temos um de três milhões na semana passada…

– Onde é que pretende chegar com tudo isso? – interrompeu Girolamo, incomodado, ainda que fizesse uma ideia das reais intenções daquela lengalenga toda.

– Eu acho que o meu caro intendente sabe onde quero chegar. Não sabe?

Girolamo não respondeu, mas a sua respiração estava alterada. O mundo ruía aos seus pés. O plano era tão simples. Trocar a Anna pelo filho do embaixador, nada mais. Ele trataria do resto. Os relatores tinham sido eliminados, não havia mais nenhum entrave à beatificação do Santo Padre Pio XII. A sua imagem sairia mais fortalecida e imaculada do que nunca e nada impediria que se restaurasse a memória de Pasqualina, a servidora mais fiel que passara pelos corredores do Vaticano. Ela fora mais um dos sacrifícios que Roma exigia de vez em quando para expiar os pecados do mundo. Ela, como Cristo, fizera-o de boa vontade e sem lamentos.

– Intendente, está aí? – perguntou a voz, interrompendo a cadência de pensamentos dispersos de Girolamo. – A sua estimada esposa nunca lhe perguntou o que vai fazer todos os meses, religiosamente, a Verona, há mais de trinta anos?

Girolamo sentiu-se como se estivesse a ser esfaqueado lentamente, com a lâmina a perfurar a carne e a rodar sobre si mesma para tornar a dor mais lancinante. A quem pertenceria aquela voz e como poderia saber aquelas coisas?

– Presumo que não – continuou a voz. – O emprego no Vaticano cobre toda e qualquer viagem e vamos ser claros, um filho com outra mulher não é o primeiro pensamento que vem à cabeça nestas ocasiões.

– Eu nunca tive nenhum filho com outra mulher – contrariou o intendente.

– Perdoe-me. Eu disse filho? Queria obviamente dizer sobrinho – corrigiu a voz com um cinismo perturbador. – Ando tão distraído ultimamente.

Girolamo sentiu um arrepio perpassar-lhe a coluna.

– Parece recorrente que padres, bispos, até Papas tenham filhos – prosseguiu a voz com sarcasmo. – Escutem o que eu prego e não olhem para o que eu faço, deve ser o vosso lema. O seu irmão seguiu-o à risca.

– Não insulte a memória do meu irmão – recriminou Girolamo, irado, com as veias a sobressaírem-lhe no pescoço enrubescido, ainda que falasse num tom baixo para que mais ninguém o ouvisse. – Ele não está entre nós para se defender.

– Cá entre nós, ele andava em muito más companhias.

– O que é que quer dizer com isso?

– Era muito amigo daquela madre que era muito próxima de Pio XII. Mas a pior companhia era mesmo o Papa Luciani, o Piccolo. Foi isso que o matou.

Girolamo estava prestes a perder as estribeiras.

– Ele morreu atropelado – explicou o intendente, como se aquele argumento bastasse para encerrar a questão.

– Eu sei. Atropelamento e fuga em Verona, em 1983. Quem é que acha que ia a conduzir o carro?

Girolamo ficou transtornado com aquela revelação.

– Ouça, seu filho da puta, quem é que você pensa que é? Quando eu o encontrar...

– Deixe-se estar onde está, intendente. Mesmo refugiado atrás do padre Rafael, posso matá-lo quando bem entender... como fiz com o seu irmão. – sentenciou a voz.

Girolamo sentiu-se desorientado e olhou em redor, sem sair do sítio. A praça estava cheia de peregrinos e turistas, simples curiosos que desejavam admirar a amplitude de todo o conjunto. O abraço fraterno da praça, o olhar bondoso da basílica, em frente, e, do lado direito, como um guarda, o Palácio Apostólico onde tudo se decidia. A voz estava na praça, ou muito perto, e estava a vê-lo. Era uma manobra arriscada mas engenhosa. Um local amplo, repleto de pessoas. Podia ser qualquer um. Se bem que o homem falava com calma, pausadamente, sem som ambiente, sem a pressão de poder ser descoberto. Um grupo de polacos começara a entoar um cântico junto a uma das fontes e nada disso se ouvia pelo telemóvel. Claro que havia maneiras de silenciar esses sons, electronicamente. Outra opção era escolher um local de onde se pudesse observar a praça em segurança, enquanto outro elemento vigiava mais de perto, sem levantar suspeitas. Procurou olhares suspeitos, vigias disfarçados de turistas – tarefa muito difícil. Girolamo sabia que eles eram profissionais. A voz falava com ele num local remoto, seguro, e a restante equipa, que podia muito bem ser só apenas mais um elemento, controlava os movimentos deles na praça, junto ao obelisco bimilenar. Não devia estar muito errado. Era o que ele faria se estivesse na mesma posição.

– Vamos acabar com isto – pronunciou Girolamo em tom de ameaça. – Querem o padre Niklas? Onde está a *moeda de troca*? Tragam-na agora ou o filho do embaixador morre.

Guillermo e Cavalcanti fitaram o intendente, surpresos. O que é que ele queria dizer com aquilo? Que raio? Girolamo parecia desorientado. Tinha o rosto suado e a voz tensa.

– O que é que se está a passar aqui? – perguntou Cavalcanti, levando a mão ao coldre de ombro que estava dentro do casaco.

Rafael levantou a mão e exibiu uma expressão séria para o inspector. Era melhor que ninguém se precipitasse. Cavalcanti desistiu do gesto. Esperava que o padre soubesse o que estava a fazer.

– Eu sabia que não me tinhas contado a história toda – resmungou o inspector, desiludido com Rafael. – Onde está a tal *moeda de troca*?

Rafael sorriu.

– Bem longe.

65

O carro avançava rapidamente pela A24. Ninguém falou durante toda a viagem.

Giorgio, o belo, carregou no acelerador enquanto deixava a casa grande de Torano para trás. Só ele sabia para onde iam e ninguém se atreveu a perguntar-lhe. Todos tinham muitas questões que queriam ver esclarecidas, especialmente Jacopo, mas não queria fazê-las à frente de Norma. Sempre a poupara a todas as questões profissionais e pretendia continuar a fazê-lo. O monsenhor era secretário pessoal do Santo Padre, a primeira pessoa que ele via quando acordava e a última pessoa de quem se despedia à noite antes do descanso. Certamente as acções dele não acarretariam nada de maligno, se bem que o historiador sabia muito bem o que acontecia àqueles que enfrentavam a Igreja.

Apanharam um pouco de chuva na auto-estrada e um acidente entre dois pesados de mercadorias que atrasou a viagem em cerca de vinte minutos, criando algum constrangimento durante o pára e arranca.

Muito se tinha dito durante a noite. Revelações, segredos, confirmações. Histórias de vidas presentes e passadas, memórias funestas que torturavam quem as vivia. Três gerações sofridas, avó, mãe e filha, famílias postiças que acobertavam os frutos do pecado, se é que o eram aos olhos do bom Deus.

Depois de passarem o local do acidente, onde um dos camiões tinha galgado o separador central e cortava as vias centrais nos dois sentidos, misturaram-se no fluxo que levava a Roma, já bastante denso ainda que tal não impedisse uma circulação rápida.

Norma estava a leste de tudo. Jacopo acordara-a a meio da noite, no apartamento deles na Via Britannia, para levá-la para aquela casa enorme no meio do nada, pedido expresso e urgente de Rafael, e depois voltara a acordá-la, quando já dormia o seu profundo segundo sono, para mais uma viagem não se sabia com que destino. Como se não bastasse, deixaram o carro da família em Torano para acompanhar aquele belo espécime do género masculino, porém comprometido com o Criador, e a velhota airosa sentada ao seu lado que sorria com condescendência sempre que Norma olhava para ela. A esposa do historiador tinha pouco de idiota. Reconhecia um sorriso nervoso quando o via. Ali havia marosca da grossa e ninguém lhe queria contar o que se estava a passar. Nem o marido, nem o padre bonitão, nem a senhora de idade. Estavam todos comprometidos uns com os outros e deixavam-na de fora de propósito como se não fosse pessoa digna de guardar segredos. O marido haver-lhe-ia de contar quando chegassem a casa… a bem ou a mal.

O toque de um telemóvel soou quando passavam na Piazza di Porta Maggiore. O monsenhor atendeu e escutou durante uns segundos o que lhe foi transmitido, e depois desligou.

Jacopo apercebeu-se da mudança de velocidade e da condução mais agressiva como se, de repente, houvesse um sentido de urgência ainda mais premente.

– Está tudo bem, Excelência?

Giorgio respondeu afirmativamente com um aceno de cabeça sem tirar os olhos da estrada.

Minutos depois entraram na cidade e o assistente encostou junto a uma praça de táxis. Parecia alvoroçado.

– Aqui já apanho um táxi – avisou o monsenhor, abrindo a porta e saindo do carro.

– Como assim? – perguntou Jacopo, saindo também.

Giorgio abriu a mala do carro e retirou uma pasta que abriu para mostrar ao historiador.

– Aqui dentro tem um passaporte diplomático e um cartão de crédito de empresa. – Puxou de uns cartões com as mãos a tremer. – Isto são códigos de acesso a uma conta numerada de um banco em Frankfurt. Levante o dinheiro todo. O Rafael explicou-lhe o resto?

– Sim. Ele disse-me o que tenho de fazer. Levá-la a Frankfurt – disse Jacopo.

– Exactamente. Entregue-lhe o dinheiro e depois pode regressar. É uma quantia mais que suficiente para duas vidas.

– Mas ela já não é livre há tanto tempo. Saberá o que fazer?

– Certamente saberá. Esta também é a vontade do Santo Padre. Fique com os diários da Pasqualina. Quando os tiver estudado, diga-me para eu os recolher.

Jacopo resignou-se. Fosse feita a vontade do sucessor de Pedro. Lavaria as suas mãos como Pôncio Pilatos.

Giorgio abriu a porta de trás do carro, do lado onde estava Anna.

– Foi um prazer incomensurável conhecê-la, Anna – disse em tom de despedida. – A minha viagem termina aqui. A vossa vai continuar por mais uns largos quilómetros. O doutor Sebastiani tem todas as instruções.

– Obrigada, meu querido – agradeceu Anna com uma lágrima a soltar-se do olho. – Espero… – começou a dizer mas depois não continuou.

– Em meu nome pessoal, do Santo Padre e do padre Rafael, desejo-lhe as maiores felicidades.

Anna estava comovida e não disse mais nada.

Giorgio fez um meneio com a cabeça para cumprimentar Norma e fechou a porta.

– Tenho uma pergunta para lhe fazer – disse Jacopo, baixando a voz, antes de entrar no carro e empreender a longa viagem. – Se está em contacto tão directo com o Rafael, porque é que ele não me disse nada? E para que me chamou ao seu gabinete a meio da noite? Poupava-me uma viagem a Veneza.

O secretário pontifício sorriu.

– O padre Rafael disse-me para jamais revelar o seu paradeiro a quem quer que fosse. Só o doutor Sebastiani é que devia alertá-lo se alguma coisa corresse mal, como correu. Seria essa a senha dele, digamos assim. – Acercou-se do ouvido do historiador e envergou um tom cúmplice. – O *monsenhor Lucarelli* não foi ao norte apenas por razões profissionais.

Jacopo manteve-se pensativo a processar as palavras do belo Giorgio. Aquela menção ao monsenhor Lucarelli era mais que suficiente. Tanto secretismo. Tantas intrigas escondidas em fundos falsos com objectivos próprios e motivos insondáveis. Tanta maldade em nome de Deus. Estava farto.

– Fomos todos peões nas mãos do Rafael, doutor – explicou o secretário.

Havia ainda muita coisa que não compreendia, mas não competia a Giorgio elucidá-lo. Levaria a filha do Papa para fora do país como solicitado. Fora esse o favor que Rafael lhe pedira. Ela adoptaria a nova identidade que o passaporte lhe concedia e teria dinheiro suficiente para viver bem o resto da vida. Anna merecia esse gesto. A liberdade era inerente ao ser humano e ela fora privada desse direito fundamental. Fora um sacrifício de Deus durante demasiado tempo.

– E o que faço ao carro?

– Deixe-o em Frankfurt. Eu trato de o recuperar. Não conte a ninguém o que ouviu esta noite nem o que o Rafael lhe pediu para fazer – proferiu Giorgio.

Jacopo não respondeu. O silêncio era, em si, uma resposta.

– Está tudo bem com o Rafael, Excelência? – quis saber Jacopo.

Giorgio franziu o sobrolho. Não lhe queria contar.

– O nosso amigo liga-lhe logo que possível, caso contrário eu mesmo lhe telefono.

Jacopo entrou no carro para o lugar do condutor e esperou que Norma passasse para o banco da frente. A viagem seria longa, cansativa, exasperante, um último sacrifício em nome Dele. E bastava. Ele que se governasse, sem mais oferendas.

Giorgio ficou a ver o carro partir até o perder de vista. Anna Lehnert desaparecera. Anna Pacelli nunca existira. Queria sorrir mas não conseguia. O telefonema que recebera deixara-o aflito. Enfiou-se no banco de trás do táxi e deu a morada ao taxista.

Espero que te safes, Rafael.

66

– Onde está a *moeda de troca*? – voltou a perguntar Girolamo para o telemóvel, visivelmente transtornado. – Traga-ma já ou mando matar o filho do embaixador.

– Com certeza, meu caro intendente – concordou a voz num jeito submisso. – Vire-se na direcção da fonte à sua esquerda.

Girolamo estava de costas para o obelisco e para a basílica, junto à barreira circular que o protegia dos transeuntes, e virou-se na direcção indicada pela voz. A fonte, a poucos metros dali, estava seca, mas rodeada por peregrinos e turistas que vagueavam ou simplesmente se deixavam estar a admirar o espectáculo visual que a praça oferecia daquele ângulo. Ao fundo, numa das extremidades da colunata, a fila de visitantes que tinham de passar pelo escrutínio do raio X para poderem ter acesso ao interior da basílica era cada vez maior. Todo o cuidado era pouco e a basílica, o templo mais importante do mundo católico, tinha de ser mantida fora do alcance das mentes indiferentes ao valor sagrado da vida humana e do seu património.

– Siga o traço no chão que liga a fonte ao obelisco – continuou a voz. – Vai encontrar alguns discos. Um deles é o do centro da colunata.

Girolamo sabia a que discos a voz masculina se referia. A praça elíptica não consistia somente numa obra arquitectónica e de engenharia. Era também uma obra matemática. Poucos turistas o sabiam mas se se fixassem naquele disco e olhassem daquele ponto para a colunata, o gigantesco braço composto por fileiras de quatro colunas dóricas, umas atrás das outras, escondia, magicamente, as três colunas traseiras e dava a ilusão de óptica de existir apenas uma fileira frontal. Bastava dar um passo ao lado para desfazer essa ilusão que Bernini criara.

– A *moeda de troca* está em cima desse disco – anunciou a voz.

Girolamo seguiu a linha com o olhar e encontrou o disco e a *moeda*. O coração partiu-se-lhe ao ver o sobrinho Matteo com os olhos medrosos centrados nele. O olhar era igual ao do pai. Desde que Rafael pronunciara o nome Piccolo que sentira o solo desfazer-se por debaixo de si.

– Está a ver a testa do seu sobrinho? – perguntou a voz.

Girolamo fez que sim com a cabeça, sem responder oralmente.

– Está a ver a testa do seu sobrinho? – repetiu a voz num tom gélido.

– Sim. Estou.

– Faça o que tiver a fazer para libertar o jovem Niklas ou verá abrir-se um buraco na testa do seu sobrinho como aconteceu com os relatores. Tem sessenta segundos.

Girolamo olhou em redor. Afastou-se de Rafael e dos outros dois, tentando vislumbrar o carrasco de Matteo, mas era uma tarefa inglória, ingrata... impossível. Cavalcanti e Guillermo avançaram para ele mas Rafael barrou-lhes a passagem.

– Deixem-no em paz. Tem uma decisão difícil para tomar – explicou o padre.

Cavalcanti lançou um olhar fulminante a Rafael.

– Vais ter muito que explicar, *senhor padre*.

Girolamo continuava desorientado. A respiração estava alterada. Levou as mãos ao rosto e aos olhos. O suor misturava-se com as lágrimas dos segredos revelados. Sentia-se um farrapo fracassado. Falhara ao irmão... falhara a Anna.

– Só tens quarenta e cinco segundos, Comte – informou Rafael.

– Eu... eu... sou apenas um peão.

O intendente queria correr em direcção ao sobrinho, salvá-lo de tudo aquilo que estava a acontecer. Alertá-lo para o perigo que corria. Era uma vítima, desde que nascera.

Quarenta segundos. O mais certo era que os matassem aos dois se ele tentasse socorrer Matteo. Estava tudo perdido.

Trinta segundos. Matteo não o conhecia. Girolamo não o via desde criança, desde os tempos em que ia levar o dinheiro a Úrsula, todos os meses, e o via brincar na sala ou no quarto. Agora que o conseguia ver bem, ali a algumas dezenas de metros, conseguia aperceber-se das semelhanças fisionómicas com o irmão que falecera há trinta anos.

Vinte segundos. Matteo não podia continuar a pagar pelos erros dos outros. Já o fizera demasiadas vezes. Pagara um preço muito alto por ser filho de quem era.

Dez segundos. Mirou mais uma vez o rapaz já homem que vencera pelos próprios meios na bela Verona de Romeu e Julieta.

Cinco segundos. Tirou o telemóvel do bolso e fez a chamada.

Rafael disfarçou o sorriso e o alívio que sentiu por ver Girolamo ligar para quem devia, para acabar com aquela situação. Pensou em Sarah e em como ansiava vê-la novamente sã e salva. Girolamo desligou e voltou a guardar o aparelho no bolso.

– E agora? – perguntou o intendente para o outro telefone.

– Queremos ver o jovem padre, obviamente.

Rafael e Girolamo olhavam para todos os lados. Os agentes alemães também. Os turistas enchiam a praça mas os olhos deles estavam treinados para descortinar alvos no meio das multidões.

– Onde é que eles estão, Comte? – perguntou Rafael, impaciente.

O intendente nada disse. Sabia o que estava em jogo. Voltou a mirar Matteo que mal imaginava o que estava a acontecer, ainda que o medo estivesse bem estampado no seu rosto.

– Estão ali – disse Rafael assim que os viu passar a abertura das grades que separava o Vaticano de Itália, pelo lado da Via Paolo VI.

Girolamo dirigiu o olhar na mesma direcção que Rafael e viu o filho do embaixador e Sarah correrem apressados em direcção a eles.

– Que mais pretende de mim? – perguntou o intendente para o telemóvel.

– Desejo-lhe os bons dias – cumprimentou com menosprezo.

– Isto não vai ficar assim – advertiu o intendente.

– Vai sim – retrucou a voz. – A não ser que queira que eu revele ao seu sobrinho quem era o pai e que toda a sua infância e adolescência foram pagas por um fundo criado pelo Piccolo e com o conhecimento de João Paulo II e Bento XVI. E que usou três milhões de euros desse dinheiro para pagar a um assassino profissional. Entretanto, passe o telefone a Mia, por favor.

Girolamo fitou Mia com desdém e ela sentiu um calafrio percorrer-lhe a espinha. Ela segurou o telemóvel na mão.

– Olá, novamente, minha querida. Faça o favor de levar o Matteo para bem longe daí – disse a voz no auricular.

Mia engoliu em seco, nervosa.

– E levo-o para onde?

Mia ouviu a gargalhada rouca do outro lado da linha.

– Leve-o para onde desejar, filha. Espero que não seja para um convento. Seria um desperdício para ambos.

Mia não queria acreditar no que acabara de ouvir. Sentia o peito mais leve e um alívio enorme. Sorriu para Matteo e encaminhou-se para ele. Depois pensou se não seria JC a iludi-la antes do golpe fatal, e olhou em redor atemorizada, mas continuou na direcção do veronês.

Rafael viu o rosto de Sarah, cansada, a poucos metros dele. Os olhos encontraram-se e comunicaram em silêncio. Estavam bem. Sarah não conteve a vontade de o abraçar e ele correspondeu.

Niklas juntou-se ao grupo, ainda muito confuso. Só faltava Mandi. Quando foram libertados da carrinha deram-lhes um *post-it* branco que Sarah entregou a Rafael depois de o abraçar.

Sigam até ao obelisco. Não falem com ninguém até chegarem lá, ou serão punidos. A Mandi fica comigo. Tenho outros planos para ela. Cumprimentos ao padre Rafael. Bravo. Muito bem jogado. Espero que nos voltemos a encontrar.

O segundo gesto de Sarah foi dar-lhe um estalo.

– Quando é que isto termina? Não podemos viver em paz?

Niklas não tirava os olhos de Rafael, como se estivesse petrificado. Finalmente, chegava à presença daquele que o gerara. Imaginara aquela cena inúmeras vezes na sua cabeça, milhares e milhares de repetições mentais, nenhuma igual à que acabava de acontecer. A vida real surpreendia sempre. Rafael concedeu-lhe apenas um olhar indiferente. Mais nada. Os agentes da Bundespolizei rodearam o rapaz, um falava-lhe em alemão, sem que ele prestasse atenção, enquanto o outro levou um telemóvel ao ouvido para informar o embaixador.

O padre olhou para o intendente que contemplava Mia e Matteo, junto a uma das fontes. Beijavam-se. O pior tinha passado. Só faltava tratar de Girolamo.

– Não foi assim tão difícil, pois não? – ironizou Rafael, aproximando--se do intendente.

– Vocês têm muita coisa para explicar – disse Cavalcanti com maus modos.

– É verdade – disse Guillermo, espantado por concordar com o inspector. – Que raio se passou aqui? Onde está a *moeda de troca*?

– Longe – repetiu Rafael, sem desviar o olhar de Girolamo.

O intendente fez um sorriso hipócrita.

– Ainda não percebeste nada, pois não? Eu sou apenas um peão.

– Peão ou não, o refém foi libertado.

O resto aconteceu muito rapidamente. Não se ouviu o silvo do disparo, apenas os gritos de turistas ingleses que viram Girolamo cair de costas desamparado. As pessoas juntaram-se imediatamente em redor do homem que desconheciam ser o intendente da Gendarmaria. Rafael debruçou-se sobre ele. Tinha sido alvejado no peito.

– Afastem estas pessoas – ordenou. – Chamem uma ambulância – gritou. – Calma, Comte. A ajuda vem a caminho.

Os agentes que estavam na praça acorreram ao local do crime, junto ao obelisco, e afastaram a pessoas.

– Fechem a praça – proferiu Guillermo com autoridade.

Mais agentes aproximaram-se vindos de todos os lados para ajudar a lidar com a situação. Começaram a esvaziar a praça rapidamente, afastando peregrinos, turistas e curiosos que entretanto se acercavam do local. As pessoas que estavam dentro da basílica foram impedidas de sair até ordem em contrário.

– Manda fechar o trânsito na Piazza Papa Pio XII, Via della Conciliazione, Via Paolo VI, Largo del Colonnato e Via di Porta Angélica – pediu Guillermo a Cavalcanti. – O mais rápido possível.

O inspector considerou o pedido do homem da espionagem durante uns instantes e depois contactou a central.

Rafael não largou Girolamo, que estava muito queixoso mas consciente.

– Bastava cumprires uma ordem – acusou o intendente. – Uma ordem simples.

– Sabes que nunca iria enviar uma inocente para a morte – explicou Rafael, com condescendência.

– A ideia nunca foi matá-la. Não percebeste nada, pois não? Eu estou do lado da Anna. És um cabrão, Rafael. Mereces morrer como eu. Sabes demais.

Um esgar de dor percorreu o peito de Girolamo e fê-lo dar um esticão.

– A ambulância está a chegar – confortou-o o padre quando já se ouviam as estridentes sirenes ao longe.

– Os segredos morrem connosco – retrucou entre espasmos.

Daquela vez o som foi mais audível e a confusão maior. Parecia o estalido de um foguete de artifício. O último acto consciente de um moribundo condenado antes de cair no coma. Rafael levantou-se e deu uns passos incertos em direcção a Sarah antes de cair no seu colo.

Cavalcanti olhou para Girolamo e viu-lhe a Beretta na mão tombada. Tirou a sua do coldre e avançou para o intendente com a arma em riste, pronta para disparar à mínima ameaça. Pontapeou a Beretta de Girolamo para longe sem que o intendente reagisse. Debruçou-se sobre ele e colocou-lhe dois dedos no pescoço à procura da pulsação. Esperou uns segundos. Estava morto. Disparara a arma antes do último suspiro. Se Deus existisse era bom que lhe batesse a porta do céu na cara e o recambiasse para o caldeirão do inferno.

Sarah abraçava Rafael, que tinha a cabeça em cima do colo dela. Ela chorava e gritava, inconsolável. Nem um momento de paz. O tiro acertara no abdómen. A camisa estava empapada de sangue.

– Peçam ajuda – gritou a jornalista para todos e ninguém, desesperada. – Peçam ajuda!

Niklas aninhou-se junto dela com as lágrimas a escorrerem-lhe pelo rosto. Não esperava ter uma reacção dessas por quem o rejeitara. Não merecia um instante de mágoa nem de dor, só desprezo, mas Niklas não conseguia. Havia qualquer coisa nele que o fazia admirá-lo. A tal aura misteriosa, um instinto protector invisível. Mas nada o preparara para o ver assim, jazido, inanimado, quase morto. Os agentes da Bundespolizei agarraram em Niklas e arrastaram-no em direcção ao carro. Ordens do embaixador.

– Ele é o meu pai – berrou para eles como se verbalizá-lo o tornasse mais verdadeiro. – Deixem-me. Ele é o meu pai.

Mia assistia com Matteo a tudo aquilo da grade que separava Itália da Santa Sé. Podiam ter sido eles as vítimas. Aquela mulher desesperada com a cabeça do monsenhor Lucarelli no regaço podia ser ela a chorar o corpo do veronês. Agentes da polícia começaram a afastar as pessoas da grade. Tinham de recuar para lá da Piazza Papa Pio XII, bem longe daquele cenário. As autoridades não queriam proporcionar mais espectáculo. Centenas de pessoas cumpriram a ordem, abandonando o local ordeiramente. A visita tão desejada ao centro do mundo católico teria de ser adiada.

– Aquele homem – proferiu Matteo num estado pensativo.

– Qual?

– Aquele que levou o segundo tiro.

– O monsenhor Lucarelli.

– Foi ele que me arrastou de casa.

– Eu sei. Também foi ele quem me tirou do retiro – explicou Mia.

Não percebia os estranhos desígnios Dele. Por um lado, nunca teve tanto medo na vida, e viu coisas terríveis que jamais imaginara nos seus piores pesadelos. Por outro, conhecera aquele rapaz que estava ao seu lado e… não sabia com que novas sensações lidava. Sentia uma sensação boa, borboletas que a arrastavam para um estado… Bem, como dizer, de amor?

O tossir de JC ao ouvido retirou-a do torpor cogitativo em que entrara. Mia sentiu um arrepio de medo.

– Porque é que o senhor fez isto? – quis saber a freira quando entrava na Via della Conciliazione com Matteo ao seu lado.

JC deu uma gargalhada alta que a fez levar a mão à orelha. O sentido de humor dele era esquisito.

– Não fui eu, minha querida Mia. Pode desfazer-se do auricular e é melhor que saiam daí rapidamente – disse num tom sério. – Fomos todos enganados.

67

Sentiu dor, muita dor, apreensão, ansiedade, medo que se misturou com uma dose gigantesca de raiva e fúria. Passou os primeiros dias à porta dos cuidados intensivos, no hospital. Os agentes da Gendarmaria tinham ordens para não deixar entrar ninguém e ela não foi autorizada a vê-lo. Perguntou aos médicos sobre o seu estado e eles tentaram tranquilizá-la, mas forneceram-lhe informações escassas. Dormiu em cima dos bancos e comeu pouco. Sarah não queria deixar Rafael, ainda que não pudesse vê-lo.

Ao terceiro dia chegou um clérigo muito bonito e os agentes da Gendarmaria concederam-lhe acesso ao interior da área de cuidados intensivos, onde teve de vestir uma bata e uma máscara. Quando ele saiu Sarah dirigiu-se a ele.

– Desculpe. Viu o Rafael?

– O padre Rafael? Sim, vi. Quem é a senhora? – perguntou cordialmente.

– Chamo-me Sarah. Sou amiga de...

– Sei quem é. Eu sou o Giorgio, secretário do Santo Padre. Ele está sedado. Os médicos fizeram tudo o que podiam. Agora é com ele. Vou incluí-lo nas minhas orações. – Colocou-lhe uma mão terna no ombro. – Ele é forte. Vai recuperar.

As lágrimas escorriam pelo rosto da jornalista. Era bom ouvir aquelas palavras ao fim de três dias sem notícias. Giorgio deu-lhe um abraço antes de sair, comprometendo-se a dar-lhe notícias todos os dias.

– Vá para casa. Descanse. Coma alguma coisa. Eu mantenho-a informada.

Sarah não saiu da policlínica que tantas vezes visitara para ser tratada do seu mal. Também Rafael, se Deus existisse, haveria de ter desfecho igual ao seu. O problema é que ela não acreditava Nele. Talvez essa descrença fosse pecado e Ele a castigasse, mas ela não conseguia crer num Deus castigador. De qualquer maneira, deu por si na capela da policlínica, ajoelhada no genuflexório, perante a figura de Cristo, as mãos juntas numa prece pela salvação daquele que amava. Nem sabia o que dizer-Lhe. Como se falava com Deus? Era preciso argumentar sobre as virtudes e os escassos defeitos, as boas acções e qualidades, em detrimento do menor número de pecados? E depois ele pesaria os prós e os contras e tomaria a decisão favorável ou não, segundo esses critérios? Desistiu de rezar. Não sabia, não acreditava.

No quinto dia viu chegar uma mulher loira ao piso dos cuidados intensivos com Niklas. Quando o jovem padre a viu acercou-se dela.

– Esta é a Sarah, mãe.

A mulher cumprimentou-a com um sorriso amarelo e apresentou-se.

– Muito prazer. Nicole. Sabe alguma coisa do Rafael?

– Está estacionário.

Nicole lançou um olhar preocupado ao filho.

– Tens a certeza que é isso que queres?

Niklas respondeu afirmativamente com um meneio com a cabeça.

Depois de Nicole falar com os médicos, o filho entrou na área de cuidados intensivos onde também ele iria vestir uma bata e colocar uma máscara para não contaminar a zona esterilizada.

Nicole sentou-se ao lado de Sarah. Ficaram em silêncio durante alguns minutos que mais pareceram horas.

– A senhora é familiar do Rafael? – perguntou a embaixatriz.

– Apenas amiga.

– Ele sempre foi tão frio e seco que nunca imaginei que fosse capaz de fazer amigos.

Sarah soltou uma gargalhada que contagiou Nicole. Era verdade. À excepção do físico, não tinha nada que, supostamente, cativasse. Ou talvez isso em si fosse cativante. Tinha uma aura misteriosa, nunca se sabia o que ele pensava, tinha uma agenda só dele e, como se não bastasse, era padre.

– O Niklas disse-me que é filho do Rafael – lançou Sarah.

Durante os primeiros dias Sarah não pensou nisso, guardou-o no baú mental onde se coleccionam as informações inócuas ou não prioritárias. Depois lembrou-se e a primeira coisa que fez foi pensar que sonhara. Não podia ser verdade. Esta visita trouxera-lhe a confirmação.

Nicole ficou calada e não respondeu logo.

– É verdade. Éramos novos, acreditávamos que podíamos mudar o mundo. Ninguém pode mudar nada. Acabamos sempre por nos vergar às vontades do que já foi determinado – disse, resignada. – Não bastava o Niklas querer conhecê-lo. Ainda quis ser padre.

Foi a vez de Nicole dar uma gargalhada gutural que Sarah acompanhou apenas por simpatia. A embaixatriz não ria porque tinha graça, ria para não chorar. Todos os homens da sua vida a feriam de uma maneira ou de outra.

Niklas saiu da área de cuidados intensivos poucos instantes depois, visivelmente consternado. Os olhos vermelhos mostravam as marcas do choro compulsivo.

– Está sedado – revelou. – Não sabem ainda quando o acordarão.

Nicole abraçou o filho.

– Anda. Vamos embora. Voltas noutro dia.

A embaixatriz encaminhou-se para a saída mas depois fez um afago no cabelo do filho e voltou para trás para se dirigir a Sarah.

– Fuja enquanto é tempo e não olhe para trás, Sarah. A Igreja impede-os de amar – proferiu a mulher em jeito de aviso. – Ele vai magoá-la.

Sarah engoliu as palavras de Nicole em silêncio enquanto a viu sair abraçada ao filho entristecido. Pareciam lâminas afiadas que lhe perfuravam o coração e lhe vazavam a esperança. Sentiu-se uma idiota à espera do amor. Chorou como se Rafael tivesse sucumbido aos ferimentos e regressou ao hotel nesse mesmo dia. *Adeus, Rafael.*

68

A mente levara-o para muitos locais conhecidos e desconhecidos, mundos novos e antigos, memórias dos que ainda estavam vivos e dos que já haviam partido. Imerso no desvario, ampliou os devaneios sem parar de deambular pelos cantos e recantos esconsos dos palácios e jardins, nos nichos que envolviam as estátuas conspiradoras que guardavam os segredos e as intrigas de quem passava e se julgava a salvo de ouvidos conjuradores. Pelo meio encontrou a mãe, ou assim lhe pareceu. Nunca a conhecera. Na infância passara por muitos orfanatos, tutores e famílias de acolhimento, muitas mães ou nenhuma, conforme a perspectiva, mas sentia que aquela era ela, aquela que pegava nele ao colo e lhe sorria no jardim como se não houvesse mais mundo a não ser aquele bebé, só ele, o centro de tudo, como uma mãe consegue fazer, a única, a verdadeira. Teve conversas com mortos que o visitaram, vestidos com o último traje com que os vira em vida. Pensou que o vinham buscar e escoltá-lo, em cortejo de honra, até à cova do inferno, mas apenas queriam conversar, passar algum do tempo eterno com ele. Passou também muitas tardes deitado ao sol na praia, embalado pelo som das ondas, enquanto alguém passava a correr e o sujava com grãos de areia e depois ria à gargalhada. Levantava a cabeça para ver quem era mas o sol cegava-o e impedia-o de descobrir de quem se tratava. *Quando é que teremos paz?* Ouviu perguntar do nada, do vazio, pergunta muitas vezes repetida, tantas que se sentia bombardeado, perseguido por aquela voz que, a qualquer altura do dia ou da noite, na praia ou quando discutia efusivamente com um dos mortos de visita, lhe perturbava o raciocínio. *Quando é que teremos um momento de paz?* Chegou a gritar para que se calasse, correu atrás dela apesar de não saber de onde vinha, procurou até à exaustão sem nunca a encontrar. Apenas um lenço que esvoaçava ao vento. Sentia um ardor na parte abdominal que às vezes doía intensamente e chegava a sangrar. Tentava estancar a ferida com tudo o que tinha à mão mas sem sucesso, até que, finalmente, acordou. *Quando é que teremos paz, Rafael?*

Rafael levou algum tempo a habituar-se à claridade do quarto e mais ainda a aperceber-se da presença dele. Um agente uniformizado da Gendarmaria Vaticana estava sentado numa cadeira virada para a cama. Seguramente havia outro agente do lado de fora da porta. O mais certo é que tivesse avisado via rádio que ele acordara, mal abrira o primeiro olho.

Rafael sentia-se fraco como nunca antes se sentira, um ardor incomodativo na zona abdominal, que estava tapada com gaze em toda a extensão, intensificava-se quando se mexia. Tinha um cateter vascular numa das mãos e um dreno na barriga. Os médicos falaram da sorte que teve e de como uns centímetros ao lado provocariam outro desfecho menos feliz. A mão de Deus sempre desviava as balas, ainda que infelizmente não as evitasse.

As primeiras visitas chegaram ao final da manhã e trouxeram os rostos austeros e severos de Tarcisio, Federico e Guillermo. O piemontês não perdeu tempo a impor a sua condição. Persignou-se, beijou a cruz de ouro que trazia ao peito e, numa manifestação de poder, estendeu a mão anelada para que Rafael a beijasse. Era bom que se esclarecessem os papéis novamente e que não houvesse dúvidas sobre quem devia vassalagem a quem. O agente da Gendarmaria que vigiava o *recluso* foi convidado a sair do quarto, assim como o assistente do Cardeal Secretário de Estado depois de arrastar a cadeira para junto do paciente para Tarcisio se sentar.

– Está em condições de me explicar o que aconteceu? – perguntou Tarcisio depois de se sentar.

Rafael tentou puxar-se para cima para encostar a cabeça na cabeceira da cama e não parecer tão combalido nem vulnerável, mas perante tanta dor desistiu.

– O Tomasini poderá esclarecê-lo melhor que eu. Testemunhou tudo e não levou um tiro – respondeu Rafael com azedume, a voz a sair-lhe muito rouca.

Tarcisio olhou para o chefe da espionagem.

– Não estou a falar do que aconteceu na praça. Esse lamentável episódio já foi visto e revisto de todos os ângulos – disse o piemontês, que também falava com alguma acidez. – Refiro-me a tudo. Ao que parece o Rafael estava muito mais bem informado que todos nós, e presumo que se esqueceu de reportar alguns factos ao seu superior.

– Quando é que tomaste conhecimento que o Comte planeava raptar o filho do embaixador e eliminar os relatores? – reforçou Guillermo, apesar de saber que Rafael entendera muito bem, à primeira.

Rafael levou uma mão aos olhos e esfregou-os como se o esforço para recordar fosse muito grande.

– Mais ou menos na mesma altura em que soube que o irmão dele deixara um filho em Verona e um fundo no IOR, tutelado por Comte, para acautelar o futuro do rapaz.

– E isso foi quando?

– Há cerca de três semanas.

Tarcisio inclinou-se para a frente e pousou as mãos sobre a cama.

– E quem lhe contou?

Rafael hesitou antes de responder, ou pelo menos assim pareceu ao Cardeal Secretário de Estado. Podia estar apenas a organizar as ideias. Afinal, tinha acordado há poucas horas de um sono profundo de vários dias em que passara por diferentes estados de saúde. Optou por dizer apenas uma parte da verdade para variar.

– O secretário pontifício.

– O Giorgio?

Os três homens entreolharam-se surpresos. O secretário do Papa era demasiado oblíquo e imiscuía-se em assuntos que não lhe diziam respeito. Desde que Bento assumira funções que ele cuidava de todos os dossiês que diziam respeito ao Santo Padre, por vezes invadindo territórios que, legalmente, pertenciam à esfera do Secretariado ou da Cúria, e descurando todas as formalidades entre departamentos. Tarcisio não gostava dele e esta revelação só lhe dava mais motivos.

– Alguém tem de travar esse homem – disse Federico, que também desconfiava dos métodos escusos e dúbios do belo secretário pontifício.

– Porque é que o Comte cometeu este acto hediondo? – quis saber o Cardeal Secretário de Estado.

Rafael sorriu. Essa era fácil de responder.

– Terá de lhe perguntar a ele.

– Não sejas impertinente, Rafael – atalhou Guillermo num tom conciliador. – Colabora, por favor. É melhor para ti.

O padre franziu o sobrolho. O problema de Guillermo era a sua postura subserviente. Claro que isso fazia dele o homem certo para chefiar a Santa Aliança e, simultaneamente, o mais perigoso. Para Guillermo Tomasini a razão estava sempre com a Igreja Católica Apostólica Romana, com todas as suas inúmeras virtudes e escassos defeitos. Era um executante, um cumpridor, e não um inquiridor. A sua lealdade conhecia somente um dos lados e desprezava totalmente o contexto e, por consequência, a verdade. Aquele reparo final, *É melhor para ti*, era a prova viva dessa atitude. Rafael conhecia-os a todos bem de mais, esse era o problema.

– Não me venhas dizer o que é melhor para mim – desafiou.

– Estamos na presença de um homem que está morto para a opinião pública – esclareceu Federico com uma ameaça velada. – Apenas queremos saber o máximo de informações possível para tentarmos estancar esta desgraça. O que é que levou o Comte a rebelar-se? Tantas mortes em nome de quê?

Rafael fez um aceno negativo com a cabeça. Eles não tinham percebido nada… ou não queriam perceber.

– Não foi em nome de quê, mas de quem. Qual é o denominador comum de todos os crimes?

Os homens levaram algum tempo a pensar, trocando olhares comprometidos entre si. A resposta não era difícil mas ninguém a queria dizer em voz alta. O último Papa de cunho imperial tornara-se num arquétipo insofismável de inconveniência. No Vaticano sempre tinham sido profícuos a varrer para debaixo do tapete as inconveniências. O que distava do olhar, não lembrava à mente nem ao coração. Era como se nunca tivesse existido. O problema é que a história nunca deixava esquecer nada.

– O Santo Padre Pio XII – respondeu o Cardeal Secretário de Estado, dando voz ao que ninguém mais queria pronunciar.

– Mas Pacelli deixou-nos em 1958. Como poderia ele influenciar o que se passou, tanto tempo depois da sua morte? – questionou Federico.

– Sabem qual ia ser a recomendação da *Positio* do padre Gumpel? – contrapôs Rafael.

Nenhum sabia. A *Positio* seria transmitida directamente ao Papa e não ao Secretariado. Seriam informados *a posteriori*, depois de o Santo Padre tomar a decisão. Informação – a pedra preciosa do novo mundo. Fulcral para saber o estado dos aliados e dos inimigos, dos neutrais e dos ambíguos; quem a tem controla o desenrolar dos acontecimentos.

– A recomendação era negativa – anunciou Rafael.

Todos imaginavam que o desfecho seria esse mas, por outro lado, mantinham a esperança que a Congregação para a Causa dos Santos, no fim, sustivesse o superior interesse da Igreja e varresse para debaixo do tapete aspectos menos abonatórios do candidato Eugenio Pacelli.

– Mesmo assim. O Comte mandou matar três pessoas, a sangue frio – disse Federico. – Porque não tentou matar o Gumpel também?

– Tentou. Só que não sabia onde ele estava.

A lógica era inimiga do ofício e, a maior parte das vezes, para se esconder algo o melhor é colocá-lo debaixo das barbas dos acossadores. Gumpel tinha apenas um endereço no seu registo pessoal: o Vaticano. Mas costumava pernoitar numa *villa*, afecta aos membros da congregação, propriedade do Estado católico, nos arredores de Roma, onde podia continuar as suas leituras de trabalho. Nunca ninguém se lembrou de procurá-lo nessa morada, como Rafael previra.

– Mas o que liga Girolamo a Pio XII? – quis saber Guillermo.

– O irmão – explicou o padre, com a voz cada vez mais sumida.

– Qual irmão? – perguntou Federico.

– Aquele que morreu? – perguntou Guillermo.

– Sim. O padre Giovanni Comte. Designado pelo cardeal Cicognani como vigilante da *moeda de troca* a partir de 1968.

– Foi o que morreu atropelado, não foi? – perguntou Federico.

– Mas essa história tem trinta anos. Para além disso, o padre Comte não conheceu o Papa Pacelli – apontou o piemontês.

– Mas conheceu a filha dele. E teve um filho com uma das empregadas da casa em 1981.

– O quê? Que história tão rocambolesca – reprovou Tarcisio. – De repente os padres desataram todos a ter filhos?

– Não fica por aqui – prosseguiu Rafael, cada vez mais fraco, lembrando-se que ele próprio não fora um exemplo de castidade. – Girolamo, na altura, era agente da Gendarmaria e ajudou o irmão a livrar-se do filho.

– De que maneira? – inquiriu Federico, intrigado.

– Providenciando uma família de acolhimento em Verona. O rapaz não assentou arraiais em nenhum lado. Anos mais tarde, Girolamo contratou uma pessoa a tempo inteiro para ficar com ele.

– Com que dinheiro? O salário na Gendarmaria não é alto.

– Com dois fundos do IOR.

– E quem financiava esses fundos?

– Um cardeal veneziano chamado Albino Luciani, mais conhecido pelo nome de João Paulo I. Usaram a sua alcunha, Piccolo, como pseudónimo para um dos fundos do IOR. A Fundação Donato e o Fundo Julieta para as crianças desprotegidas continuam a ser financiados pelas obras de caridade que ele criou. Ao contrário do que se diz, não é lavagem de dinheiro. Nunca foi. É dinheiro limpo, de pessoas que querem ajudar. Por isso é que o titular da fundação Donato continua a ser o Piccolo, que já morreu há 34 anos, e o titular do Fundo Julieta é sempre o Papa em funções.

Os três homens entreolharam-se, num silêncio cúmplice.

– O padre Comte morreu atropelado em 1983 – afirmou o Cardeal Secretário de Estado, como se estivesse a fazer um ponto da situação. – Continuamos sem perceber porque é que o intendente fez isto.

– O padre Comte morreu assassinado. Atropelamento e fuga.

– Tolice – atirou Federico.

– Como queiram. Morreu porque assistiu ao homicídio de dois Papas e guardava um grande segredo de outro. Era um homem de confiança que sabia de mais.

– Que diz? – irritou-se Tarcisio.

– O Papa Paulo VI foi envenenado ao longo do ano de 78 e sabemos muito bem o que aconteceu com o Papa Luciani – continuou Rafael. – O padre Comte serviu os dois e sabia quem tinha acesso a ambos os Papas.

– Isto é de doidos – reprovou o Cardeal Secretário de Estado. – E porque é que ele queria a mulher?

– Que mulher?

– A *moeda de troca*.

– Não sei de quem está a falar, Eminência – respondeu o padre, com uma expressão séria.

– Mas… ainda há pouco falou dela. Está a sentir-se bem?

– Não é altura para brincadeiras, Rafael – confrontou Guillermo. – Não te livras de nós sem nos entregares a Anna Pacelli ou a Anna Lehnert, como lhe preferires chamar.

– Como é que se pode entregar alguém que não existe? – perguntou a voz de Giorgio, o belo, que acabara de entrar no quarto e ouvira a última parte do diálogo.

Os outros desviaram o olhar para a porta e viram o monsenhor entrar com um sorriso nos lábios.

– Estão a brincar connosco? – perguntou Tarcisio, indignado.

– Claro que não, Eminência – garantiu Giorgio. – Nunca existiu ninguém com o nome Anna Lehnert ou Anna Pacelli. Consequentemente, não podemos entregar alguém que não existe.

Tarcisio levantou-se, agastado. Era demasiada petulância do secretário pessoal do Papa. Não ia permanecer ali mais tempo para ser humilhado nem zombado por um garoto.

– Meus senhores, quero que se dirijam ao meu gabinete, mal o Rafael tenha alta, com um relatório completo da situação, sem evasões nem artimanhas. As suas melhoras – desejou a Rafael. – Muito boa tarde.

Giorgio deixou-se ficar no quarto a olhar a rua pela janela, enquanto o Cardeal Secretário de Estado se arrastava para fora do quarto, seguido pelos outros dois. A Policlínica Gemelli era o hospital de eleição para membros da Igreja onde os próprios Papas eram tratados quando a gravidade impunha uma deslocação a uma unidade hospitalar. O monsenhor não se virou assim que ficaram a sós. Continuou a fitar a vida da cidade, ainda que os seus pensamentos o distraíssem do que se passava lá fora.

– O Tarcisio fez a pergunta certa – acabou por confessar Giorgio, derrotando o silêncio.

– Qual?

– Porque é que o Comte queria a Anna?

69

Giorgio não repetiu a pergunta, mas Rafael levou algum tempo a responder. O que é que o Comte pretendia, afinal? Sentia-se cada vez mais fraco e as palavras saíam-lhe com mais dificuldade.

– Não tive oportunidade de lhe perguntar – respondeu por fim. – Talvez a quisesse matar. A Mandi apareceu?

Giorgio fez que não com a cabeça.

– Talvez quisesse eliminar todos os vestígios que pudessem prejudicar a imagem de Pacelli.

– Mas porquê? – questionou Giorgio.

Rafael não sabia responder.

Giorgio respirou fundo na tentativa de desanuviar um semblante carregado.

– Se eu soubesse que ia ser tão trágico não te tinha arrastado para isto.

– Não me arrastou. Talvez tenha sido o contrário.

– Como é que o padre Duválio encontrou o teste de ADN e o diário? – perguntou o secretário do Papa, mais para si mesmo do que para Rafael.

– Alguém lhos deu. Aquilo não estava no arquivo como ele disse.

– Como podes ter tanta certeza?

– Porque eu é que mandei fazer o teste há muitos anos, e sei onde ele estava, e também já tinha visto o diário – explicou Rafael sem acrescentar as dúvidas que o atormentavam.

Giorgio colocou as mãos atrás das costas como um polícia a conjecturar pistas e provas, e a montar um puzzle mental.

– Eu não devia ter arrastado o jornalista americano para isto – desabafou Giorgio. – Não devia ter dito nada ao Timothy. Uma morte gratuita. Culpa minha.

– Não se culpe. Quem é que podia imaginar o plano louco do Comte? Sabíamos que ele pretendia raptar a Anna, mas nunca imaginámos que ele ia eliminar um colégio de relatores.

– Eu sei, mas...

– O nosso objectivo com o jornalista era dissuadir o Comte – interrompeu Rafael, analisando os factos com frieza. – Infelizmente não resultou. Ele perseguiu-nos a todos. Só parou quando ameaçámos matar o sobrinho e mesmo assim tentou matar-me... Não pare de ir buscar o dinheiro a Veneza. Esse dinheiro está a ser bem utilizado.

Giorgio virou-se para Rafael e aproximou-se da cama.

– O Gumpel vai fazer uma recomendação positiva para a beatificação – confidenciou o assistente pontifício, intrigado. – Soube que essa recente mudança de decisão tem dedo teu. Porquê?

Rafael tentou ajeitar-se na cama. Tinha dores e estava muito cansado. Optaria pela resposta mais simples, a verdade.

– Alguém me disse um dia que um homem não é apenas as suas falhas. O amor não escolhe lugar nem posto. Não devia, seguramente, ser ele a causa do entrave de um processo de canonização. Seria uma total contradição.

A dor começou a ser tão forte que a respiração se alterou e se tornou ofegante. Giorgio chamou os enfermeiros. Gentilmente, pediram ao monsenhor para sair. Giorgio, apreensivo, deu a mão em jeito de despedida a um Rafael trémulo e arquejante, que suava e se contorcia. Este agarrou a mão do assistente e puxou-o para mais perto. Giorgio debruçou-se sobre ele.

– O lenço? Onde está o lenço? – murmurou entredentes, com tremores pelo corpo inteiro em plena alucinação.

– De que é que estás a falar, Rafael?

– Saia, por favor, Excelência – voltou a pedir um dos enfermeiros. – O paciente precisa de descansar.

– A Anna está livre como tu querias – sussurrou o secretário pontifício antes de o deixar. Sabia que o padre haveria de gostar de saber.

O sedativo fê-lo adormecer em poucos minutos. Voltou a sonhar com mortos e cenas de praia. A voz, sempre ela a perturbar-lhe as conversas ao sol. O lenço a esvoaçar ao vento. *Quando é que teremos paz?* Quando acordou tinha uma visita do mundo dos vivos.

– És um cabrão – praguejou Cavalcanti, sentado numa cadeira com as pernas esticadas e pousadas na cama de Rafael. – Preferiste deixar-me de fora, levaste um tiro. Foi muito bem feito. Se me tivesses informado não estavas nessa cama.

Rafael sorriu. Talvez o inspector tivesse razão. Só Deus podia saber.

– Desculpa. Não devia ter-te deixado de fora. Foi um erro de cálculo.

– Isso é defeito de fabrico. Tudo o que vem dos lados de São Pedro vem avariado. – Sorriu com condescendência. – Parece que escapaste por pouco.

O padre sentia-se tão fraco que ainda não fazia ideia se tinha escapado ou não, mas não disse nada.

– Porque é que fomos à embaixada? Para veres a tua ex?

– Não. Para equilibrar a balança – respondeu Rafael. – Os alemães refrearam o Cardeal Secretário de Estado e tiraram espaço ao Comte.

Cavalcanti levantou-se e encaminhou-se para a porta.

– Vê se te pões bom. Tenho de ir. Os contribuintes não me pagam para andar a fazer visitas a hospitais de ricos.

– Os contribuintes não fazem ideia como e onde é que vocês gastam o dinheiro deles – retorquiu Rafael, com parca energia para provocar.

– Pois não. Mas nós fazemos. – Abriu a porta. – Ah! Já me esquecia! Aquele relator, o brasileiro.

– O Duválio? Que tem?

– Ele conhecia a tal Anna. Captámos vários telefonemas dele para um endereço oculto.

– Endereço oculto?

– Tu sabes o que eu quero dizer. Um endereço registado num nome fictício. Neste caso, uma empresa. Pertence ao Vaticano. Nem sei para que te estou a dizer isto. Deves ter sido tu a criá-lo. Seja como for, achei que devias saber. – Deu um passo teatral e ficou sob a ombreira. – Ah! Há ainda outra coisa. Esse Duválio falava também com o intendente.

– O Comte?

– Sim. Depois de falar com a Anna, ligava sempre para ele.

Aquelas informações deixaram Rafael intrigado. A Anna comunicava com o mundo exterior? A casa tinha seguranças a cobrir todo o perímetro e as comunicações eram controladas. Rafael era, supostamente, o único que lhe ligava.

– Como é que descobriste isso?

– Estás a subestimar-me? Tenho as minhas fontes. Não és só tu que guardas os teus trunfos. Fui a Torano, claro.

A dor voltara em força mas Rafael esforçou-se por aguentar. Precisava de ouvir aquele relato do inspector italiano.

– Fazer o quê? – perguntou com esforço.

– Inspeccionar o tal endereço oculto que estás a fazer de conta que não conheces e que o Comte não conseguiu descobrir. Interroguei os seguranças. Um deles disse que um relator da Congregação para a Causa dos Santos os contactou e exigiu falar com a Anna, e afirmou que estava a ligar em nome do Papa. Para a próxima que for ao banco pedir um crédito vou fazê-lo em nome do Papa, para ver se mo dão.

– Mas como é que ele soube o endereço dela?

– Não faço ideia. Talvez da mesma maneira como eu o descobri. – Encaminhou-se para a porta. – Até à próxima, padre Rafael ou Ivan ou lá qual é o teu nome. Espero que não haja próxima.

Cavalcanti saiu mas voltou a entrar.

– Ah! Já me esquecia. Aqui tens o teu amuleto. A última vez que te vi ainda não estavas consciente e só falavas dele. – Entregou-lhe o lenço de Sarah. – Não quero que te falte nada. Ainda dizes que não sou teu amigo.

Rafael ficou a pensar em tudo aquilo. Os pormenores. Sempre eles a fazerem a diferença. A ténue fronteira entre a certeza e o mal-entendido. A figura débil de uma velhinha inofensiva, simpática, que aliciava com doces e comidas que cozinhava para os seguranças. Quantas vezes Anna lhe dissera que fora ela quem cozinhara o jantar ou o almoço, expressamente para ele, quando Rafael a ia visitar? Adoçava as bocas e as mentes dos seguranças com palavras carinhosas e deliciosos preparos gastronómicos. Anna era uma sedutora e Rafael fora envolvido, como os outros, na sua teia de ternura. Ele próprio providenciara a liberdade dela porque achara que sofrera demasiado. *Fui uma espécie de ovelha negra. Não devia ter nascido*, lamentara-se ela mais de uma vez. *Se eu não existisse, a luta da minha mãe pela canonização dele já teria terminado há muito tempo.*

Rafael pensava que eram meros desabafos sem fundamento. Lamentos de quem tinha muito tempo para dar azo aos pensamentos e às frustrações. Nos bastidores, manipulava tudo e todos com sorrisos de velha tonta e distraída, rendida ao seu destino.

70

Passaram-se cinco dias e cinco noites e ainda não conseguia desfazer o sorriso infantil dos lábios. Sentia-se uma criança a quem a vida e a família ainda não tinham destruído os sonhos. Apenas lhe faltava o tempo para alcançar tudo o que ainda queria realizar mas não era hora de se lamentar com minudências. Teria o tempo que tivesse e aproveitaria cada segundo como se fosse o último. Havia muito mundo para conhecer.

Pediu um *cafelatte*, sem açúcar, e pousou a bolsa na cadeira ao lado da sua. Folheou o Berliner Zeitung e levou a chávena à boca para sorver um pouco do líquido quente que lhe aqueceria o corpo. O movimento do estabelecimento, àquela hora da manhã, era incessante com pessoas constantemente a entrar, a sair, a pedir bebidas quentes e frias, doces e salgados, crianças a berrar, a sorrir, a chorar, a correr por entre as mesas, a sonora máquina de café sempre a trabalhar para satisfazer os desejos dos clientes, garrafas a saltar para cima do balcão, empregados a deambular pelas mesas com tabuleiros carregados de comida e a gritarem para a cozinha os pedidos mais especiais, mas nada disso a incomodava. A vida acontecia à sua frente e não num mundo imaginário que se obrigara a criar. Não havia nada mais belo. Alguns clientes esperavam pela hora do comboio que os levaria para outro destino, outros, como ela, esperavam pelo que lhes traria alguém.

Atentou numa pequena notícia nas páginas internacionais que mencionava a morte do intendente da Gendarmaria Vaticana, Girolamo Comte. Coitado do intendente. Era uma peça fundamental para a conquista da sua liberdade mas, simultaneamente, um dano colateral. Ele queria honrar a memória do irmão e tratar dela, mas Anna queria apenas sair da casa grande. Ela conhecera-o alguns anos antes da morte do irmão dele, quando Girolamo era apenas um agente novato e ingénuo, ainda a dar os primeiros passos na Gendarmaria. Quando o irmão Giovanni teve o filho, ela e Girolamo ajudaram-no a resolver a questão. Um padre como ele, próximo do Santo Padre e em plena ascensão, não podia ter a mancha da paternidade no currículo. Quando Giovanni morreu daquela maneira trágica e imprevista, foi ela quem ajudou Girolamo e lhe sugeriu que arranjasse alguém que tomasse conta do Matteo. Deixaram de se ver quando o Rafa apareceu e a mudou de morada. Quando leu no Corriere della Sera que o Colégio de Relatores estava a tratar do caso do seu pai, viu uma oportunidade. Enviou o teste de ADN e, mais tarde, o diário para convencer o relator de que falava verdade sobre a sua identidade. O relator, o jovem Duválio, não queria crer. Infelizmente, ao contrário da sua intenção, aqueles documentos tiveram um efeito nocivo. O Colégio ia emitir um parecer negativo à beatificação do pai. Não foi difícil convencer o jovem padre Duválio a intermediar entre ela e o intendente. A memória do Papa Pio XII estava em perigo. Era preciso fazer alguma coisa em nome daquilo que muitos antes de Girolamo, como o seu próprio irmão, o sempre fiel Giovanni Comte, haviam feito para deter as conspirações contra o Santo Padre. Através de Duválio, tudo se tornou possível. Infelizmente, nenhum deles poderia sobreviver pois ambos tinham instintos protectores demasiado vincados. Ela queria ser livre, sem que ninguém soubesse onde ela estava.

Segundo o padre Federico, o porta-voz do Vaticano, o intendente foi assassinado em plena Praça de São Pedro, juntamente com um padre não identificado, naquilo que foi o culminar de uma série de crimes que tragicamente ensombraram a família vaticana. O intendente estava envolvido numa conspiração para matar o Papa Bento XVI e foi impedido por esse herói desconhecido que faleceu durante a operação.

Anna sentiu um arrepio perpassar-lhe o corpo e pensou no seu Rafa e se seria ele esse padre não identificado. Tossiu e deixou escapar uma lágrima que limpou com um lenço, antes de fechar o jornal e pousá-lo na mesa.

Rafa, Girolamo e Duválio pertenciam a uma outra vida que já não era a dela. Devia um agradecimento a Rafael. Tornara-lhe as coisas muito mais fáceis do que planeara. Ele era uma pérola que entrara na sua vida, há dez anos, e lhe dera esperança. Aquele seu último acto fora uma bênção. Devia-lhe a liberdade ainda que o seu empreendimento com Duválio e Comte tivesse resultado no mesmo desfecho, independentemente do que acabou por acontecer.

Pensou na mãe e no pai com carinho. Teria tempo para palmilhar as ruas e visitar os espaços que eles frequentaram enamorados, em silêncio, calando os sentimentos e os desejos a maior parte das vezes, há muitas vidas, no início do século XX. Dar-se-ia a essa lembrança e depois avançaria. O caminho devia ser sempre para a frente, sem olhar para trás... com uma única excepção.

Dali tinha visão privilegiada para a plataforma onde chegaria o comboio. Os altifalantes começaram a anunciar a chegada da composição e o coração de Anna acelerou com a ansiedade. Viu o comboio entrar na plataforma e abrandar até à imobilização total. As portas abriram-se mal as carruagens pararam e uma multidão de pessoas saiu para a plataforma, cada uma agarrada aos seus bens e compenetrada nos afazeres que a trazia a Berlim, alheia ao que se passava ao seu redor.

Anna fincou as mãos na mesa quando a viu e comprimiu a respiração que teimava em querer alterar-se por causa do nervosismo. Ela caminhava desorientada, no meio da turba, perdida nos seus pensamentos, o olhar ferido pelos anos sem sonhos. Mesmo que ela ainda não o soubesse, tudo isso ia terminar ali mesmo, naquela estação, naquele momento. Os olhos de Anna marejaram-se com lágrimas de emoção e felicidade. Deu por si a levantar-se e a caminhar com passos trémulos para a saída do café, em direcção a Mandi.

O Francês vinha ao lado dela, com óculos de sol e uma mochila. Já tinha visto Anna. Estava no local combinado. Ninguém proferiu uma única palavra. Não era possível. Apenas lágrimas e um longo abraço entre as mulheres, a mais nova ainda desorientada e confusa, completamente atónita mas feliz por ver aquela que a trouxera ao mundo. Há muito que a perdoara por esse infeliz acto egoísta. Havia muito para conversar.

Anna tirou o embrulho da bolsa e entregou-o ao Francês. Depois seguiu com Mandi para o exterior da estação, sem olhar para trás, sem um agradecimento. Não havia necessidade. Afinal, tratava-se apenas de uma relação comercial. Um rapto e seis mortes, o resto fora oferta da casa. A vida começava aos 82 anos.

O Francês entrou no café e sentou-se numa mesa de canto que estava vazia. O desfecho fora ligeiramente diferente daquele que estava planeado. O cliente acabou por libertar-se do seu cativeiro de outra maneira. Seria mais fácil se ele tivesse simplesmente ido a Torano libertá-lo, apesar da segurança apertada, mas tal sugestão foi liminarmente recusada. Aquele contrato era mais do que uma libertação, acima de tudo era preciso repor a imagem histórica de uma pessoa querida e muito importante para o cliente. Missão cumprida.

Abriu o embrulho com muito cuidado para não estragar o conteúdo e olhou para o interior, sem retirar o invólucro completamente. Cheirou e deixou-se entrar naquele mundo. A felicidade não residia na posse, nem na fortuna, mas na alma. Lê-lo-ia com cuidado e recuperaria as partes danificadas se fosse caso disso, mas havia mais livros para perseguir. Começaria ali mesmo, em Berlim, a visitar alfarrabistas, coleccionadores, a aliviá-los do espólio e do catálogo. Afinal, estava três milhões de euros mais rico. Todos os homens tinham a sua perdição. Depois rumaria a casa, aos seus livros, à sua colecção… Até ao próximo cliente. O desaparecido *Inventio Fortunata* era finalmente seu.

71

Anna vencera. O nome do seu pai estava limpo e ela nunca existira. Rafael fora um dos intervenientes principais nesse desfecho. O cansaço levara-o para monólogos à beira mar e deambulações pela casa grande de Torano, à procura de Anna. Ele bem gritava o nome dela mas apenas ouvia uma gargalhada longínqua de menina traquina. Corria atrás da gargalhada, desesperado, irritado, mas ela esvanecia-se cada vez mais. Depois ouviu aquela pergunta atrás dele. *Quando é que teremos paz?* Desta vez encontrou-a, sentada numa cadeira. Era o trono pontifício da Basílica de São Pedro que ela ocupava, trajada com as vestes pontifícias, as mãos pousadas nos braços da majestosa cátedra, em pose imperial. Estendeu-lhe a mão para que ele beijasse o *annulus piscatoris*. Era Sarah, e sorriu para ele. *Quando é que teremos paz?*

– Sarah! – gritou ele quando acordou novamente no quarto.

– Lamento desiludi-lo – ouviu uma voz responder. – Mas não sou a Sarah.

Rafael tentou orientar-se. Quantas horas dormira? Quanto tempo havia passado? O quarto estava escuro. Apenas a luz de um candeeiro de pé que estava num dos cantos. Conseguiu ver JC e o manco, o mais velho sentado, o mais novo de pé, como um segurança de prontidão.

– O que é que está aqui a fazer? – perguntou Rafael, suado e dorido dos vários dias acamado.

– Isso é lá maneira de receber um aliado – protestou JC com sarcasmo que depois foi substituído por uma expressão séria. – Tem de fazer melhor os trabalhos de casa na próxima vez.

– Eu sei – concordou o padre, resignado.

– A velhota levou a melhor. Gosto quando um plano é bem executado – aplaudiu durante uns instantes. – Se bem entendi, ela quis livrar-se dos detractores do pai e, ao mesmo tempo, recuperar a liberdade. Contou com um relator e um cúmplice para a primeira fase e consigo para a segunda.

– Eu nunca estive envolvido – afiançou Rafael.

– Eu acho que esteve. Pode nem sequer ter tido conhecimento desse envolvimento mas foi um dos principais intervenientes. O que, por si, abrilhanta ainda mais o plano. – JC fitou o manco. – Sou um admirador desta mulher. – Voltou a olhar para o padre. – Porque é que o intendente raptou o jovem padre alemão?

Rafael ficou retesado com a pergunta e não respondeu.

– Passo a explicar-lhe aquilo que o senhor sabe perfeitamente mas não quer revelar. Compreendo-o. Não seria motivo de orgulho para mim também, se estivesse na sua posição. Permita-me que lhe diga que o padre Rafael foi um idiota… Duplamente idiota. O jovem padre alemão foi raptado porque era seu filho biológico. Isto, só por si, é um ingrediente para uma bela telenovela. Mas impõe-se uma questão. Como é que ela sabia disso? Quer responder?

Rafael baixou o olhar.

– Porque eu lhe confidenciei esse facto.

– Porque o senhor lhe confidenciou esse facto – repetiu JC, satisfeito por fazer valer o seu ponto de vista. – Vê como foi um interveniente? Mas o meu caro não fez tudo mal. O sistema de segurança que montou em Torano funcionou. Daí que tivessem de engendrar o plano de rapto para a tirarem de lá. O intendente queria apenas que ela fosse livre. Também ele foi usado. Mas ele estava apenas a cumprir uma promessa a um familiar que tinha morrido há muito. E o Rafael estava a cumprir o quê, quando lhe facilitou ainda mais a vida? Libertou-a.

– Já percebi que fui manipulado – disse o padre, irritado. – Foi para se regozijar com isso que veio aqui?

– Também – respondeu JC, que nunca deixava de dizer as coisas por simpatia. – Falta a cereja em cima do bolo. O Matteo Bonfiglioli.

Rafael fechou os olhos. Ainda faltava esse pormenor. Um plano engendrado ao mais ínfimo detalhe que o fez pensar o tempo todo que estava à frente dos seus adversários quando, afinal, nem sabia quem eles eram.

– Fomos raptá-lo porque surgiu no horizonte uma ameaça de que o intendente estava a planear um atentado contra altos interesses do Vaticano. Agimos bem – prosseguiu JC. – Permita-me que lhe pergunte quem o informou dessa ameaça?

– O secretário pontifício. O Giorgio.

– Exactamente. E quem o informou a ele?

– Fonte segura – respondeu Rafael, o que era o mesmo que dizer que não fazia ideia de quem fora.

– Fonte segura. Claro. O meu caro não sabe quem foi mas eu digo-lhe. – Aguardou uns instantes para promover o mistério. JC adorava manter uma plateia agarrada. – Foi o coitado do relator brasileiro. E com quem é que ele falava ao telefone?

– Já percebi – respondeu rispidamente Rafael, dando a entender que era suficiente.

– A fonte de tudo foi a Anna. Confidenciou a Duválio o segredo de Rafael sobre um filho que andava à sua procura, falou-lhe da sua dedicação a Sarah, e contou-lhe sobre Mandi. E ele forneceu todos esses ingredientes a Girolamo, mais a imploração de liberdade dela, talvez entre lágrimas. O intendente sabia onde morava Mandi, a filha de Anna, visto que a segurança dela estava a cargo da Gendarmaria. O brasileiro tinha acesso privilegiado ao arquivo, à biblioteca, ao IOR, por ser investigador da congregação. Depois lançou a informação sobre Matteo, sobrinho secreto de Girolamo, e os planos de se livrar dos relatores. Tudo fazia sentido. O facto de Rafael ter intercedido para libertá-la com a ajuda de Giorgio e Jacopo foi um bónus para ela. Deve tê-los julgado a todos uns idiotas.

JC fez uma pausa após a explicação, saboreando a mestria de todo aquele plano.

– Sou um homem de inúmeros recursos, padre Rafael, como muito bem sabe. Esse factor permitiu-me localizar a nossa amiga Anna, que anda agora a passear com a filha pela Europa.

Rafael escutou aquelas palavras com toda a atenção. Pela primeira vez, desde que fora internado, sentia-se melhor, mais forte, sem tantas dores.

– Só lhe vou fazer esta oferta uma vez – explicou JC, para que não houvesse dúvidas. – Deseja que lhes faça uma visita?

Rafael fez que não com a cabeça.

– Deixe-as viver o que lhes resta.

O manco ajudou JC a levantar-se.

– Muito bem. Não foi um prazer trabalhar consigo, padre – despediu-se.

– Ainda falta terminar o trabalho – disse Rafael.

JC sorriu.

– Eu sei. Não se preocupe com isso agora.

O velho saiu amparado pela bengala e pelo manco. Rafael cogitou durante uns instantes em tudo aquilo que Anna fizera e pensou em Sarah e onde estaria. Sentia… sentia… Não sabia muito bem descrever a sensação. Queria vê-la. Precisava de a ver. Agarrou o lenço com força e levou-o ao nariz. Fechou os olhos e inspirou. Quando é que teriam paz?

JC enfiou a cabeça de novo no quarto e Rafael afastou o lenço do nariz.

– Pergunto-me se ela o enganou mesmo ou se o Rafael simplesmente se deixou enganar.

Depois saiu de vez.

72

Sarah dormiu dois dias seguidos depois de esgotar as lágrimas. Não viu nem falou com ninguém, desligou o telemóvel e proibiu que lhe transferissem chamadas, informou que não queria receber visitas. Limitou-se a dormir, dormir, dormir. Quando acordou, pediu que lhe servissem o jantar no quarto. Vincenzo fez questão de lho levar pessoalmente e de lho servir. Não trocaram nenhuma palavra, mas certificou-se que Sarah comia tudo. Depois pegou no tabuleiro e saiu, fazendo-lhe apenas um afago no cabelo. Foi assim nas refeições seguintes.

A decisão de regressar a Londres surgiu naturalmente. Nada mais a prendia a Roma. Apenas uma despedida. O passado não se devia renegar. Fazê-lo acabava por magoar outras gerações, porque ele sempre esperava, à espreita, para atacar o presente numa qualquer esquina do futuro. A Igreja sofria porque o renegava e depois acabava por ser apanhada nas malhas que ela própria criara para olvidar.

Chegou à policlínica a meio da tarde. Seria uma visita rápida, mesmo a tempo de apanhar o avião de regresso a terras de sua majestade, no início da noite. Os guardas já não estavam lá para a impedirem de entrar no quarto, mas encontrou a cama vazia e Jacopo à janela a mirar o exterior.

– O que está aqui a fazer, doutor Sebastiani? Onde está o Rafael?

O historiador virou-se para Sarah, consternado, com lágrimas a escorrerem-lhe pela cara.

– Ó Sarah! – proferiu Jacopo, avançando para ela e abraçando-a. – Ele deixou-nos.

Sarah sentiu um aperto no peito e os olhos marejaram-se.

– O que quer dizer com isso?

– Ontem vim vê-lo. Parecia em franca recuperação. Hoje, quando cheguei, deram-me a notícia.

Sarah já chorava copiosamente.

– Que notícia, Jacopo? – perguntou a jornalista, que necessitava de ouvir a confirmação da boca do historiador.

– O Rafael morreu, Sarah. Morreu.

Jacopo chorava compulsivamente a perda do amigo para quem nem sempre fora bom. Ninguém o era em todos os momentos. A amizade devia residir mais nos actos do que na lembrança, mas nem sempre podia ser assim. Que diria Norma quando soubesse da notícia?

– Mas como? – quis saber Sarah por entre soluços.

– Uma infecção generalizada. Sucumbiu aos ferimentos. Foi o que os médicos disseram.

Sarah olhou para a cama, a coberta branca esticada sobre o colchão, sem saber o que sentir. As lágrimas começaram a escorrer-lhe pelo rosto e a caírem no chão. Não podia crer. *Não. Não pode ser. Não pode ser!* Sentou-se na beira da cama a chorar e a mesa-de-cabeceira chamou-lhe a atenção. O lenço. O seu lenço estava lá pousado, imaculadamente dobrado. Sarah pegou nele e levou-o ao rosto. Ele guardara-o. Tentou sentir alguma réstia de perfume do padre que tanto amava e a deixara. Não era justo. *O Rafael não.*

Sarah saiu do hospital a correr. Deus vingara-se da sua descrença. Era tão vil como os homens que geriam a Sua Igreja.

Percorreu as ruas da cidade que até há alguns dias palmilhara com Rafael ao seu lado. Afastara o espectro da doença que a assombrara e seria essa a sua recordação dele. Os seis meses em que viveram juntos. Brincaram, passearam, como marido e mulher, como casal apaixonado que não podiam ser. Compreendia agora, à distância, porque é que nunca se tinham perdido num beijo ou numa noite de prazer. Nicole nunca conhecera verdadeiramente Rafael. Tinha apenas a imagem de um homem que a magoara há mais de vinte anos. Sarah conhecera o homem que não a queria magoar. Por isso nunca lhe deu uma razão, uma ilusão, foi sempre bastante claro e correcto, ela é que nunca o quis entender. Vivia uma ilusão e uma frustração criada por si. Ele fizera tudo para não contribuir para isso.

A ausência dele ia fazê-la sofrer mas seria essa a recordação que guardaria. O homem que a amou ao ponto de não a querer magoar. Amou-a ao ponto de a proteger de si mesmo.

O deambular levou-a ao hotel para ir buscar a mala que deixara na recepção, e pediu um táxi para a levar ao aeroporto.

Riccardo, o recepcionista, entregou-lhe também um envelope.

– Chegou isto para si, Sarah.

A jornalista ficou intrigada e afastou-se um pouco do balcão para abrir o envelope longe de olhares alheios. Tirou um pequeno objecto preto e um cartão.

Isto é um auricular. Por favor, coloque-o no ouvido.

Sarah sentiu um novo calafrio. Já passara por aquilo anteriormente e, sinceramente, não estava com paciência para jogos, mas cumpriu a ordem que acabara de ler.

– *Boa tarde, Sarah* – cumprimentou a voz de JC.

– Boa tarde. O que é que deseja? – perguntou ainda com a voz embargada.

– *Queria dar-lhe as minhas condolências pela sua perda. Mas a vida continua e temos muito que fazer.*

– Eu não vou fazer mais nada – afiançou Sarah. – Hoje encerrou-se um ciclo. Não vou voltar a colaborar e espero não tornar a ouvi-lo. O JC acabou com o Rafael.

– *Oh! Sinto-me tão ofendido, Sarah. Depois de tudo o que fiz por si* – respondeu com uma expressão de falsa ofensa. – *A Sarah vai fazer mais uma viagem e livra-se de mim de vez.*

– Vou fazer uma viagem, é verdade, mas é para casa – disse a jornalista, ignorando JC.

– *Está um carro à sua espera à porta do hotel* – informou JC num tom muito sério.

Sarah olhou para a porta giratória e viu um Mercedes negro de vidros fumados, estacionado no exterior, com o motor ligado.

– *Não estou a brincar* – continuou JC. – *A Sarah vai entrar no carro e ele vai levá-la ao aeroporto de Fiumicino. Procure o voo da Alitalia com destino ao Rio de Janeiro. É só fazer o* check-in.

Sarah sentiu-se perdida. As lágrimas regressaram. Ele não ia deixá-la em paz.

– Promete-me que depois posso voltar para casa?

– *Depois fará o que bem entender, Sarah. Tem a minha palavra. Poderá passar férias na praia ou regressar a Londres. A Sarah merece ter alguma paz.*

A jornalista reflectiu uns segundos. Não teria hipótese. Iria ao Rio de Janeiro.

– E depois?

– *Dirija-se ao hotel Copacabana Palace, quarto 509. O seu contacto estará lá e tratará do resto.*

– OK – acedeu Sarah, agarrando o lenço que trouxera do hospital com mais força. – Vou ao Rio e depois regresso a Londres.

– *Vai ao Rio e depois regressará a Londres* – repetiu JC. – *Faça boa viagem e divirtam-se.*

– Espere. Como se chama o meu contacto?

– *Ah! É verdade. Esqueci-me desse detalhe* – disse JC com um sorriso sarcástico. – *O nome do seu contacto é Lucarelli. Stephano Lucarelli.*

Breve nota do autor sobre Pio XII

É inevitável deixar uma menção sobre Pio XII, um dos grandes papas do século XX. Nunca foi nazi, muito menos anti-semita. O seu melhor amigo de infância era judeu e frequentou os *Sabat* da família dele. A encíclica assinada por Pio XI em 1937, *Mit Brennender Sorge*, foi elaborada na sua totalidade por Eugenio Pacelli, na altura Secretário de Estado do Vaticano.

O historiador inglês *Sir* Martin Gilbert declara no seu livro sobre a 2.ª Guerra Mundial que, de 1933 a 1939, Pacelli enviou para a Alemanha cinquenta e cinco protestos denunciando os actos grotescos das forças nazis, as violações constantes à Concordata de 1933 e perseguições com base na raça. Em Nuremberga, durante os julgamentos, soube-se que Hitler empilhava os protestos na sua secretária e fazia anedotas sobre eles. Mais: ao contrário do que se pensa, enquanto Legado Papal, Pacelli denunciou o nazismo em Lourdes, Lisieux, Paris e Budapeste. Já durante a Guerra, há relatos de padres polacos que instavam o Papa a manter a imparcialidade, caso contrário sofreriam todos.

O Doutor Peter Gumpel é um dos maiores estudiosos de Pio XII. A sua investigação, baseada em entrevistas e na leitura de mais de 100 mil páginas de documentos, atesta os dilemas e as dúvidas de Pio XII, assim como a gestão inteligente dos acontecimentos e uma preocupação genuína pelas pessoas. "Estou totalmente convencido de que ele era um santo", afirmou. E não foi o único. Inúmeras individualidades, desde diplomatas a chefes de Estado, artistas e simples fiéis, declararam que quando privavam com o Papa sentiam que estavam na presença de uma força divina, de um santo, tal era a energia que sentiam emanar de Pio. Descreveram a sua voz cristalina, o toque meigo, a constante atenção ao bem-estar de quem o rodeava.

A Operação Assento 12 que JC menciona no livro existiu realmente e, ao que parece, cinquenta e cinco anos depois da morte de Pio XII continua a cumprir o seu objectivo.

Tenho um apreço profundo pela Anna e pela Mandi, a quem pude libertar na ficção, mas que fazem parte dos sacrifícios que Roma exige, de tempos a tempos, para expiar os pecados do mundo. Testemunharam os meus dilemas enquanto escrevia e não escrevia esta história, as dúvidas e os conflitos interiores. Tiveram sempre uma palavra de incentivo e até os silêncios calculados me ajudaram a percorrer este caminho difícil entre a criação literária e a história.

Sinto uma enorme admiração e devoção por Piccolo, o Papa Luciani, que ainda hoje influencia o mundo com as suas obras em defesa das crianças desprotegidas e que também devia ser canonizado.

Agradecimentos

Há sempre muitas pessoas a quem agradecer quando se escreve um livro, pelos mais variados motivos. Este *A Filha do Papa* não é excepção e ainda bem.

Comecemos pelos anónimos: quero agradecer aos agentes da Polizia di Stato que me deram a conhecer essa difícil convivência com os seus colegas da Gendarmaria do Vaticano. Muito obrigado. Também não posso deixar de mencionar aqueles que me ajudaram a compreender como funciona esse mundo da criação de santos. Não os posso identificar, por razões óbvias, mas as informações que me deram foram preciosas; em ambos os casos usei-as livremente, portanto, qualquer erro será sempre meu e nunca deles. Obrigado também a eles.

As frases "Existe apenas a versão oficial do Vaticano." e "Quando a Santa Sé se pronuncia não há necessidade de procurar outra versão." não são da minha autoria, mas são demasiado fortes para as ignorar.

Uma vénia aos agentes invisíveis que são os meus olhos e ouvidos dentro dos altos muros do Vaticano.

Estou imensamente agradecido às minhas agentes Maru de Montserrat e Jennifer Hogue e a toda a equipa da International Editors que, a partir de Barcelona, vão conquistando o mundo. O apoio que me dão é fundamental e, graças a elas, posso dedicar-me apenas à escrita. Os meus sucessos são delas também.

Uma nota de gratidão para a galáctica equipa da Porto Editora: à Cláudia Gomes, por acreditar em mim, ao Rui Costa, por carregar tudo às costas, à Alexandra Carreira e ao Flávio Sobral, por me orientarem os dias, ao Rui Couceiro, cuja lucidez e inteligência são um bálsamo para os autores, ao Orlando Almeida, que lê cada palavra que escrevo e que, seguramente, deixa o texto mais rico com as suas sugestões perspicazes. Quero também deixar uma palavra de apreço a todos os comerciais da Porto Editora que preencheram as horas que passei na estrada com histórias, experiências e muito profissionalismo e simpatia.

Este livro também não existiria sem a investigação da Roberta, a quem deixo um fraterno obrigado por ter partilhado comigo o fruto de um trabalho de vários anos.

Ao escritor Eric Frattini agradeço as longas horas de bom humor e investigação a que nos entregámos.

Aos escritores Luís Costa Pires e Carlos Almeida, pelas longas conversas via Skype que, apesar de não fazerem qualquer sentido para eles, faziam todo o sentido para mim, o meu muito obrigado, amigos.

A Vincenzo Di Martino, outro amigo do peito, que sempre me proporciona e aos meus amigos a mais confortável das estadas em Roma, e à sua esposa Erina, um profundo agradecimento. Tomei a liberdade de pedir à Sarah que contracenasse contigo como era teu desejo. Espero que tenhas gostado.

A César Ribeiro quero agradecer a amizade e a explicação desse misterioso e apaixonante mundo dos livros antigos e desaparecidos. Obrigado por partilhares essa paixão comigo. Quiçá não nascerá um novo livro dos escombros desses mistérios.

Há outras pessoas que foram importantíssimas na elaboração deste livro, mesmo que não tenham dado por isso. O meu muito obrigado a Ricardo Silveira, Pedro Abreu, João Paulo Sacadura, Diogo Beja, Alejandro Peláez Vargas, ao *gang* da Conceição da Faculdade de Letras da Universidade do Porto, a saber: Conceição Morais Mendes, Ana Freitas, José Braga, Sérgio Bastos e Francisco Pereira.

Não posso deixar também de mencionar Luísa Lourenço, Sofia Teixeira, Giusva Branca, Raffaele Mortelliti, Luís Santos, Margarida Mateus, Mónica Almeida, Pedro Assis Cadavez, Ricardo Afonso, Nuno Miguel Faria, Vera Oliveira…

Quero deixar um abraço fraterno ao Hugo e à Sandra Lima, e à Maria e à Ana Rita. Bem como à Lara Leite e à Rosa Queiroz. Ao Thomas Lanoë e à Keila e à Denise Beltrame, que são os verdadeiros aventureiros, deixo um *oi* e um abraço de gratidão por fazerem parte da minha vida.

Aos meus pais, José e Maria, à minha irmã, Ana Cristina e ao meu irmão, Nuno Tiago, ao meu cunhado, Jorge Alexandre, e aos meus sobrinhos, Mariana e Alexandre, beijos e abraços muito fortes.

A fechar, um agradecimento público à Condessa. As outras palavras digo-lhe todos os dias.

E, finalmente, agradeço a todos os meus leitores espalhados pelo mundo. Obrigado pelo estímulo que me dão nas cartas, nos emails, nas conversas, nas leituras. Isto é tudo para vocês.